Ian
Rankin

Wiszący ogród

Z angielskiego przełożyła
Małgorzata Fabianowska

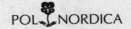
POL NORDICA

Tytuł oryginału: „The Hanging Garden"

Ilustracja na okładce: © Andrea Wells/CORBIS/FREE

Projekt okładki: Jerzy Dobrucki

Redakcja: Małgorzata Nesteruk

ISBN 83-7264-267-2

Druk: FINIDR, Czechy

Adres wydawcy:
POL-NORDICA Publishing Sp. z o.o.
05-400 Otwock, ul. Powstańców Warszawy 3
tel. 0 22 719-50-80
e-mail: polnord@polnordica.com.pl
http://www.polnordica.com.pl

Wydawca jest członkiem Polskiej Izby Książki, Ogólnopolskiego
Stowarzyszenia Wydawców oraz Izby Wydawców Prasy

Dla Mirandy

Jeżeli wszelki czas jest teraźniejszy wiecznie,
Niczym okupić nie daje się czas

T. S. Eliot, *Burnt Norton* (przekład Czesława Miłosza)

„Pojechałem do Szkocji i nie znalazłem tam nic,
co by wyglądało jak Szkocja"

Arthur Freed, producent *Plutonu*

Księga Pierwsza

W wiszącym ogrodzie
Zmień przeszłość

(Fragment piosenki *The Hanging Garden* zespołu The Cure)

Kłócili się w salonie.

- Słuchaj, jeśli ta twoja cholerna praca jest taka ważna...

- Czego ode mnie chcesz?

- Wiesz doskonale, do jasnej cholery!

- Urabiam się po łokcie dla nas trojga!

- Nie wciskaj mi więcej tego kitu!

I wtedy ją zobaczyli. Trzymała swojego misia, Pa Broona, za ucho, nieźle już pogryzione. Przyglądała się im, stojąc w drzwiach z kciukiem w buzi. Jak na komendę odwrócili się do niej.

- O co chodzi, kochanie?

- Miałam zły sen.

- Chodź tu.

Matka przykucnęła i wyciągnęła ku niej ramiona, jednak dziewczynka podbiegła do ojca i objęła rączkami jego nogi.

- Chodź, zwierzaczku, zabiorę cię z powrotem do łóżka.

Położył ją i zaczął czytać bajkę.

- Tatusiu - spytała - a jeśli zasnę i już się nie obudzę? Jak Śnieżka albo Śpiąca Królewna?

- Nikt nie zasypia na wieki, Sammy. Żeby się obudzić, wystarczy pocałunek. Wiedźmy i złe królowe są wtedy bezsilne.

Pocałował ją w czoło.

- Martwi ludzie się nie budzą - powiedziała, mocniej ściskając misia. - Nawet kiedy ich pocałujesz.

1

John Rebus pocałował córkę.

– Na pewno nie chcesz, żebym cię podwiózł?

Samantha potrząsnęła głową.

– Muszę jakoś spalić tę pizzę.

Włożył ręce do kieszeni i wyczuł pod chusteczką do nosa zwinięte banknoty. Myślał o tym, żeby dać jej pieniądze – w końcu to właśnie robią ojcowie – ale z pewnością by go wyśmiała. Miała dwadzieścia cztery lata i uważała się za osobę niezależną; nie potrzebowała takich gestów i na pewno nie wzięłaby pieniędzy. Chciała nawet zapłacić za pizzę, wykłócając się, że zjadła połowę, a on zaledwie jeden kawałek. Resztę porcji zapakowano do pudełka, które trzymała pod pachą.

– No to cześć, tato.

Cmoknęła go w policzek.

– Do przyszłego tygodnia?

– Zadzwonię. Może we trójkę...?

Miała na myśli Neda Farlowe'a, swojego chłopaka. Mówiła do Rebusa, cofając się. Wreszcie odwróciła się, sprawdziła, czy nic nie jedzie, i przeszła przez ulicę. Po drugiej stronie odwróciła się raz jeszcze, spostrzegła, że wciąż na nią patrzy, i pomachała mu z wdzięcznością. Jakiś młody człowiek prawie się z nią zderzył. Wpatrywał się w chodnik, a cienki czarny kabelek od słuchawek zwisał mu wokół szyi. Człowieku, odwróć się i popatrz na nią, rozkazał mu w myślach Rebus. Czyż nie jest wspaniała? Ale młody mężczyzna powlókł się dalej chodnikiem, nieświadomy istnienia takiego cudu.

A potem skręciła za róg i już jej nie było. Rebus mógł sobie tylko wyobrazić, jak mocniej przyciska pudełko do boku, aby nie wypadło, jak wpatruje się przed siebie, jak pociera kciukiem prawe ucho, które ostatnio przekłuła sobie po raz trzeci. Wiedział, że nos jej drży, kiedy myśli o czymś zabawnym. Wiedział, że jeśli chce się skupić, wkłada do ust róg klapy żakietu. Wiedział, że nosi bransoletkę z czarnej skóry ozdobionej frędzelkami, trzy srebrne pierścionki i tani zegarek z tarczą w kolorze indygo na czarnym plastikowym pasku. Wiedział, że wybiera się na imprezę z okazji dnia Guya Fawkesa*, ale nie zamierza zabawić tam długo.

Jednak czuł, że nadal wie zbyt mało, i dlatego koniecznie chciał, by się spotkali, zjedli razem kolację. To była tortura: przesuwanie daty, odwoływanie spotkań w ostatniej chwili. Czasami z jej winy, ale najczęściej z jego. Nawet tego wieczoru powinien być w innym miejscu. Przesunął dłonią po marynarce, czując wybrzuszenie w wewnętrznej kieszeni na piersi - swój mały ładunek samobójczy. Spojrzał na zegarek, była prawie dwudziesta pierwsza. Mógł pojechać samochodem albo pójść pieszo, odległość nie była duża.

Zdecydował się wziąć samochód.

Edynburg w noc fajerwerków, zeschłe liście ułożone w pokaźne sterty wzdłuż ulicy. Niedługo będzie musiał zeskrobywać szron z przedniej szyby auta, czując chłód poranka jak dźgnięcie w nerki. Wydawało się, że mróz ogarnia południową część miasta wcześniej i szybciej niż północną. A on, oczywiście, mieszkał i pracował w części południowej. Przez chwilę zastanawiał się, czy nie wrócić na komisariat - był wciąż na służbie - lecz w końcu uznał, że ma inne plany. W drodze do samochodu minął trzy puby. Pogawędki w barze, papierosy i śmiech, podniecenie i alkohol - znał to wszystko lepiej niż własną córkę. Dwa z trzech lokali chełpiły się posiadaniem „biletera". Widocznie teraz nie nazywali się już „bramkarzami". Bileterzy albo jeszcze lepiej - „menedżerowie frontów budynków" - zwaliści faceci o krótko ostrzyżonych włosach i wybuchowym temperamencie. Jeden z nich nosił kilt. Jego gniewna twarz pokryta była bliznami, a czaszka wygolona na

*Guy Fawkes - uczestnik tzw. Spisku Prochowego 1605 roku; usiłował wysadzić w powietrze angielski parlament. Od tego czasu 5 listopada w Anglii tradycyjnie rozpala się ogniska, puszcza fajerwerki i pali kukłę symbolizującą Fawkesa (przyp. tłum.).

łyso. Rebus pomyślał, że gość pewnie ma na imię Wattie albo Willie. Pewnie należał do bandy Telforda. Zapewne wszyscy oni należeli. Graffiti na ścianie krzyczało: CZY NIKT NIE POMOŻE? Cztery słowa wiszące nad miastem.

Rebus zaparkował za rogiem Flint Street i dalej ruszył piechotą. Ulica była pogrążona w ciemnościach z wyjątkiem kafejki i salonu gier automatycznych. Stała tam jedna latarnia, ale miała przepaloną żarówkę. Policja poprosiła służby miejskie, by poczekały z wymianą – dobre oświetlenie nie służy policyjnej inwigilacji. Mrok rozświetlało kilka jasnych okien w mieszkaniach. Przy krawężniku zaparkowano trzy auta, ale tylko w jednym ktoś siedział. Rebus otworzył tylne drzwi i wsiadł.

Mężczyzna za kierownicą i kobieta obok niego wyglądali na porządnie zziębniętych i znudzonych. Detektyw konstabl Siobhan Clarke pracowała z Rebusem w St Leonard's, zanim została przeniesiona do Szkockiej Brygady Kryminalnej. Detektyw sierżant Claverhouse był członkiem tej grupy od dawna. Dostali zadanie prowadzenia całodobowej obserwacji Tommy'ego Telforda i jego ciemnych interesów. Ich przygarbione sylwetki i blade twarze wyrażały nie tylko nudę, ale i głębokie przekonanie, iż trud ten jest daremny.

Rzeczywiście, był daremny, gdyż Tommy Telford rządził całą ulicą. Nikt nie parkował tu bez jego wiedzy. Dwa range rovery należały do jego gangu. Każdy obcy wóz był natychmiast zauważany. Grupa z wydziału dysponowała furgonetką specjalnie przystosowaną do prowadzenia obserwacji, lecz na Flint Street nie udało się jej użyć. Furgonetka parkująca tu dłużej niż pięć minut stawała się obiektem zainteresowania ludzi Telforda. Byli jednocześnie uprzejmi i obcesowi.

– Cholerna tajna obserwacja – warknął Claverhouse. – Tyle tylko, że ani tajna, ani obserwacja. – Rozerwał zębami opakowanie batonika i zaoferował pierwszy kęs Siobhan, która odmownie pokręciła głową.

– Szkoda tych mieszkań – powiedziała, zerkając przez przednią szybę. – Byłyby idealne.

– Byłyby, gdyby nie to, że Telford jest ich właścicielem – stwierdził Claverhouse z ustami pełnymi czekolady.

– Czy wszystkie są zajęte? – spytał Rebus. Siedział z nimi w samochodzie dopiero minutę, a już zmarzły mu palce u stóp.

– Niektóre stoją puste – wyjaśniła. – Telford używa ich jako magazynów.

– Ale nawet najmniejszy gnojek, wchodzący lub wychodzący głównymi drzwiami, zostanie zauważony – dodał Claverhouse. – Próbowaliśmy tam wprowadzić naszych monterów i hydraulików.

– Kto robił za hydraulika? – spytał Rebus.

– Ormiston. A co?

Rebus wzruszył ramionami.

– Po prostu szukam kogoś, kto naprawiłby mi kran w łazience.

Claverhouse uśmiechnął się. Był wysoki i kościsty, miał ciemne worki pod oczami i jasne, przerzedzone włosy. Wolno się ruszał i wolno mówił, a ludzie często go nie doceniali. Ci zaś, którzy znali go bliżej, nieraz mieli okazję się przekonać, iż przydomek „Cholerny" Claverhouse był jak najbardziej zasłużony.

Clarke sprawdziła godzinę.

– Dziewięćdziesiąt minut do zmiany.

– Można by włączyć ogrzewanie – zaproponował Rebus.

Claverhouse obrócił się w fotelu.

– Ciągle jej to powtarzam, ale nie słucha.

– Dlaczego nie? – uchwycił spojrzenie Siobhan we wstecznym lusterku. Uśmiechała się.

– Ponieważ – odrzekł Claverhouse – trzeba by włączyć silnik, a grzanie rury i stanie to marnotrawstwo. Globalne ocieplenie, te sprawy, rozumiesz.

– Właśnie tak – potwierdziła.

Rebus zerknął na jej odbicie. Wyglądało na to, że Claverhouse akceptował Siobhan, co równało się akceptacji przez całą komendę przy Fettes. Rebus, wieczny outsider, pozazdrościł Siobhan umiejętności przystosowania.

– Tak czy inaczej, to wszystko jest do chrzanu – kontynuował Claverhouse. – Przecież drań wie, że tu jesteśmy. Furgonetkę rozpracowano po dwudziestu minutach, Ormiston nawet nie przekroczył progu mieszkania, a teraz sterczymy tu my, jedyne palanty na całej ulicy. Nie możemy już bardziej się wyróżniać, nawet gdybyśmy odstawili pantomimę.

– Widoczna obecność działa odstraszająco – odrzekł Rebus ze śmiertelną powagą.

– Jasne, jeszcze kilka cholernych nocy tutaj i jestem pewien, że Tommy wróci na ścieżkę prawa i sprawiedliwości. – Claverhouse poruszył się w fotelu, starając się znaleźć wygodniejszą pozycję. – Wiadomo coś o Candice?

Sammy zapytała o to samo. Rebus pokręcił głową.

– Nadal uważasz, że to Tarawicz ją dorwał? A może sama dała nogę?

Rebus parsknął, urażony.

– Wiem, że nie dopuszczasz myśli, aby mogło być inaczej, ale obaj wiemy, że różnie bywa. Dlatego radzę, zostaw to nam. Zapomnij o niej, wystarczy ci sprawa tego Hitlerka.

– Nie przypominaj mi o nim.

– Próbowałeś namierzyć Colquhouna?

– Nagłe wakacje. Ma zwolnienie lekarskie.

– Myślę, że go pogrążyliśmy.

Rebus zorientował się, że głaszcze dłonią kieszeń na piersi.

– Więc gdzie jest Telford? W barze?

– Wszedł tam jakąś godzinę temu – odrzekła Clarke. – Na tyłach jest pokój, którego używa jako gabinetu. Chyba lubi też salon gier. Zwłaszcza te automaty, gdzie siedzisz na motorze i zaliczasz okrążenia.

– Potrzebujemy kogoś w środku – powiedział Claverhouse. – Jedno z dwojga: to albo podsłuch.

– Nie wyszedł nam numer z hydraulikiem – przypomniał Rebus. – Uważasz, że spec z elektronicznym szpejem poradzi sobie lepiej?

– Gorzej i tak być nie może. – Claverhouse włączył radio i zaczął szukać muzyki.

– Błagam – jęknęła Clarke – tylko nie country!

Rebus wpatrywał się w bar. Lokal był dobrze oświetlony, a firanka zasłaniała dolną część okna. Na górnej napis głosił: „Duże porcje za małe pieniądze". Do szyby przyklejono menu, a na ulicy stała tablica z godzinami pracy – od 6.30 do 20.30. Lokal już od godziny powinien być zamknięty.

– A jak jego licencje?

– Ma prawników – Clarke machnęła ręką.

– Od razu to sprawdziliśmy – dodał Claverhouse. – Ma pozwolenie na pracę w godzinach nocnych. Sąsiedzi raczej się nie skarżą.

– Cóż – westchnął Rebus – miło się z wami gadało...

– ...ale na mnie już czas, kochani? – dopowiedziała Clarke. Starała się utrzymać żartobliwy ton, ale Rebus widział, że jest bardzo zmęczona. Zaburzony rytm snu, wychłodzenie organizmu, do tego świadomość bezcelowości nadzoru. Partnerowanie Claverhouse'owi nigdy nie było łatwe: zero zabawy i śmiesznych opowieści, tylko ciągłe przypominanie, że wszystko muszą robić „jak trzeba", czyli zgodnie z przepisami.

– Wyświadcz nam przysługę – poprosił Claverhouse.

– Jaką?

– Jest taka frytkarnia niedaleko Odeonu.

– Co chcecie?

– Tylko trochę frytek.

– Siobhan?

– Irn-Bru*.

– A, John... – zagadnął Claverhouse, gdy Rebus otwierał drzwiczki. – Spytaj, czy mają termofory, dobra?

W ulicę z piskiem opon skręcił samochód i zatrzymał się gwałtownie przed barem. Tylne drzwi od strony krawężnika otworzyły się, ale nikt nie wysiadł. Auto odjechało z piskiem opon, z wciąż otwartymi drzwiami, ale coś zostało na chodniku; to coś pełzło, próbując się podnieść.

– Za nimi! – wrzasnął Rebus.

Claverhouse już zdążył przekręcić kluczyk i wrzucił pierwszy bieg. Clarke chwyciła mikrofon jak tylko wóz ruszył. Zanim Rebus przebiegł przez ulicę, mężczyzna zdołał się podnieść. Stał z jedną ręką opartą na szybie baru, drugą trzymając się za głowę. Kiedy Rebus się zbliżył, wyczuł jego obecność i słaniając się, usiłował podejść.

– Chryste! – wrzasnął. – Pomóż mi!

Upadł na kolana, trzymając się oburącz za głowę. Jego twarz była jedną krwawą maską. Rebus ukląkł przy nim.

---

*Popularny w Wielkiej Brytanii napój z soku z owoców cytrusowych zawierający kofeinę (przyp. tłum.).

- Zaraz wezwiemy karetkę - powiedział uspokajającym tonem.

Przy oknie baru zebrali się ludzie. Otwarto drzwi i dwóch młodych mężczyzn gapiło się na nich jak na spektakl ulicznego teatru. Rebus rozpoznał ich: Kenny Houston i Pretty-Boy.

- Nie stójcie tak! - ryknął.

Houston popatrzył na kumpla, ale ten nawet się nie ruszył. Rebus wyjął komórkę i wezwał karetkę, nie spuszczając oka z Pretty-Boya: czarne, kręcone włosy, podmalowane oczy. Kurtka z czarnej skóry, czarny golf, czarne dżinsy. Słowem, „pomaluj to na czarno", jak w przeboju Stonesów. Tylko twarz była trupio blada, pewnie upudrowana. Rebus podszedł do drzwi. Za jego plecami mężczyzna jęczał, a głos bólu niósł się echem w mroku nocy.

- Nie znamy go - burknął Pretty-Boy.

- Nie pytałem, czy go znacie; potrzebowałem pomocy.

Pretty-Boy nawet nie mrugnął.

- Nie usłyszałem tego magicznego słowa.

Rebus zrobił jeszcze krok i stanął z nim twarzą w twarz. Pretty-Boy uśmiechnął się i skinął na Houstona, który poszedł po ręczniki.

Większość klientów powróciła do stolików. Ktoś przyglądał się krwawemu odciskowi dłoni na szybie. Rebus zauważył grupę ludzi śledzących całą sytuację z pokoju na tyłach baru. Pośrodku stał Tommy Telford: barczyste, proste ramiona, szeroko rozstawione nogi. Wyglądał prawie jak żołnierz.

- Myślałem, że troszczysz się o swoich, Tommy! - zawołał do niego Rebus.

Telford spojrzał mu prosto w oczy, a potem odwrócił się, wszedł do pokoju i zamknął drzwi. Jęki na ulicy nasilały się. Rebus wyrwał Houstonowi ręczniki i wybiegł. Ranny znów stanął na nogach, kołysząc się jak pokonany bokser.

- Opuść na moment ręce.

Mężczyzna odsunął dłonie od potarganych włosów i Rebus zobaczył, że wraz z nimi odrywa się też fragment skóry, jakby była luźno przyczepiona do czaszki. Cienki strumień krwi prysnął Rebusowi w twarz. Odruchowo odwrócił głowę i poczuł krew na uchu i szyi. Na ślepo przyłożył ręcznik do głowy mężczyzny.

- Trzymaj to. - Złapał go za ręce i przycisnął je do ręcznika. Światła nadjeżdżającego samochodu zalały ulicę. Claverhouse opuścił szybę.

- Zgubiliśmy ich na Causeway - rzucił. - Założę się, że to kradziony samochód.

- Musimy go zawieźć do szpitala - Rebus otworzył szeroko tylne drzwi. Clarke sięgnęła po pudełko papierowych chusteczek i wyszarpnęła całą garść.

- Daj spokój, jemu to nic nie da - powiedział, gdy mu je podała.

- Są dla ciebie.

2

Do Szpitala Królewskiego było trzy minuty drogi. Lekarze z ostrego dyżuru mieli pełne ręce roboty przy poparzonych amatorach świątecznych fajerwerków. Rebus poszedł do toalety, rozebrał się i usiłował jako tako umyć. Mokra koszula nieprzyjemnie ziębiła ciało. Zaschnięte strużki krwi na klatce piersiowej, trochę pociekło na plecy. Zmoczył pęk niebieskich papierowych ręczników. Miał ubranie na zmianę w bagażniku swojego samochodu, ale zostawił go na rogu Flint Street. Drzwi toalety otworzyły się i wszedł Claverhouse.

- Najlepsze, co mogłem znaleźć - powiedział, wręczając mu czarną koszulkę z krzykliwym nadrukiem, przedstawiającym demona o płonących oczach dzierżącego kosę.

- To własność jednego z młodych lekarzy. Obiecałem, że zwrócę.

Rebus wytarł się kolejną porcją ręczników i zapytał Claverhouse'a, jak wygląda.

- Masz jeszcze trochę krwi na brwiach - detektyw wyjął mu z rąk ręcznik i wytarł zakrwawione miejsca.

– Jak on się czuje? – spytał Rebus.

– Uważają, że się wyliże, jeśli tylko nie wda się infekcja.

– Co o tym sądzisz?

– Wygląda mi to na wiadomość dla Telforda od Grubego Gera.

– Ten gość to jeden z chłopaków Tommy'ego?

– Póki co, nie puścił farby.

– Jaka jest jego wersja?

– Mówi, że spadł ze schodów i rozwalił sobie głowę.

– A podwózka?

– Twierdzi, że nie pamięta – Claverhouse zamilkł na chwilę, jakby się wahał. – Słuchaj, John...

– Co jest?

– Jedna z pielęgniarek prosiła, żebym cię o coś poprosił.

Ton głosu Claverhouse'a wyjaśnił wszystko.

– Test na obecność HIV?

– Wiesz, po prostu chcą sprawdzić.

Rebus też o tym pomyślał, gdy poczuł cudzą krew w kącikach oczu, w uchu, na szyi. Obejrzał się dokładnie: żadnych skaleczeń ani zadrapań.

– Poczekamy, zobaczymy – powiedział.

– Może powinniśmy kontynuować nadzór? – rozważał Claverhouse. – Niech się przyzwyczają.

– I od razu karetki do zabierania ciał?

Claverhouse skrzywił się.

– Czy to w stylu Grubego Gera?

– Jak najbardziej – odrzekł Rebus, sięgając po kurtkę.

– Ale zadźganie nożem w klubie nocnym, to nie on?

– Nie.

Claverhouse zaczął się śmiać, ale w jego głosie nie wyczuwało się wesołości. Potarł zmęczone oczy.

– No i nici z naszych frytek, prawda? Chryste, mogłem chociaż się napić.

Rebus sięgnął do kieszeni i wyciągnął piersiówkę.

Claverhouse nie wyglądał na zdziwionego, kiedy ją otwierał. Upił łyk, potem drugi i oddał butelkę.

Rebus zakręcił korek.

– Ty się nie napijesz?

– Odstawiłem alkohol – potarł kciukiem etykietkę.

– Od kiedy?

– Od lata.

– Więc po co ją nosisz?

– Bo to jest coś zupełnie innego. – Rebus obrócił flaszkę w dłoni.

– Coś innego? – Claverhouse był zbity z tropu.

– To moja bomba. – Rebus wepchnął butelkę z powrotem do kieszeni. – Mój ładunek samobójczy.

Wrócili na oddział. Siobhan Clarke czekała na nich przed drzwiami.

– Musieli mu podać środek uspokajający – powiedziała. – Znowu wstał i rzucał się po sali – wskazała na zadeptane smugi krwi na podłodze.

– Mamy jego nazwisko?

– Żadnego nie podał. Nie miał dokumentów. Znaleźliśmy dwie setki w gotówce, więc rabunek można wykluczyć. A co z narzędziem? Młotek?

Rebus wzruszył ramionami.

– Młotek wgniótłby mu czaszkę. Ta rana wygląda za gładko. Myślę, że użyli tasaka.

– Albo maczety czy czegoś w tym stylu – dodał Claverhouse.

– Czuję whisky – Clarke popatrzyła na niego, demonstracyjnie pociągając nosem.

Claverhouse tylko przyłożył palec do ust, gestem prosząc o milczenie.

– Coś jeszcze? – spytał Rebus.

– Tylko jedna uwaga.

– Jaka?

– Podoba mi się ta koszulka.

Claverhouse włożył drobne do automatu i wyjął trzy kawy. Zadzwonił wcześniej do biura i poinformował o przerwaniu obserwacji. Dostali nowe polecenie: pozostać w szpitalu i starać się uzyskać od ofiary jakieś informacje, począwszy od jej nazwiska. Wręczył Rebusowi kawę.

– Biała, bez cukru.

Rebus wziął kubek. W drugiej ręce trzymał plastikową torbę z zakrwawioną koszulą. Miał zamiar ją wyprać. To była całkiem niezła koszula.

– Wiesz, John – powiedział Claverhouse – nie ma sensu, żebyś tu z nami siedział.

Rebus pomyślał o tym samym. Jego mieszkanie było niedaleko, po drugiej stronie The Meadows. Jego duże, puste mieszkanie. Sąsiednie wynajmowali studenci. Ciągle puszczali muzykę, ale nic z tego, co znał.

– Znasz gang Telforda. Nie rozpoznałeś twarzy?

Claverhouse wzruszył ramionami.

– Wydawało mi się, że jest podobny do Danny'ego Simpsona.

– Ale nie jesteś pewien?

– Jeśli to Danny, wydusimy z niego tylko imię. Telford starannie dobiera swoich chłopców.

Clarke podeszła do nich i wzięła kawę od Claverhouse'a.

– To Danny Simpson – potwierdziła. – Jeszcze raz mu się przyjrzałam, jak zmyli mu krew z twarzy. – Upiła łyk kawy i zmarszczyła brwi.

– A gdzie cukier?

– Jesteś już wystarczająco słodka – stwierdził Claverhouse.

– Ale dlaczego wybrali Simpsona? – zastanawiał się Rebus.

– Złe miejsce, zła godzina? – zasugerował Claverhouse.

– Plus fakt, że stoi raczej nisko w hierarchii – dodała. – Co nie ułatwia nam zadania.

Rebus popatrzył na nią. Krótkie, ciemne włosy, przenikliwe spojrzenie błyszczących oczu. Wiedział, że dobrze radzi sobie z podejrzanymi i działa na nich uspokajająco, że uważnie ich słucha. W terenie też się sprawdza: jest szybka – i w nogach, i w myśleniu.

– Tak jak powiedziałem, John – odezwał się Claverhouse, dopijając kawę – jeśli chcesz iść do domu, możesz spokojnie...

Rebus zmierzył wzrokiem pusty korytarz.

– Przeszkadzam wam, robi się tu tłoczno?

– Nie o to chodzi... Po prostu wiem, że pracujesz zrywami i we własnym rytmie. Wmanewrują cię w jakąś sprawę, a ty za bardzo się angażujesz. Weźmy chociażby Candice. Chcę tylko powiedzieć, że...

– Chcesz powiedzieć: nie wtrącaj się, tak? – na policzki Rebusa wypłynął rumieniec.

Weźmy chociażby Candice...

– Chcę powiedzieć, że to nasza sprawa, nie twoja. Tylko tyle.

Źrenice Rebusa zwęziły się.

– Nie rozumiem.

Do akcji wkroczyła Clarke.

– John, on stara się powiedzieć...

– Nie, Siobhan. Niech sam się wypowie.

Claverhouse westchnął, zgniótł swój pusty kubek i rozejrzał się za koszem.

– John, prowadzenie dochodzenia w sprawie Telforda to jednoczesne pilnowanie Grubego Gera Cafferty'ego i jego szajki.

– I...?

Detektyw wpatrywał się w niego badawczo.

– Okay, mam to powiedzieć głośno? Wszedłeś wczoraj do Barlinnie – ot tak, jakby to była agencja turystyczna, a nie więzienie – żeby popytać w naszej sprawie. Spotkałeś się z Caffertym i ucięliście sobie pogawędkę.

– On mnie o to poprosił – skłamał Rebus.

Claverhouse z rezygnacją rozłożył ręce.

– Dokładnie, on cię poprosił, jak to ładnie ująłeś, a ty się stawiłeś.

– Czy sugerujesz, że on mnie opłaca? – Rebus podniósł głos.

– Chłopcy, przestańcie – nie wytrzymała Clarke.

Drzwi w końcu korytarza otworzyły się. Młody mężczyzna w ciemnym garniturze podszedł do automatu z napojami. Nucił coś pod nosem, kołysząc aktówką. Postawił aktówkę na podłodze, żeby poszukać drobnych w kieszeni. Zerknął na nich i uśmiechnął się.

– Dobry wieczór.

Trzydzieści parę lat, czarne włosy zaczesane do tyłu. Jeden kosmyk opadał swobodnie na czoło.

– Czy ktoś z państwa może mi rozmienić funta?

Wszyscy troje sięgnęli do kieszeni, ale nie znaleźli wystarczającej ilości monet.

– Nie szkodzi.

Wrzucił funta, choć napis na automacie głosił: TYLKO WYLICZONA KWOTA. Wybrał herbatę, bez cukru. Pochylił się, żeby wyjąć kubek, ale nie wyglądał na kogoś, komu się spieszy.

- Państwo są policjantami - powiedział nieco nosowym głosem, arystokratycznie przeciągając samogłoski. Uśmiechnął się. - Nie mam z wami zbyt często do czynienia, ale zawsze warto poznać.

- A pan jest prawnikiem - zrewanżował się Rebus. Mężczyzna skinął głową. - I reprezentuje pan interesy niejakiego Thomasa Telforda.

- Jestem radcą prawnym Daniela Simpsona.

- Na jedno wychodzi - mruknął Rebus.

- O ile się orientuję, pan Simpson został niedawno przywieziony na ten oddział - mężczyzna dmuchnął na herbatę i upił łyk.

- Kto panu powiedział, że on tu jest?

- Cóż, wydaje mi się, że to nie ma żadnego związku z pana zadaniami, detektywie...?

- Detektyw inspektor Rebus.

Mężczyzna przełożył kubek do lewej ręki, by móc wyciągnąć prawą.

- Charles Groal. - Zerknął na koszulkę Rebusa. - Czy to jakiś kamuflaż, inspektorze?

Claverhouse i Clarke również się przedstawili. Groal odegrał małe przedstawienie z wręczaniem im wizytówek.

- Rozumiem - powiedział - że czekacie tu, mając nadzieję na przesłuchanie mojego klienta?

- Dokładnie - odrzekł Claverhouse.

- Czy mogę spytać, dlaczego, detektywie? A może powinienem z tym pytaniem zwrócić się do pańskiego szefa?

- On nie jest moim... - Claverhouse uchwycił spojrzenie Rebusa.

Groal uniósł brwi.

- Nie jest pańskim szefem? A przecież jest inspektorem, a pan sierżantem - zabębnił palcami w kubek i spojrzał na sufit, jakby tam szukał natchnienia. - Więc nie pracujecie razem? - spytał, ponownie zatrzymując wzrok na osobie Claverhouse'a.

- Detektyw sierżant i ja zostaliśmy przydzieleni do specjalnej jednostki do walki z przestępczością - wtrąciła Clarke.

- A inspektor Rebus nie - zauważył bystro Groal. - Intrygujące.

– Pracuję w komisariacie przy St Leonard's – odezwał się Rebus.

– A zatem sprawa należy do pana, to zdarzyło się w pańskim rejonie. Więc co tu robi specjalna jednostka policyjna?

– Chcemy się tylko dowiedzieć, co się stało – powiedział z naciskiem Rebus.

– To był wielce niefortunny upadek, czyż nie? A tak przy okazji, jak się miewa poszkodowany?

– Jak miło, że pan się o to troszczy – wymamrotał Claverhouse.

– Jest nieprzytomny – odpowiedziała Siobhan.

– I zapewne wkrótce znajdzie się na sali operacyjnej. A może najpierw go prześwietlą? Nie znam się na tych procedurach – ciągnął prawnik.

– Zawsze może pan spytać pielęgniarkę – rzucił ironicznie Claverhouse.

– Detektywie sierżancie, wyczuwam pewną wrogość...

– To normalny ton sierżanta – uciął Rebus. – Nie bawmy się w kotka i myszkę, dobrze? Jest pan tu, aby się upewnić, że Danny Simpson będzie trzymał gębę na kłódkę. My zaś jesteśmy tu, aby wysłuchać każdego gówna, jakie nam obaj zaserwujecie. To chyba dobre podsumowanie, prawda?

Groal lekko przechylił głowę.

– Słyszałem o panu, inspektorze. W plotkach jest zazwyczaj sporo przesady, ale – co właśnie mam przyjemność stwierdzić – nie w pana przypadku.

– To chodząca legenda – dodała Clarke z wielką powagą.

Rebus parsknął stłumionym śmiechem i odszedł w stronę oddziału.

Siedział tam mężczyzna w wełnianym garniturze, z czapką na kolanach. Na niej leżała książka w miękkiej okładce. Rebus widział go już pół godziny temu. Posterunkowy trwał na warcie przed zamkniętymi drzwiami. Ze środka dochodziły ciche głosy. Mężczyzna w garniturze nazywał się Redpath, nie pracował w St Leonard's. Był policjantem od niecałego roku. Świeżo upieczony funkcjonariusz, którego przezywano „Profesorem". Wysoki, pryszczaty, o nieśmiałym spojrzeniu. Zamknął książkę, kiedy Rebus się zbliżył, ale nie wyjął z niej palca, służącego jako zakładka.

- Science fiction - wyjaśnił. - Zawsze myślałem, że kiedyś z tego wyrosnę.

- Jest wiele rzeczy, z których nie wyrastamy, synu. O czym traktuje to dzieło?

- Jak zwykle - zagrożenie dla stabilności kontinuum czasu, światy równoległe. - Redpath spojrzał w górę. - Co pan myśli o światach równoległych, inspektorze?

Rebus kiwnął głową w stronę drzwi.

- Kto jest w środku?

- Potrącona przez samochód, sprawca uciekł.

- Źle z nią?

- Nie najlepiej - „Profesor" wzruszył ramionami.

- Gdzie to się stało?

- Na Minto Street.

- Znaleźliście samochód?

Redpath pokręcił głową.

- Czekamy, może będzie nam w stanie coś powiedzieć. A co u pana?

- Podobnie, synu. Możesz to nazwać światami równoległymi.

Pojawiła się Siobhan z nowym kubkiem kawy. Pozdrowiła Redpatha, który wstał na jej widok. Ta nadskakująca uprzejmość bynajmniej jej nie zachwyciła.

- Telford nie chce, żeby Danny cokolwiek mówił - powiedziała do Rebusa.

- To oczywiste.

- W międzyczasie będzie chciał wyrównać rachunki.

- Jak najbardziej.

Uchwyciła spojrzenie Rebusa.

- Chyba go trochę poniosło, tam przy automacie - nie wymieniła nazwiska Claverhouse'a, ale zrozumiał, o kogo chodzi i pokiwał głową.

- Dzięki.

Zdawał sobie sprawę z tego, że Clarke nie mogła spierać się publicznie z Claverhousem, zwłaszcza gdy zostali partnerami.

Otworzyły się drzwi i z pokoju wyszła lekarka. Była młoda i wyglądała na zmęczoną. Za jej plecami Rebus zobaczył stanowisko reanimacyjne, leżącą postać i pielęgniarki uwijające się wokół różnych urządzeń. Potem drzwi się zamknęły.

– Zrobimy tomografię – powiedziała do Redpatha. – Czy kontaktowaliście się już z jej rodziną?

– Nie znamy nazwiska.

– Ma obrażenia wewnętrzne. – Lekarka ponownie otworzyła drzwi i weszła do środka. Na krześle leżało zwinięte ubranie, obok torebka. Kiedy ją wyciągała, Rebus zobaczył coś. Białe, płaskie kartonowe pudło.

Białe kartonowe pudło na pizzę. Ubranie: czarne dżinsy, czarny stanik, czerwona satynowa bluzka. Czarny, wełniany płaszcz.

– John?

I czarne szpilki na pięciocentymetrowych obcasach, z kwadratowymi czubkami, zupełnie nowe z wyjątkiem zadrapań, jakby ktoś wlókł je po ulicy.

W jednej chwili był na sali. Nałożyli jej na twarz maskę tlenową. Poranione i posiniaczone czoło, palce pokryte pęcherzami, dłonie zdarte do krwi. Nie leżała na łóżku, tylko na metalowym wózku.

– Przepraszam, nie powinien pan tu wchodzić.

– Co się dzieje?

– To ten pan...

– John? John, co się stało?

Zdjęli jej kolczyki. Trzy małe dziurki, jedna bardziej zaczerwieniona. Twarz na prześcieradle: napuchnięte, podbite oczy, złamany nos, otarcia na policzkach. Rozcięta warga, zadrapanie na brodzie, nieruchome powieki. Zobaczył ofiarę potrąconą przez kierowcę, który uciekł z miejsca wypadku. Ale przede wszystkim zobaczył własną córkę.

I zawył rozpaczliwie, jak zwierzę.

Clarke i Redpath razem z Claverhousem, którego zwabił hałas, musieli go stamtąd wyciągnąć siłą.

– Zostawcie otwarte drzwi! Zabiję was, jeśli je zamkniecie! – wrzeszczał.

Starali się go posadzić. Redpath podniósł z krzesła swoją książkę. Rebus wydarł mu ją i rzucił na korytarz.

– Jak mogłeś czytać tę pieprzoną książkę? – wrzasnął. – Tam jest Sammy! A ty sobie siedzisz i czytasz!

Kawa Clarke wylądowała na podłodze, a Redpath upadł, popchnięty niespodziewanie i z całej siły.

– Możecie otworzyć te drzwi? – poprosił lekarza Claverhouse. – I czy macie jakiś środek uspokajający?

Rebus szarpał włosy, oczy miał błędne, chrypiał coś niezrozumiale. Spojrzał na siebie, na błazeńską koszulkę i wiedział, że to właśnie zapamięta z owej nocy: t-shirt Iron Maiden i szczerzącego zęby, płomiennookiego demona.

Ona leżała tam za drzwiami, myślał, a ja sobie gawędziłem o książkach. Była tam cały czas, tak blisko. Nagle skojarzył dwie rzeczy: samochód uciekający z miejsca wypadku i samochód pędzący od strony Flint Street.

Złapał Redpatha za ramię.

– Na końcu Minto Street. Jesteś pewien?

– Co?

– Sammy... na końcu Minto Street?

Redpath pokiwał głową. Clarke od razu pojęła, co Rebus miał na myśli.

– Niemożliwe, John. Oni jechali w przeciwnym kierunku.

– Mogli zawrócić i pojechać jeszcze raz.

Claverhouse włączył się do rozmowy.

– Właśnie dzwonili z komendy. Mamy wóz facetów, którzy urządzili Danny'ego. Biały escort porzucony na Argyle Place.

Rebus spojrzał na Redpatha.

– Biały escort?

Redpath potrząsnął głową.

– Świadkowie mówią o ciemnym kolorze.

Rebus odwrócił się do ściany i ciężko oparł o nią dłonie. Wpatrywał się w farbę, jakby chciał ją przejrzeć na wylot.

Claverhouse położył mu rękę na ramieniu.

– John, jestem pewien, że wszystko będzie dobrze. Lekarz poszedł po jakieś tabletki dla ciebie, ale tymczasem – co powiesz na inne lekarstwo?

Rebus zobaczył własną kurtkę przełożoną przez ramię detektywa i butelkę whisky.

Jego mały, prywatny ładunek samobójczy.

Wziął flaszkę od Claverhouse'a. Odkręcił korek, nie spuszczając wzroku z otwartych drzwi. Podniósł ją do ust.

Pił.

KSIĘGA DRUGA

W wiszącym ogrodzie
Nikt nie śpi

Wakacje nad morzem: kemping, plaża, molo i zamki z piasku. Usiadł na leżaku, próbując czytać. Słońce świeciło, ale zimny wiatr dawał się we znaki. Rhona posmarowała Sammy kremem do opalania, stwierdziwszy, iż ostrożności nigdy za wiele. Nakazała, by miał oko na dziecko, a sama poszła do przyczepy po książkę. Sammy siedziała przy leżaku i obsypywała stopy ojca piaskiem.

Starał się skupić na czytaniu, ale wciąż myślał o pracy. Nie było dnia, by nie wymykał się do budki telefonicznej i nie dzwonił na komendę. Powtarzali mu, żeby dał spokój, cieszył się wakacjami i zapomniał o wszystkim.

Był w połowie szpiegowskiej powieści, ale od dawna już nie śledził wątku.

Rhona starała się jak mogła. Chciała pojechać gdzieś za granicę, do ciepłych krajów, ale stan finansów zapewnił przewagę jego koncepcji. Udali się więc na wybrzeże Fife, gdzie spotkał swoją żonę po raz pierwszy. Czy wciąż łudził się, że odzyska dawny zapał do życia? Ożywi wspomnienia? Gdy był mały, przyjeżdżał tu z rodzicami, bawił się z napotkanymi dziećmi, po czym rozstawał z nimi po dwóch tygodniach, bez szans na dalszy kontakt.

Znowu starał się czytać, ale wciąż myślał o śledztwie. Nagle padł na niego cień.

– Gdzie ona jest?

– Słucham? – spojrzał w dół. Jego stopy były zakopane w piasku, ale Sammy znikła. W którym momencie, na Boga? Wstał i rozejrzał się po plaży. Kilka kąpiących się osób, z niepewnymi minami wchodzących do wody, nie dalej niż po kolana. I ani śladu dziecka.

– Chryste, John, gdzie ona jest?

Odwrócił się i spojrzał na wydmy majaczące w oddali.

– Wydmy...?

Ostrzegali córkę. W wydmach tworzyły się wyrwy, regularnie podmywane przez wodę, przyciągające dzieci jak magnes. Rzecz w tym, że często się zapadały. Tego lata dziesięcioletni chłopiec, który wpadł do takiej dziury, został w ostatniej chwili odkopany przez przerażonych rodziców. Jeszcze nie zdążył zakrztusić się piaskiem...

Teraz już biegli. Wydmy i trawa, ani śladu dziecka.

– Sammy!

– Może poszła do wody?

– Miałeś nie spuszczać jej z oka!

– Przepraszam, nie...

– Sammy!!!

W jednej z dziur mignął drobny kształt, machający rączkami, podskakujący na kolanach. Rhona podbiegła, wyciągnęła córkę i mocno przytuliła.

– Kochanie, przecież zabroniliśmy ci tu przychodzić!

– Bawiłam się w króliczka.

Rebus spojrzał na kruchy strop wyrwy – piasek pomiędzy splątanymi korzeniami roślin i traw. Uderzył w niego pięścią. Strop zapadł się. Rhona popatrzyła przeciągle na męża.

To był koniec wakacji.

3

John Rebus pocałował córkę.

– Zobaczymy się później – powiedział, patrząc jak wychodzi z kafejki. Espresso i kawałek karmelowego ciasta, tylko na to miała czas, podobnie jak on. Ale umówili się na inny dzień na obiad. Nic szczególnego, pewnie zjedzą pizzę, jak zwykle.

Był trzydziesty października. W połowie listopada, jeśli wszystko będzie jak zazwyczaj, nadejdzie zima. Uczyli go w szkole, że istnieją cztery pory roku, ale ten kraj nic sobie z tego nie robił. Zimy były długie i zwlekały z odejściem. Ciepła pogoda przychodziła niespodziewanie, ludzie paradowali w koszulkach z krótkimi rękawami, kiedy tylko pojawiły się pierwsze pąki, a wiosna i lato zlewały się w jedną porę roku. A kiedy tylko liście zaczynały żółknąć, od razu przychodził pierwszy przymrozek.

Sammy pomachała mu przez szybę i już jej nie było. Ostatnio wydoroślała. Ciągle ją obserwował, szukając nietypowych zachowań, śladów traumy z dzieciństwa czy oznak odziedziczonych skłonności do samozniszczenia. Może powinien zadzwonić kiedyś do Rhony i podziękować jej za wychowanie Samanthy. To musiał być kawał solidnej pedagogicznej roboty, tak przynajmniej twierdzili wszyscy znajomi. Chciałby móc się pochwalić udziałem w tym wychowawczym sukcesie, ale nie był przecież hipokrytą. Gdy Sammy dorastała, był gdzie indziej, nie przy niej. To samo dotyczyło jego małżeństwa. Nawet gdy mieszkał z żoną pod jednym dachem, nawet gdy siedzieli przy wspólnych posiłkach, stali obok siebie, pozując do zdjęcia... był gdzie indziej. Nieobecny, skupiony na jednym – na kolejnej sprawie, kolejnym pytaniu, na które trzeba było znaleźć odpowiedź.

Rebus wziął z krzesła płaszcz. Nie pozostało nic innego, jak wrócić do pracy. Sammy pobiegła do swojego biura; pracowała z byłymi więźniami w ramach programu resocjalizacyjnego. Nie chciała, aby ojciec ją podwiózł. W czasie spotkania opowiadała mu o swoim chłopaku. Ned Farlowe, tak się nazywał. Rebus starał się wyglądać na zainteresowanego, ale jego myśli krążyły wokół Josepha Lintza. Wokół śledztwa, jak zawsze. Przydzielając mu tę sprawę, komisarz „Farmer" Watson stwierdził, że pasuje do niego jak ulał ze względu na wojskową przeszłość i zamiłowanie do historii.

– Z całym szacunkiem, panie komisarzu – obruszył się Rebus – ale to uzasadnienie to jakiś żart. Według mnie powody, dla których dostałem tę sprawę, są inne: po pierwsze, nikt przy zdrowych zmysłach jej nie tknie, a po drugie, chcecie mnie w ten sposób odsunąć od innych zadań.

– Przesadza pan. Jedyne, czego od pana oczekuję – odrzekł Watson uspokajającym tonem – to sprawdzenie, czy da się zebrać jakiekolwiek sensowne dowody. Może pan oczywiście, dla porządku, przesłuchać Lintza. Proszę zrobić wszystko, co uważa pan za stosowne, i jeśli znajdzie pan podstawy, by wnieść oskarżenie...

– I tak tego nie zrobię i pan dobrze o tym wie – odparł Rebus z ciężkim westchnieniem. – Panie komisarzu, już przez to przechodziliśmy. Wiemy, dlaczego zamknięto sekcję zbrodni wojennych. Weźmy choćby sprawę sprzed kilku lat – mnóstwo hałasu, a skończyło się na jakimś gównie. – Pokręcił głową. – I kto, na Boga, chce się znowu w nie pakować?

– Odbieram panu sprawę Taystee. Zajmie się nią Bill Pryde – powiedział Watson, jakby nie słyszał całej tyrady.

Więc już ustalone: Lintz należy do niego.

Wszystko zaczęło się od artykułu napisanego na podstawie dokumentów, jakie otrzymała gazeta. Dokumenty pochodziły z Tel Awiwu. Przekazano redakcji, że Joseph Lintz, który, jak napisano, od zakończenia wojny spokojnie mieszkał w Szkocji, naprawdę nazywa się Josef Linzstek i jest Alzatczykiem. W czerwcu 1944 roku porucznik Linzstek dowodził 3. kompanią regimentu SS, wchodzącą w skład 2. Dywizji pancernej. Kiedy kompania wkroczyła do Villefranche d'Albarede, niewielkiej miejscowości w regionie Corrèze, we Francji, żołnierze spędzili na rynek wszystkich mieszkańców – mężczyzn, kobiety i dzieci. Wyciągnęli chorych z łóżek, staruszków z foteli, niemowlęta z kojców.

Nastoletnia dziewczyna ukryła się na strychu i obserwowała wszystko przez okienko w dachu. Widziała swoich szkolnych przyjaciół i ich rodziny. Tego dnia nie była na lekcjach, gdyż miała zapalenie gardła i gorączkę. Zastanawiała się, czy ktoś powie o tym Niemcom...

Powstało zamieszanie, kiedy kilka ważnych osób w miasteczku – byli wśród nich burmistrz, lekarz, adwokat, ksiądz – zaczęło głośno protestować i żądać czegoś od dowódcy. Zostali skutecznie uciszeni lufami karabinów, które za chwilę żołnierze wycelowali w tłum. Potem przez gałęzie drzew otaczających rynek przerzucono liny, zaciągnięto tam tych, co protestowali, i założono im pętle na szyje. Dowódca podniósł i opuścił dłoń, żołnierze naciągnęli liny i trzymali, dopóki ciała sześciu ofiar nie zwisły bezwładnie. Na początku wierzgali w agonii nogami, z każdą chwilą coraz słabiej, aż znieruchomieli.

Dziewczynie wydawało się, że umierają cały wiek. Na rynku zapadła głucha cisza. Wszyscy już wiedzieli, że nie chodzi o żadne sprawdzenie dokumentów. Padły kolejne rozkazy. Mężczyzn oddzielono od kobiet i dzieci i zaprowadzono do jednej ze stodół. Pozostałych zamknięto w kościele. Na rynku pozostał tylko niecały tuzin żołnierzy z karabinami przewieszonymi przez ramię. Dowcipkowali i gawędzili w najlepsze, wymieniając się papierosami. Jeden z nich poszedł do baru i włączył radio. Muzyka jazzowa wypełniła przestrzeń, zagłuszając szelest liści poruszanych przez wiatr. Powieszeni kołysali się lekko, jakby w jakimś upiornym tańcu.

– To było dziwne... – opowiadała później dziewczyna – ...ale patrzyłam na nich i nie widziałam już martwych ludzi. Jakby stali się czymś innym, niemalże częścią samych drzew, jak gałęzie.

A potem huk eksplozji, dym i pył unoszący się z budynku kościoła. Chwila ciszy, jakby otworzyła się jakaś próżnia, i zaraz rozległy się krzyki, uciszone strzałami. Lecz dziewczyna wciąż je słyszała, tylko teraz miały swoje źródło w oddali.

W stodole Prudhomme'a.

Kiedy dziewczyna została odnaleziona przez mieszkańców

pobliskich wiosek, była naga, okryta tylko wyciągniętym z kufra szalem. Szal należał do jej babki, zmarłej przed rokiem. Dziewczyna nie była jedyną osobą ocalałą z masakry. Kiedy żołnierze zaczęli strzelać w stodole, mierzyli nisko. Na mężczyzn z pierwszego rzędu, rannych w dolne partie ciała, upadli inni zabici, chroniąc ich w ten sposób przed dalszym ostrzałem. Gdy podpalono stodołę, czekali tak długo, jak tylko się dało, aby wyczołgać się na zewnątrz, gotowi na śmierć w każdym momencie. Udało się czterem, ale potem jeden zmarł w wyniku odniesionych poparzeń.

Trzech mężczyzn, jedna nastolatka. Tylko oni ocaleli.

Nigdy nie doliczono się wszystkich ofiar. Nikt nie wiedział, ilu było w Villefranche przyjezdnych owego tragicznego dnia, ilu ukrywających się należałoby doliczyć. Na liście zabitych umieszczono ponad siedemset nazwisk.

Rebus siadł przy biurku i przetarł oczy. Tamta dziewczyna, obecnie starsza kobieta na emeryturze, wciąż żyła. Trzej mężczyźni już zmarli. Ale byli obecni na procesie w Bordeaux w 1953 roku. Miał ich zeznania, wszystkie po francusku. Sporo materiałów dotyczących sprawy zostało spisanych po francusku, a Rebus nie znał tego języka. Dlatego udał się do uniwersyteckiego Instytutu Języków Nowożytnych, gdzie skierowano go do Kirstin Mede, która wykładała francuski i znała też niemiecki. Znakomite ułatwienie, gdyż niektóre dokumenty zostały sporządzone również w tym języku. Rebus dysponował jednostronicowym streszczeniem, po angielsku, przebiegu procesu. Rozpoczął się w lutym 1953 roku i trwał prawie miesiąc. Z siedemdziesięciu pięciu żołnierzy z oddziału, który spacyfikował Villefranche, na ławie oskarżonych zasiadło tylko piętnastu – sześciu Niemców i dziewięciu francuskich Alzatczyków. Żaden z nich nie był oficerem. Jeden Niemiec dostał wyrok śmierci, pozostali zostali skazani na od czterech do dwunastu lat więzienia, lecz wszystkich wkrótce wypuszczono. Alzacja nie akceptowała procesu i rząd ogłosił amnestię. A Niemcy, jak wynikało z dokumentacji, zdążyli już odsiedzieć swoje wyroki.

Ci, którzy ocaleli z masakry w Villefranche, byli tym wyrokiem wstrząśnięci.

Na dodatek, co wydawało się Rebusowi jeszcze dziwniejsze, Brytyjczycy pojmali dwóch niemieckich oficerów uczestniczących w pogromie, lecz odmówili przekazania ich władzom francuskim. Zamiast tego wysłali zbrodniarzy do Niemiec. A tam ludzie ci wiedli sobie spokojne życie. Gdyby Linzstek został wtedy oskarżony w procesie, nie byłoby teraz całego tego zamieszania.

Polityka, jak zawsze chodzi o cholerną politykę. Rebus uniósł głowę i zobaczył Kirstin Mede. Była wysoka, świetnie zbudowana i nienagannie ubrana. Perfekcyjny makijaż przypominał te z reklam. W uszach kołysały się długie złote kolczyki. Miała na sobie dwuczęściowy kostium, którego spódnica ledwo sięgała kolan. Otworzyła aktówkę i wyjęła plik papierów.

– Najświeższe tłumaczenie – powiedziała.

– Dzięki.

Rebus spojrzał na notkę, którą sam sporządził: jechać do Corrèze? Cóż, Farmer dał mu wolną rękę. Detektyw spojrzał ponownie na Kirstin, zastanawiając się, czy budżet sprawy obejmuje również przewodnika. Kobieta usiadła naprzeciw niego i założyła okulary do czytania.

– Ma pani ochotę na kawę? – spytał.

– Dziękuję, ale jestem już nieco zmęczona i trochę mi się spieszy. Chciałam tylko, żeby pan to zobaczył. Położyła na jego biurku dwie kartki. Jedna była kopią raportu sporządzonego po niemiecku, druga stanowiła jego tłumaczenie. Rebus spojrzał na oryginał.

– *Der Beginn der Vergeltungmassnahmen hat ein merkbares Aufatmen hervorgerufen und die Stimmung sehr günstig beeinflusst.*

– Rozpoczęcie akcji pacyfikacyjnej – przeczytał – podziałało w sposób widoczny na nastroje żołnierzy, którzy stali się wyraźnie odprężeni.

– Podobno Linzstek napisał to do swojego zwierzchnika – wyjaśniła.

– Bez podpisu?

– Tylko imię napisane na maszynie, podkreślone.

– Co nie pomoże nam w identyfikacji.

– Nie, ale proszę pamiętać, o czym rozmawialiśmy. Ten papier daje podstawę do oskarżenia.

– Mała rozrywka dla poprawienia morale chłopaków?

Napotkał jej groźne spojrzenie.

- Przepraszam - powiedział, unosząc dłonie w pojednawczym geście. - Stanowczo zbyt wygładzone sprawozdanie. Wygląda na to, że porucznik starał się w tym dokumencie wszystko usprawiedliwić.

- Dla potomności?

- Być może. W końcu właśnie wtedy zaczęli przegrywać. - Zerknął na inne dokumenty. - Coś jeszcze?

- Kilka raportów, nic ciekawego. I trochę zeznań świadków. - Kirstin popatrzyła na Rebusa swoimi szarymi oczami. - W końcu musi pan zaliczyć tę lekturę, prawda?

Rebus kiwnął głową.

Kobieta ocalała z masakry mieszkała w Juillac i ostatnio była ponownie przesłuchiwana przez miejscową policję w sprawie dowódcy niemieckiego oddziału. Jej zeznania nie różniły się od tych, które złożyła na procesie: widziała twarz dowódcy tylko przez kilka sekund, i to ze strychu trzypiętrowego domu. Pokazano jej zrobione niedawno zdjęcie Josepha Lintza; wzruszyła tylko ramionami.

- Być może - powiedziała. - Tak, być może.

Rebus domyślał się, że żaden prokurator nie będzie miał wątpliwości, co zrobić z takim oświadczeniem.

- Jak idzie śledztwo? - spytała Mede.

- Powoli. Problem tkwi w tym, że z jednej strony mam to wszystko - machnął ręką w stronę zabałaganionego biurka - a z drugiej jest ten stary człowiek. Jakoś nie potrafię pogodzić tych dwóch spraw.

- Widział go pan?

- Raz czy dwa.

- Jaki jest?

Jaki jest Joseph Lintz? Wykształcony, lingwista. W latach siedemdziesiątych był nawet na uniwersytecie profesorem, rok czy dwa. Wyjaśnił, że wypełniał personalne niedobory do momentu, aż znaleźli kogoś bardziej odpowiedniego. Wykładowca na germanistyce. Od roku 1945 lub 1946 mieszkał w Szkocji - dokładnych dat nie podał, wymawiając się słabą pamięcią. Nie mówił też nic o swojej młodości. Wszystkie jego dokumenty uległy zniszczeniu. Alianci musieli wyrobić mu nowe. Pozostawało tylko wierzyć Lintzowi, że owe papiery nie były stekiem kłamstw, w które kazał wierzyć innym. Jego żelazna wersja – urodzony w Alzacji, rodzice i krewni nie żyją, siłą wcielony do SS. Rebus doceniał znaczenie tej ostatniej informacji. To mogło zdecydować o losie oskarżonego: skoro był tak szczery, że przyznał się do przynależności do SS, reszta historii też musi być prawdziwa. Zręczny chwyt! Nie istniał żaden oficjalny dowód na to, że Lintz służył w SS, większość dokumentów została zniszczona w momencie, gdy już wiadomo było, jakim wynikiem zakończy się wojna. Wojenne wspomnienia Lintza również były mgliste. Tym razem tłumaczył niedostatki pamięci nerwicą frontową. Jednego tylko był pewien – że nie nazywał się Linzstek i nie służył w Corrèze we Francji.

– Byłem na wschodzie – powtarzał. – Tam znaleźli mnie alianci.

Jednak wyjaśnienie, w jaki sposób Lintz znalazł się w Zjednoczonym Królestwie, było mało przekonujące. Podejrzany tłumaczył, że sam poprosił o możliwość zamieszkania właśnie tu. Nie chciał wracać do Alzacji, gdyż pragnął znaleźć się jak najdalej od Niemców, oddzielony od nich wodami Kanału. Na to również nie było dowodów, lecz w tym czasie ludzie tropiący zbrodnie Holocaustu odnaleźli inne wątki i powiązali Lintza z Rat Line*.

– Czy słyszał pan kiedykolwiek o Rat Line? – Rebus spytał o to Lintza podczas ich pierwszego spotkania.

– Oczywiście – odparł Joseph Lintz – ale nigdy nie miałem z tym nic wspólnego.

Niewinny obrazek. Starszy pan siedzący w salonie swojego eleganckiego, trzypiętrowego domu z początku dwudziestego wieku. Spory dom jak dla kogoś, kto nigdy się nie ożenił. Rebus mówił dużo. Gospodarz reagował na wszystko wzruszeniem ramion, ale taki był jego przywilej. Skąd wziął pieniądze na ten zbytek?

– Pracowałem, i to ciężko, inspektorze.

Kupił dom jeszcze w latach pięćdziesiątych, kiedy ceny nieruchomości nie były tak niebotycznie wysokie, jak dzisiaj,

---

Rat Line – ang. *rat line* – dosłownie: droga szczura; określenie tajnej drogi lub sposobu przemytu, ucieczki itp. Również nazwa nadana organizacji ułatwiającej ucieczkę nazistom po drugiej wojnie światowej (przyp. tłum.).

lecz twierdzenie, iż wystarczyła mu na to pensja wykładowcy, budziło zastrzeżenia. Znajomy Lintza z czasów jego pracy na uniwersytecie powiedział Rebusowi, że wszyscy podejrzewali go wówczas o jakieś dodatkowe źródło dochodów. Sam Lintz stanowczo temu zaprzeczał.

– Nieruchomości były wtedy tanie, inspektorze. Panowała moda na posiadłości ziemskie i parterowe budynki w miastach, a nie takie wille jak moja.

Joseph Lintz: niewiele ponad metr sześćdziesiąt, okularnik. Dłonie o pergaminowej skórze pokrytej wątrobianymi plamami. Na przegubie drogi zegarek Ingersolla. W salonie mnóstwo przeszklonych mebli. Ciemnografitowy garnitur. Elegancki, niemalże kobiecy sposób bycia: powolne unoszenie filiżanki do ust, strzepywanie niewidzialnych pyłków ze spodni.

– Ja nie winię Żydów – powiedział wtedy Lintz. – Wiem, że wmieszaliby w to każdego. Chcą, żeby wszyscy na świecie czuli się winni. Może i mają rację.

– W jakim sensie?

– Czyż wszyscy nie mamy swoich małych tajemnic, których się wstydzimy? – uśmiechnął się Lintz. – Pan dał się wplątać w ich grę i nawet pan o tym nie wie.

Rebus nie zamierzał się poddać.

– Te dwa nazwiska brzmią bardzo podobnie, przyzna pan? Lintz, Linzstek...

– Oczywiście, inaczej nie mieliby żadnych podstaw do oskarżenia. Proszę się zastanowić, inspektorze, czyż pan w takiej sytuacji nie zmieniłby swojego nazwiska bardziej radykalnie? Czy ma mnie pan za półgłówka?

– Oczywiście, że nie.

Na ścianach oprawione w ramki dyplomy, honorowe tytuły, wspólne zdjęcia z rektorami znanych uczelni, politykami. Kiedy Farmer dowiedział się nieco więcej o Lintzu, ostrzegł Rebusa, aby działał w białych rękawiczkach. Lintz był cenionym mecenasem sztuki – opera, muzea, galerie, wspierał też wiele akcji charytatywnych. Miał wpływowych przyjaciół. A zarazem był samotnikiem, kimś, kto czuł się szczęśliwy, opiekując się grobami na cmentarzu Warriston. Spore, ciemne worki pod oczami. Czy dobrze sypia?

– Jak dziecko, inspektorze – kolejny z firmowych uśmiechów. – I równie słodko. Inspektorze, nie mam do pana pretensji, pan po prostu wykonuje swoją pracę.

– Pańska empatia nie zna granic, profesorze Lintz.

Lekkie wzruszenie ramion.

– Zna pan te słowa Blake'a, inspektorze? „Przez całą wieczność/ Ja wybaczam tobie, ty mnie wybaczasz". Nie jestem pewien, czy mogę wybaczyć mediom – ostatnie słowa wypowiedział z widocznym niesmakiem.

– Czy dlatego nasłał pan na dziennikarzy swoich prawników?

– Słowo „nasłał" czyni ze mnie myśliwego szczującego psami ofiarę. To jest potężna gazeta z całą sforą drogich prawników gotowych przybiec na każde zawołanie pokrzywdzonych pismaków. Czy jednostka może z nimi wygrać?

– Więc po co w ogóle próbować?

Lintz uderzył zaciśniętymi dłońmi w oparcie fotela.

– Dla zasady, człowieku! – takie wybuchy były u niego rzadkie i krótkotrwałe, ale wystarczyły, by przekonać Rebusa o temperamencie rozmówcy.

– Hej! – powiedziała Kirstin Mede, starając się zwrócić jego uwagę.

– Tak?

Uśmiechnęła się.

– Błądził pan myślami całe mile stąd.

– Przeciwnie, byłem całkiem blisko – odrzekł.

Wskazała na dokumenty.

– Zostawię je panu, dobrze? W razie jakichkolwiek pytań...

– Wielkie dzięki – powiedział, wstając.

– W porządku. Znam drogę do wyjścia.

Jednak Rebus nalegał.

Kiedy przechodzili przez biuro, czuł na sobie wzrok Pryde'a. Bill podszedł do nich, czekając na oficjalną prezentację. Miał kręcone, jasne włosy, długie rzęsy, duży, piegowaty nos i wąskie usta ozdobione wąsikiem, z którym nie było mu do twarzy.

– Miło mi panią poznać – powiedział, ściskając dłoń Mede.

– Marzę o zamianie – szepnął do Rebusa.

Pryde przejął od Rebusa sprawę pana Taystee, lodziarza, którego znaleziono martwego w jego własnej furgonetce, stojącej z włączonym silnikiem w zamkniętym garażu. Dlatego początkowo podejrzewano samobójstwo.

Rebus poprowadził Kirstin w stronę wyjścia. Miał ochotę umówić się z nią. Wiedział, że nie jest mężatką, ale może gdzieś w pobliżu kręcił się jakiś narzeczony. Zastanawiał się, jaką kuchnię lubi – włoską czy francuską? Znała oba języki. A może coś z innego kontynentu. Chińszczyzna? Kuchnia indyjska? A może jest wegetarianką. Może nie lubi jadać w restauracjach. W takim razie szybki drink? Ba, ale Rebus ostatnio nie pił.

– A więc, co pan o tym myśli?

Rebus drgnął. Wyglądało na to, że Kirstin Mede przed chwilą go o coś zapytała.

– Słucham?

Uśmiechnęła się pobłażliwie. Zaczął przepraszać, ale przerwała mu machnięciem dłoni.

– Wiem, wiem, sporo w tym śledztwie zawracania głowy...

Tym razem uśmiechnął się Rebus. Przystanęli. Stali teraz twarzą w twarz, Mede z aktówką wciśniętą pod pachę. To był najlepszy moment, aby umówić się z nią na randkę, gdziekolwiek, niech ona wybierze miejsce.

– Co to? – spytała nagle. To był krzyk, Rebus też go usłyszał. Dochodził zza drzwi damskiej toalety, obok której stali. Krzyk powtórzył się. Tym razem usłyszeli też słowa.

– Niech ktoś mi pomoże!

Rebus popchnął drzwi i wbiegł do środka. Policjantka z całej siły napierała ramieniem na jedną z kabin, skąd dochodziły odgłosy dławienia się.

– Co się dzieje?

– Zatrzymałam ją dwadzieścia minut temu. Chciała do toalety. – Policzki policjantki były zaczerwienione z gniewu i zażenowania.

Rebus podciągnął się na drzwiach i spojrzał w dół na postać siedzącą na sedesie. Była to młoda kobieta, mocno umalowana. Plecami opierała się o rezerwuar. Nieobecnym wzrokiem wpatrywała się w Rebusa, obydwiema rękami wpychając sobie do ust kłęby papieru toaletowego, rwanego z rolki.

– Odsuńcie się – powiedział, zsuwając się na podłogę.

Uderzył barkiem w drzwi, potem jeszcze raz, wreszcie

kopnął obcasem zamek kabiny. Drzwi otworzyły się, a kobieta upadła na kolana. Jej twarz była sinofioletowa.

– Przytrzymaj jej ręce – nakazał policjantce Rebus. Ukląkł i zaczął wyciągać kawałki papieru z ust kobiety, czując się jak jakiś kiepski magik. Było tego chyba z pół rolki. Gdy zerknął na pomagającą mu policjantkę, dostrzegł w jej oczach rozbawienie. Zatrzymana przestała się wyrywać. Jej włosy były mysiego koloru, proste i przetłuszczone. Miała na sobie czarną narciarską kurtkę i obcisłą czarną spódnicę. Gołe nogi były pokryte różowymi plamami, na jednym kolanie pojawił się siniak po uderzeniu w drzwi kabiny.

Smugi jaskrawoczerwonej szminki rozmazanej wokół ust. Kobieta płakała. Wesołość funkcjonariuszki była nie na miejscu. Czując się winny z tego powodu, zbliżył twarz do twarzy kobiety, aby spojrzeć jej w oczy. Zamrugała, lecz wytrzymała spojrzenie i zakasłała przy wyjmowaniu ostatniego kawałka.

– Jest cudzoziemką – wyjaśniła policjantka. – Chyba nie mówi po angielsku.

– Więc skąd pani wiedziała, że chce do toalety?

– To można pokazać, prawda?

– Gdzie ją pani znalazła?

– Nieopodal Pleasance. To prostytutka.

– Nikogo z nią nie było?

– Nie widziałam.

Rebus ujął kobietę za ręce, wciąż klęcząc przed nią.

– Wszystko w porządku? – Tylko mrugnięcie oczu. Starał się przybrać współczujący wyraz twarzy. – Okay?

Skinęła głową.

– Okay – odpowiedziała zmęczonym głosem.

Dopiero teraz Rebus zorientował się, że kobieta ma lodowate palce. Ćpunka? Wiele prostytutek brało narkotyki, ale nie spotkał do tej pory takiej, która nie mówiłaby po angielsku. Spojrzał na jej nadgarstki i zobaczył zygzakowate blizny. Nie zaprotestowała, kiedy podwinął rękawy kurtki. Całe ramię pokryte było podobnymi szramami.

– Robi sobie sznyty – powiedziała policjantka.

Kobieta mamrotała coś niewyraźnie. Kirstin Mede, stojąca do tej pory z boku, podeszła do nich. Rebus spojrzał na nią pytającym wzrokiem.

- Nic nie rozumiem... nie do końca. To jakiś język z Europy Wschodniej.

- Może pani spróbować się z nią dogadać?

Mede zadała pytania po francusku, a potem spróbowała jeszcze w trzech czy czterech językach. Kobieta zdawała się wyczuwać jej intencje, ale widać było, że nie rozumie.

- Na pewno ktoś ode mnie, z uniwersytetu, będzie mógł nam pomóc.

Rebus podniósł się z klęczek. Złapała go za nogi i pociągnęła tak, że o mało nie upadł. Jej uścisk był mocny; przywarła twarzą do kolan inspektora. Wciąż płakała i coś mówiła.

- Chyba pana polubiła - oceniła policjantka. Rebus cofnął się, lecz kobieta nie dawała za wygraną, niemal czołgając się za nim. Jej głos przybrał teraz błagalny ton. W drzwiach toalety stało już kilku policjantów. Za każdym razem, gdy Rebus robił krok w tył, kobieta posuwała się za nim na czworakach. Wyglądało to jak scena z jakiegoś upiornego melodramatu. Policjantka chwyciła kobietę, zmusiła ją do wstania i wykręciła jej ramię.

- Wystarczy - powiedziała. - Wracamy do celi. Koniec przedstawienia, kochani.

Gdy prowadzono ją korytarzem, kobieta jeszcze raz obejrzała się na Rebusa, a jej oczy wyrażały wdzięczność. Nie miał pojęcia, za co właściwie. Odwrócił się do Mede.

- Ma pani może ochotę na curry?

Popatrzyła na niego jak na szaleńca.

- Dwie rzeczy. Po pierwsze, jest Muzułmanką z Bośni. Po drugie, chce pana znowu widzieć.

Rebus popatrzył na mężczyznę z Instytutu Studiów Słowiańskich, który przyjechał na prośbę Kirstin Mède. Rozmawiali na korytarzu komisariatu.

- Z Bośni?

Dr Colquhoun pokiwał głową. Był niski i pulchny, na widoczną łysinę zaczesywał kilka kosmyków czarnych włosów. Na twarzy miał kilka blizn po ospie. Nosił dość zniszczony i poplamiony brązowy garnitur i zamszowe półbuty w tym samym kolorze. Rebus pomyślał, że wielu tak właśnie wyobraża sobie naukowca. Colquhoun miał jakiś nerwowy tik, na niczym nie mógł zatrzymać dłużej wzroku.

- Nie jestem ekspertem jeśli chodzi o Bośnię - kontynuował - ale ona twierdzi, że pochodzi z Sarajewa.

- Powiedziała, w jaki sposób i dlaczego znalazła się w Edynburgu?

- Nie pytałem.

- A mógłby pan to zrobić teraz? - Rozmawiali, idąc korytarzem. Colquhoun szedł ze spuszczoną głową.

- Sarajewo bardzo ucierpiało podczas wojny - powiedział w formie wyjaśnienia. - Aha, ona ma dwadzieścia dwa lata, tak przynajmniej twierdzi.

Według Rebusa wyglądała na starszą. Oczywiście, mogła kłamać. Ale kiedy zobaczył ją w pokoju przesłuchań, już bez makijażu, odjął jej kilka lat. Na jego widok zerwała się gwałtownie, jakby chciała do niego podbiec. Rebus uniósł dłoń w ostrzegawczym geście i wskazał krzesło. Usiadła, ściskając w dłoniach kubek herbaty. Ani na chwilę nie spuściła wzroku z inspektora.

- Jest pana wielką fanką - powiedziała policjantka, ta sama, której pomógł uratować dziewczynę w toalecie. Nazywała się Ellen Sharpe. W pokoju przesłuchań było mało miejsca. Na stole stały dwa magnetowidy i dwa dyktafony. Na ścianie umieszczono dodatkową kamerę. Rebus poprosił Sharpe, aby zwolniła krzesło dla Colquhouna.

- Podała imię? - spytał.

- Candice - odrzekł Colquhoun.

- A pan jej nie wierzy?

- To raczej nie jest imię z tamtej części Europy.

Candice wtrąciła coś w swoim języku.

- Nazywa pana swym obrońcą.

- A przed czym mam ją bronić?

Rozmowa pomiędzy Colquhounem a Candice brzmiała raczej szorstko w uszach Rebusa.

- Twierdzi, że najpierw obronił ją pan przed nią samą. Więc musi pan brnąć dalej.

- Mam jej dalej bronić?

- Jest pan teraz dla niej panem i władcą, inspektorze.

Rebus popatrzył na wykładowcę, który z kolei utkwił wzrok w Candice. Dziewczyna zdjęła narciarską kurtkę. Miała na sobie podkoszulek z krótkim rękawem, pod którym rysowały się drobne piersi. Blizny na ramionach były wyraźnie widoczne.

– Proszę spytać, czy to samookaleczenia.

Colquhoun miał problemy z przetłumaczeniem słowa.

– Widzi pan, mam raczej do czynienia z językiem literackim i filmowym niż... cóż...

– Co mówi?

– Że zrobiła je sobie sama.

Rebus spojrzał na dziewczynę, szukając potwierdzenia. Kiwnęła głową, lekko zażenowana.

– Kto kazał jej pracować na ulicy?

– Ma pan na myśli...?

– Kto jest jej szefem?

Kolejna krótka wymiana zdań.

– Twierdzi, że nie rozumie.

– Zaprzecza, iż pracowała jako prostytutka?

– Mówi, że nie rozumie.

Rebus odwrócił się do Sharpe, czekając na wyjaśnienia.

– Zatrzymało się przy niej kilka samochodów. Rozmawiała przez okno z kierowcami, ale wozy odjeżdżały, bo chyba im się nie podobała.

– Skoro nie mówi po angielsku, jak to możliwe, żeby rozmawiała z kierowcami?

– Są sposoby.

Rebus wpatrzył się w Candice. Przemówił do niej, wolno i dobitnie wymawiając słowa.

– Piętnaście za zwykły numerek, dwadzieścia za francuza. Pięć ekstra za bzyk bez gumy. – Przerwał. – A ile za anal, kotku?

Dziewczyna zaczerwieniła się. Rebus zaśmiał się cynicznie.

– Zapewne nie chodziła na uniwersyteckie kursy, ale ktoś ją nauczył paru przydatnych słów w naszej pięknej mowie. Wystarczy, aby wkręcić ją w biznes. Proszę spytać jeszcze raz, jak tu trafiła.

Colquhoun otarł twarz. Candice odpowiadała z opuszczoną głową.

– Opuściła Sarajewo jako uchodźca. Pojechała do Amsterdamu, a potem do naszego kraju. Pierwsze, co stąd pamięta, to miejsce z mnóstwem mostów.

– Mostów?

- Zatrzymała się tam na kilka dni - Colquhoun wydawał się być poruszony opowieścią Candice. Podał jej chusteczkę, żeby mogła osuszyć łzy. Podziękowała mu uśmiechem. Potem spojrzała na Rebusa.

- Jesteś głodna? - spytał, wskazując na swój brzuch. Pokiwała głową. Inspektor odwrócił się do Sharpe.

- Czy może pani przynieść nam coś z kantyny?

Policjantka zmroziła go wzrokiem.

- Życzy pan sobie czegoś, doktorze Colquhoun?

Wykładowca pokręcił głową. Rebus poprosił o kolejną kawę. Kiedy Sharpe wyszła, oparł się o stół i spojrzał z bliska na Candice.

- Proszę spytać, jak znalazła się w Edynburgu.

Colquhoun spełnił prośbę, a potem słuchał długiej opowieści, robiąc notatki na złożonej kartce.

- Znowu mówi o mieście pełnym mostów, ale nie widziała go prawie wcale, bo trzymali ją w zamknięciu. Czasami tylko wozili na jakieś spotkania... Proszę mi wybaczyć, inspektorze, jestem językoznawcą, lecz nie ekspertem od języka potocznego czy slangu.

- Idzie panu znakomicie.

- Była zmuszana do prostytucji, to wiem na pewno. Pewnego dnia wsadzili ją do samochodu, a ona myślała, że znów jadą do jakiegoś hotelu albo biura.

- Biura?

- Z jej opisu wynika, że czasami swoją... pracę... wykonywała w biurach. Także w prywatnych domach i apartamentach, ale na ogół w pokojach hotelowych.

- Gdzie ją przetrzymywali?

- W jakimś domu. Zamykali ją w sypialni - Colquhoun potarł nasadę nosa. - Wpakowali ją do samochodu i potem powiedzieli, że jest w Edynburgu.

- Jak długo trwała podróż?

- Nie jest pewna. Część drogi przespała.

- Proszę jej powiedzieć, że wszystko się ułoży. I spytać, dla kogo teraz pracuje.

Na twarz Candice powrócił strach. Zaczęła się jąkać i potrząsać głową. Colquhoun znowu miał problemy z przetłumaczeniem tego, co mówiła.

– Nie może panu powiedzieć – oznajmił w końcu.

– Proszę ją zapewnić, że jest bezpieczna.

Colquhoun posłusznie spełnił prośbę.

– Jeszcze raz – nakazał Rebus. Upewnił się, że dziewczyna patrzyła na niego, gdy Colquhoun z nią rozmawiał. Postarał się o minę wyrażającą pewność siebie. Candice w odruchu szacunku wyciągnęła do niego dłoń. Ujął ją w swoją i lekko uścisnął.

– Proszę spytać jeszcze raz.

– Nie powie tego panu, inspektorze. Zabiliby ją. Słyszała już takie historie.

Rebus zdecydował się spróbować nazwiska, o którym myślał od początku. Nazwiska osoby, która kontrolowała połowę prostytucji w mieście.

– Cafferty – powiedział, czekając na reakcję. Nie było żadnej. – Gruby Ger, Gruby Ger Cafferty. – Twarz dziewczyny pozostała obojętna. Rebus ponownie ścisnął jej dłoń. Pozostało sprawdzić jeszcze jedno nazwisko...

– Telford – powiedział dobitnie. – Tommy Telford.

Candice wyszarpnęła dłoń i zaniosła się histerycznym płaczem.

Rebus odprowadził doktora Colquhouna na stację.

– Dziękuję panu serdecznie. Mam nadzieję, że w razie potrzeby będę mógł zadzwonić?

– Jeżeli zajdzie taka potrzeba... – odrzekł Colquhoun niechętnym głosem.

– Nie mamy tu zbyt wielu specjalistów od języków słowiańskich – powiedział pojednawczo Rebus. Trzymał w dłoni wizytówkę wykładowcy z domowym numerem telefonu wypisanym na odwrocie. – Cóż – wyciągnął rękę na pożegnanie – jeszcze raz bardzo panu dziękuję.

Nagle przyszło mu coś do głowy.

– Czy był pan na uniwersytecie w okresie, gdy pracował tam Joseph Lintz?

Pytanie zaskoczyło Colquhouna.

– Tak – odrzekł po chwili.

– Znał go pan?

– Nie pracowaliśmy w tym samym instytucie, ale spotkałem go kilka razy przy okazji jakichś wykładów.

– Co pan wtedy sobie o nim myślał?

Mężczyzna zamrugał, zaskoczony. Nadal nie patrzył na inspektora.

– Twierdzą, że był nazistą.

– Wiem, ale wtedy...?

– Jak już wspomniałem, prawie się nie znaliśmy. Czy to przesłuchanie? Czy chodzi o śledztwo?

– Nie, pytam z czystej ciekawości. Dziękuję, że zechciał mi pan poświęcić swój cenny czas, doktorze.

Po powrocie do komisariatu Rebus spotkał Ellen Sharpe na korytarzu, przy pokoju przesłuchań.

– Co z nią robimy? – spytała.

– Zatrzymujemy tutaj.

– To znaczy, że wnosimy oskarżenie?

Rebus pokręcił głową.

– Nazwijmy to aresztem opiekuńczym.

– Czy ona o tym wie?

– A komu się poskarży? Zapewne jest tylko jeden osobnik w tym mieście, który może się z nią dogadać, i właśnie wysłałem go do domu.

– A jeżeli jej alfons po nią przyjdzie?

– Tutaj?

Chwila zastanowienia.

– Raczej nie.

– Oczywiście, że nie. Zresztą, po co? Jedyne, co ma do roboty, to czekać, aż ją zwolnimy. Dziewczyna nie mówi po angielsku, więc co nam może zeznać? No i bez wątpienia jest tutaj nielegalnie, więc nawet jeśli się z nią dogadamy, i tak najprawdopodobniej wykopiemy ją z kraju. Telford jest sprytny... Nie zdawałem sobie z tego sprawy, ale tak jest. Wykorzystuje nielegalne imigrantki. Niezły układ.

– Jak długo mamy ją przetrzymać?

Rebus wzruszył ramionami.

– Dobrze, inspektorze, a co powiem szefowi?

– Wszystkie pytania proszę kierować do inspektora Rebusa – uciął, otwierając drzwi.

– To było mistrzowskie – dodała z podziwem.

Zatrzymał się.

– Co takiego?

- Pańska znajomość cennika usług erotycznych.
- Za to mi płacą - uśmiechnął się.
- Jeszcze jedno pytanie, inspektorze...
- Tak, Sharpe?
- Dlaczego ona? Co się za tym kryje?

Rebus zastanawiał się przez chwilę.

- Dobre pytanie - odrzekł wreszcie i wszedł do środka.

Wiedział. Wiedział od razu, co go wzięło. Dziewczyna wyglądała jak Sammy. Wystarczyłoby wytrzeć łzy, zmyć makijaż i znaleźć jakieś przyzwoite ubranie.

Wiedział też, że była sparaliżowana strachem. I wiedział, że potrafi jej pomóc.

- Jak mam cię nazywać, Candice? Jakie jest twoje prawdziwe imię?

Wzięła jego dłoń i przyłożyła ją sobie do twarzy. Rebus stuknął się palcem w pierś.

- John - powiedział.
- Don.
- John.
- Shaun.
- John - uśmiechnął się, a z nim i ona.
- John.

Kiwnął głową.

- Dobrze. A ty? - wskazał na nią. - Jak masz na imię?
- Candice - powiedziała i zacisnęła powieki.

4

Rebus nie znał Tommy'ego Telforda z wyglądu, ale wiedział, gdzie go szukać.

Flint Street stanowiła łącznik pomiędzy Clerk Street a Buccleuch Street, znajdującymi się w pobliżu uniwersytetu.

Tamtejsze sklepy podupadły, za to salony gier przynosiły niezłe zyski. To właśnie z Flint Street Telford wypożyczał automaty do innych pubów i klubów w mieście. Flint Street była
centrum jego wschodniego imperium.

Interes prowadził przedtem niejaki Davie Donaldson, lecz
niespodziewanie przeszedł na wcześniejszą emeryturę „ze
względów zdrowotnych". Prawdopodobnie była to słuszna
diagnoza, zgodna z zasadą, że jeśli Tommy Telford czegoś od
ciebie chce, a ty się ociągasz, twoje zdrowie może gwałtownie
ulec pogorszeniu. Donaldson ukrywał się teraz, lecz nie przed
Telfordem, a przed Caffertym, dla którego doglądał interesu
w czasie, gdy pryncypał zaliczał odsiadkę w Barlinnie. Ponoć
Cafferty lepiej kierował swoim interesem z więziennej celi,
niż będąc na wolności, jednak z realiów wynikało, że gang-
sterski światek nie cierpi próżni i teraz Tommy Telford przejął władzę nad miastem.

Telforda wychował Ferguslie Park w mieście Paisley.
W wieku jedenastu lat przyłączył się do miejscowego gangu.
Rok później odwiedziło go kilku panów w garniturach, pytając o częste przypadki przebijania opon. Telford przyjął ich
otoczony członkami gangu, starszymi od niego, lecz wyraźnie
traktującymi go jak szefa.

Gang rósł w siłę wraz z nim i wkrótce kontrolował sporą
część Paisley, sprzedając narkotyki, wyłudzając pieniądze
i zajmując się prostytucją. Telford miał udziały w kasynach
i w wypożyczalniach wideo, restauracjach i w firmie przewo-
zowej, a ponadto był właścicielem kilku sporych kamienic.
Miał ambicje rozszerzyć swe wpływy na Glasgow, ale miasto
okazało się dla niego niedostępne, więc postanowił szukać
szczęścia gdzie indziej. Krążyły opowieści o jego przyjaciel-
skich kontaktach z pewną grubą rybą w Newcastle. Nikt nie
pamiętał takiego precedensu od czasów Kraysa z Londynu,
który raz na jakiś czas wysługiwał się „Wielkim Arturem"
z Glasgow i jego ludźmi.

Telford przyjechał do Edynburga przed rokiem. Na początek kupił kasyno i hotel. I nagle zrobiło się go wszędzie pełno;
był jak cień złowrogiej chmury gradowej. Przegnał z miasta
Daviego Donaldsona, rzucając tym wyzwanie Grubemu Gerowi Cafferty'emu. Cafferty miał dwa wyjścia: poddać się

albo podjąć walkę. Wszyscy wiedzieli, że nie obędzie się bez awantury.

Salony gier nazywano żartobliwie Fascination Street. Było coś fascynującego w dźwięczących flipperach, jarzących się feerią kolorów, w migających barwnych ekranach... A może chodziło o fascynację ludzi, o ich uzależnienie od gry.

– Myślisz, że jesteś wystarczająco twardy, śmieciu? – jeden ze zbirów Telforda zaczepił Rebusa przy wejściu. Mieli znamienne pseudonimy jak Zły Omen lub Nekroglina. Zwłaszcza ten ostatni przypomniał inspektorowi, jak staro ostatnio się czuje. Rozejrzał się po salonie i napotkał kilka znajomych twarzy dzieciaków, które regularnie „gościły" na komisariacie przy St Leonard's. Kręciły się wokół gangu Telforda, czekając na nagłe wezwanie od szefa; dzieci niczyje mające nadzieję, że Wielka Rodzina zechce je przygarnąć. Większość z nich nigdy nie miała prawdziwej rodziny.

Zjawił się mężczyzna z obsługi salonu.

– Kto zamawiał kanapkę z bekonem?

Rebus posłał uśmiech rzędowi zwróconych do niego twarzy. Bekon to świnia, a świnia to on. Na szczęście zainteresowanie nim nie trwało długo. Na sali było mnóstwo rzeczy bardziej godnych uwagi. W oddalonym rogu stały naprawdę duże maszyny, motocykle niemal naturalnej wielkości, pozwalające realistycznie zaliczać kolejne okrążenia na ekranie. Obok jednego z nich stała zachwycona grupka gapiów. Na motorze siedział młody człowiek ubrany w skórzaną kurtkę. Już na pierwszy rzut oka widać było, że ów ciuch jest towarem z górnej półki. Mężczyzna miał na sobie lśniące buty z okutymi czubami, obcisłe czarne dżinsy i biały golf. Gwiazda otoczona wielbicielami. Rebus wcisnął się pomiędzy wpatrzonych w ekran widzów.

– Nie ma chętnych na ten bekon? – spytał głośno.

– Kim jesteś? – rzucił mężczyzna na motocyklu.

– Detektyw inspektor Rebus.

– Człowiek Cafferty'ego – skwitował gracz z pewnością w głosie.

– Słucham?

– Słyszałem, że znowu się kumplujecie.

– To ja wsadziłem go do więzienia.

- Ale nie każdy gliniarz go tam odwiedza. - Rebus zauważył, że choć Telford patrzył na ekran, jednocześnie obserwował odbicie swego rozmówcy. Obserwował go, rozmawiał z nim, ale wciąż panował nad motorem.

- Ma pan jakiś problem, inspektorze?

- Nie ja. Zgarnęliśmy jedną z twoich dziewczyn.

- Moją co?

- Twierdzi, że ma na imię Candice. Tyle o niej wiemy. Ale dziewczyny sprowadzane z zagranicy to nowość. A ty też jesteś tu nowy.

- Nie nadążam za panem, inspektorze. Prowadzę interesy w sektorze rozrywki. Czy pan oskarża mnie o sutenerstwo?

Rebus wysunął stopę i lekko popchnął motocykl. Na ekranie maszyna zawirowała i uderzyła w barierkę. Chwilę potem pojawiła się plansza początku wyścigu.

- Widzi pan, inspektorze - powiedział spokojnie Telford, nie patrząc na Rebusa. - Na tym polega piękno tej gry. Zawsze można po wypadku zacząć od nowa. W życiu nie bywa już tak prosto.

- A jeżeli odetnę dopływ prądu? Koniec gry.

Teraz Telford powoli się obrócił. Patrzył na Rebusa. Z bliska gangster wyglądał bardzo młodo. Inni znani inspektorowi gangsterscy szefowie mieli zmęczone, napuchnięte twarze. Ten zaś wyglądał jak nowa, jeszcze niezbadana odmiana groźnej bakterii, o nierozpoznanych możliwościach.

- Więc co to jest, Rebus? Jakaś wiadomość od Cafferty'ego?

- Candice - powiedział cicho Rebus, z wyczuwalnym drżeniem głosu zdradzającym zdenerwowanie. Gdyby wypił kilka drinków, powaliłby Telforda bez problemu. - Od dzisiaj ona wypada z gry, zrozumiano?

- Nie znam żadnej Candice.

- Zrozumiano?

- Zaraz, sprawdźmy, czy dobrze chwytam. Chcesz, żebym dopilnował, aby dziewczyna, której nie znam, nie używała więcej swojej szparki?

Chichoty gapiów. Telford wrócił do gry.

- A właściwie skąd jest ta kobieta? - spytał z zainteresowaniem.

- Nie mamy pewności - skłamał Rebus. Nie chciał, aby Telford wiedział więcej niż potrzeba.

– Musieliście sobie uciąć miłą pogawędkę.

– Ona się boi, boi się jak cholera.

– Ja też, Rebus. Boję się, że zanudzisz mnie na śmierć. Ta Candice, dała ci posmakować co nieco? Chyba nie każda dziwka może zaspokoić pana inspektora?

Żart wywołał lawinę śmiechu.

– Ona jest wyłączona z gry, Telford. Niech ci przypadkiem nie przyjdzie do głowy jej dotknąć.

– Bez obaw, nawet na nią nie spojrzę. Jestem porządny gość, z tych, co to siusiu, paciorek i spać.

– I całują misia na dobranoc?

Telford spojrzał na niego drugi raz tego wieczora.

– Niech pan nie wierzy plotkom, inspektorze. Niech pan wychodząc zabierze kanapkę z bekonem, mamy o jedną za dużo. I niech pan pozdrowi ode mnie tych zeksów, którzy pilnują mnie w bryce na ulicy.

Rebus wyszedł i skierował swe kroki na Nicolson Street. Zastanawiał się, co zrobi z Candice. Prosta odpowiedź: wypuści ją, mając nadzieję, że jakoś sobie poradzi. Nagle tuż przy nim zwolnił samochód. Opuszczono szybę.

– Wskakuj do środka – usłyszał. Zatrzymał się i zerknął na twarz mężczyzny.

– Cześć, Ormiston. Teraz wiem, o czym mówił.

– Kto?

– Tommy Telford. Macie pozdrowienia – Rebus wsiadł do forda oriona.

Kierowca zerknął na Ormistona.

– Znów wyszliśmy na durni. – Nie wyczuwało się w jego głosie zdziwienia. Rebus rozpoznał go dopiero teraz.

– Witam detektywa Claverhouse'a.

Detektyw sierżant Claverhouse, detektyw konstabl Ormiston: Szkocka Brygada Kryminalna, specjalna jednostka do spraw przestępczości. Najlepsi ludzie z Komendy Głównej przy Fettes Avenue na akcji w terenie. Claverhouse chudy jak szczapa. Ormiston ze swoją krostowatą cerą i gładko zaczesanymi, czarnymi jak smoła włosami.

– Rozpracowali was, zanim do nich zawitałem, jeżeli to was pocieszy – uśmiechnął się Rebus.

– A co, do kurwy nędzy, tam robiłeś?

– Składałem uszanowanie. A wy?

– Marnowaliśmy czas – wymamrotał Ormiston.

Jednostka specjalna poluje na Telforda: dobra wiadomość dla Rebusa.

– Mam kogoś – powiedział. – Zmuszona do pracy dla Telforda. Ciężko przerażona. Moglibyście jej pomóc.

– Przerażeni nie sypią.

– Ta może zacznie.

Claverhouse wpatrywał się w Rebusa.

– A my musielibyśmy jedynie...?

– Gdzieś ją ukryć.

– Program ochrony świadków?

– Jeżeli trzeba, tak.

– Co ona wie?

– Nie jestem pewien. Nie mówi zbyt dobrze po angielsku.

Claverhouse umiał bezbłędnie rozpoznać cenną informację.

– Opowiadaj.

Kiedy Rebus skończył, obaj detektywi starali się nie okazywać zainteresowania.

– Porozmawiamy z nią – obiecał Claverhouse.

Rebus skinął głową.

– Od jak dawna macie go na oku? – spytał.

– Odkąd Telford zadarł z Caffertym.

– Po czyjej stronie jesteśmy?

– Po stronie Narodów Zjednoczonych, jak zawsze – pozwolił sobie na ironię Claverhouse. Mówił wolno, ważąc każde słowo. Należał do ostrożnych facetów. – A ty kręcisz się tu jak jakiś cholerny najemnik – dodał.

– Nie jestem dobrym taktykiem, wiesz przecież. Poza tym, chciałem drania zobaczyć z bliska.

– No i?

– Wygląda jak dzieciak.

– I jest czysty jak łza – sarknął Claverhouse. – Ma z tuzin wiernych żołnierzy, którzy wykonają dla niego każdą robotę.

Na dźwięk słowa „żołnierze" myśli Rebusa powędrowały do Josepha Lintza. Ktoś wydaje rozkaz, ktoś go wykonuje. Czyja wina jest większa?

– Powiedz mi coś jeszcze – podrapał się po szyi. – Te gadki o misiu... to prawda?

– Jak najbardziej. Wozi go na siedzeniu dla pasażera w swoim range roverze. Ogromne, pieprzone, żółte paskudztwo, takie, jakie czasami można wygrać na niedzielnej loterii.

– Wiadomo, o co w tym chodzi?

Ormiston odwrócił się ku niemu.

– Czy słyszałeś o Teddym Willocksie? O twardzielu z Glasgow, który szaleje ze stolarskimi gwoździami i młotkiem?

Rebus skinął głową.

– Rozumiesz, jeśli zadrzesz z kimś ważnym, Willocks odwiedzi cię ze swoją torbą narzędziową.

– Pewnego razu – przejął opowieść Claverhouse – Teddy zadarł z jakimś sukinsynem z Newcastle. Telford był młody, dopiero wyrabiał sobie nazwisko i bardzo chciał dać nauczkę temu kolesiowi, więc zaopiekował się Teddym.

– I dlatego wszędzie wozi ze sobą pluszowego misia* – dodał Ormiston. – Żeby wszyscy pamiętali.

Rebus dopiero teraz przypomniał sobie, że w Newcastle są mosty na rzece Tyne.

– To może być Newcastle – powiedział cicho.

– Co znowu?

– Może Candice tam była. Mówiła o mieście, gdzie jest wiele mostów. Pomogłoby nam to powiązać Telforda i gangstera, który gnębił Teddy'ego.

Ormiston i Claverhouse spojrzeli po sobie.

– Ona potrzebuje bezpiecznej kryjówki – powiedział Rebus. – I trochę pieniędzy na potem.

– Będzie wracać do domu pierwszą klasą, jeżeli tylko pomoże nam przyszpilić Telforda.

– Nie jestem pewien, czy zechce tam wracać.

– Pogadamy o tym później – uciął Claverhouse. – Najpierw musimy z niej coś wyciągnąć.

– Potrzebujecie tłumacza.

Claverhouse spojrzał na Rebusa.

– A ty oczywiście możesz nam kogoś polecić...?

Spała w celi, zwinięta pod kocem tak, że widać było tylko włosy. *Lonely Little Girl* zespołu Mothers of Invention.

---

*Pluszowy miś to po angielsku *teddy bear* (przyp. tłum.).

W części aresztu przeznaczonej dla kobiet cele pomalowano na różowo i niebiesko; ściany upstrzone były graffiti i rozmaitymi bazgrołami.

– Candice – powiedział cicho Rebus i lekko ścisnął ramię dziewczyny. Przebudziła się gwałtownie, jak rażona prądem.

– Spokojnie, to ja, John.

Rozejrzała się nieprzytomnie po celi, starając się skupić uwagę na pochylającej się nad nią postaci.

– John – powtórzyła i uśmiechnęła się.

Claverhouse załatwiał coś przez telefon, a Ormiston stał w drzwiach i przyglądał się dziewczynie taksującym wzrokiem. Nigdy nie był wybredny. Rebus starał się wcześniej dodzwonić do Colquhouna, ale bez powodzenia. Teraz gestykulował zawzięcie, próbując wytłumaczyć Candice, że chcą ją gdzieś zabrać.

– Hotel – powiedział.

Propozycja nie przypadła jej do gustu. Patrzyła to na niego, to na Ormistona.

– Będzie dobrze – dodał Rebus. – Tam się wyśpisz, tam będziesz bezpieczna. Bez Telforda, nic z tych rzeczy.

Wydawała się uspokojona, jej spojrzenie znów stało się ufne. Zeszła z pryczy i stanęła przed nim, gotowa do wyjścia.

Wrócił Claverhouse.

– Załatwione – powiedział, obserwując Candice spod oka. – Czy ona nie mówi ani słowa po angielsku?

– Nic, co nadawałoby się na uprzejmą pogawędkę.

– W takim razie – wtrącił Ormiston – będzie jej z nami dobrze.

We czworo wsiedli do granatowego forda oriona i pojechali w stronę wschodniej dzielnicy miasta. Było już po północy, po ulicach jeździły czarne taksówki. Z pubów wysypywali się studenci.

– Wydaje się, że z każdym rokiem mają mniej lat – stwierdził Claverhouse.

– I coraz więcej z nich przechodzi na ciemną stronę – dodał Rebus.

Claverhouse uśmiechnął się.

– Miałem na myśli prostytutki, a nie studentów. Zgarnęliśmy ostatnio jedną, powiedziała, że ma piętnaście lat, ale potem okazało się, że dwanaście. Uciekła z domu. Za szybko wydoroślała.

Rebus starał się przypomnieć sobie, jaka była Sammy w tym wieku. Zobaczył ją przerażoną, w rękach szaleńca, który chciał się na nim zemścić. Długo potem prześladowały ją nocne koszmary. Ustały, gdy matka zabrała ją do Londynu. Kilka lat później Rhona zadzwoniła do Rebusa i powiedziała mu, że obrabował Sammy z dzieciństwa.

– Już tam dzwoniłem – to mówił Claverhouse. – Bez obaw, to sprawdzone miejsce, jest idealne.

– Candice potrzebne będą ubrania – powiedział Rebus.

– Siobhan coś jej rano przyniesie.

– A co u niej?

– Chyba dobrze. Chociaż ciągle nie łapie naszego poczucia humoru.

– Moim zdaniem zna się na żartach – wtrącił Ormiston. – No i lubi się napić.

Ta druga wiadomość zaskoczyła Rebusa. Zastanawiał się, na ile Siobhan Clarke gotowa była się zmienić, byle tylko dostosować się do nowego środowiska.

– Jesteśmy prawie na miejscu – powiedział Claverhouse.

Dojechali do krańców miasta. Szersze pasy zieleni, potem Pentland Hills. Na obwodnicy panował niewielki ruch. Zjechali z autostrady i zaparkowali przed hotelem należącym do międzynarodowej korporacji. Hasło: wszędzie takie same ceny i takie same pokoje. Na parkingu roiło się od wypchanych towarem samochodów komiwojażerów, którzy spali teraz w jednakowych pokojach, przed włączonymi telewizorami, z pilotem w dłoni.

Candice nie chciała wyjść z auta, dopóki gestem nie zaprosił jej Rebus.

– Jesteś dla niej jak Bóg Ojciec – zauważył Ormiston nie bez podziwu.

W recepcji zameldowali Candice jako panią Angusową Campbell. Claverhouse i Ormiston sprawdzili dyskretnie teren. Rebus przyglądał się recepcjoniście, ale Claverhouse dał mu do zrozumienia, że gość jest w porządku.

– Daj nam pierwsze piętro, Malcolm – powiedział Ormiston. – Nie chcę, żeby ktoś nam zaglądał do okien.

– Pokój 20.

– Czy ktoś z nią zostanie? – spytał Rebus, gdy ruszyli ku schodom.

– Oczywiście – uspokoił go Claverhouse. – W samochodzie zamarzłyby nam tyłki. Dałeś mi numer do Colquhouna?

– Ma go Ormiston.

Ormiston przekręcił klucz w zamku.

– Kto na ochotnika na pierwszą wachtę?

Claverhouse wzruszył ramionami. Candice patrzyła na Rebusa, jakby rozumiała, o czym mówią. Złapała go za ramię i zaczęła trajkotać w swoim języku, rzucając spojrzenia raz na Claverhouse'a, raz na Ormistona.

– W porządku, Candice, naprawdę. Oni się tobą zajmą.

Jednak dziewczyna wciąż potrząsała głową, mocno przytrzymując Rebusa.

– I co na to powiesz, John? – spytał Claverhouse. – Dobry świadek to chętny świadek.

– O której przyjedzie Siobhan?

– Zaraz ją popędzę.

Rebus zerknął na Candice, westchnął i kiwnął głową.

– Okay – wskazał na siebie, a potem na pokój. – Ale tylko na trochę, okay?

Candice wydawała się zadowolona. Ormiston wręczył Rebusowi klucz.

– Tylko grzecznie mi się tu sprawować i nie budzić sąsiadów – ze śmiechem pogroził im palcem.

Rebus zamknął mu drzwi przed nosem.

Pokój był dokładnie taki, jak można się było spodziewać. Rebus nalał wody do czajnika, włączył go i wrzucił torebkę herbaty do kubka. Candice wskazała na łazienkę.

– Kąpiel? – spytał. – Oczywiście, idź – wykonał zapraszający gest w kierunku łazienki.

Zasłony w oknie były zaciągnięte. Rozchylił je i przez chwilę patrzył na trawiaste wzgórze i światła obwodnicy. Potem spróbował przykręcić ogrzewanie, bo w pokoju już zdążyło się zrobić duszno. Przy kaloryferze nie było termostatu, więc uchylił okno. Do środka wpadło zimne, nocne powietrze i odgłosy ruchu ulicznego. Rebus otworzył paczkę maślanych herbatników i zjadł dwa. Nagle poczuł wilczy głód. Przypomniał sobie, że na dole widział automat ze słodyczami, a w kieszeni miał sporo drobnych. Jednak nie zdecydował się wyjść z pokoju. Zrobił sobie herbaty, dolał mleka, usiadł na sofie i włączył telewizor. Po chwili podniósł słuchawkę telefonu i wykręcił numer Jacka Mortona.

– Obudziłem cię?

– Nie. Jak leci?

– Dziś chciałem się napić.

Rebus usłyszał, jak przyjaciel poprawia się w fotelu, gotów go wysłuchać. Jack pomagał mu wyjść z nałogu. Na początku powiedział, że Rebus może do niego dzwonić o każdej porze.

– Musiałem pogadać z tym gnojkiem, Tommym Telfordem.

– Słyszałem to nazwisko.

Rebus zapalił papierosa.

– I pomyślałem, że drink by pomógł.

– Przed czy po?

– Jedno i drugie – inspektor uśmiechnął się. – Zgadnij, gdzie jestem.

Morton nie miał pojęcia, więc Rebus opowiedział mu całą historię.

– I jaki masz plan? – spytał Jack.

– Nie wiem. Sporo o tym myślałem. Dziewczyna mnie potrzebuje. Coś takiego nie przydarzyło mi się od dawna. – Kiedy wypowiadał te słowa, przypomniał sobie pewną kłótnię z Rhoną. Wypomniała mu, że potrafi wyeksploatować do cna każdy związek.

– Nadal masz ochotę się napić? – dopytywał się Jack.

– Szczerze mówiąc, w ogóle już o tym nie myślę – Rebus zdusił papierosa. – Słodkich snów, Jack.

Pił drugą porcję herbaty, kiedy Candice wyszła z łazienki. Miała na sobie to samo ubranie; jej włosy były jeszcze mokre.

– Lepiej? – spytał, unosząc do góry kciuk.

Pokiwała głową i uśmiechnęła się.

– Chcesz herbaty? – wskazał na czajnik.

Kolejne kiwnięcie. Nalał wrzątku do kubka, a potem zaproponował wycieczkę do automatu ze słodyczami. Kupił chipsy, orzeszki, czekolady i dwie puszki coli. Po wypiciu kolejnej herbaty Rebus, zdjąwszy buty, wyciągnął się na sofie i oglądał telewizję z wyłączonym dźwiękiem. Candice leżała w ubraniu na łóżku, pogryzając chipsy i od czasu do czasu zmieniając kanał. Sprawiała wrażenie, jakby zapomniała o obecności Rebusa, co uznał za komplement.

Musiał zasnąć. Obudził się, czując na kolanie dotyk jej dłoni. Stała przy sofie, w samym podkoszulku i wpatrywała się w niego, nie cofając ręki. Uśmiechnął się, pokręcił odmownie głową i odprowadził dziewczynę z powrotem do łóżka. Kiedy się położyła, wyciągnęła do niego ramiona w zachęcającym geście, lecz ponownie odmówił i nakrył ją kołdrą po szyję.

– To już nie twoja rola, nigdy więcej – powiedział. – Dobranoc, Candice.

I wrócił na sofę, drżąc, aby dziewczyna nie wymówiła jego imienia.

The Doors: *Wishful Sinful*...

Obudziło go pukanie do drzwi. Zapomniał zamknąć okno i w pokoju zrobiło się zimno. Telewizor wciąż grał, ale Candice spała. Obok łóżka walały się papierki po czekoladzie. Rebus cicho podszedł do drzwi, wyjrzał przez judasza i dopiero otworzył.

– Dzięki Bogu, już jesteś – wyszeptał do Siobhan Clarke, taszczącej wypchaną reklamówkę.

– Dzięki Bogu, mamy sklepy nocne – odrzekła.

Zaprosił ją do środka. Siobhan zerknęła na Candice, a potem usiadła na sofie i zaczęła rozpakowywać torbę.

– Dla ciebie kanapki – powiedziała szeptem.

– Niech cię Bóg błogosławi, dobra kobieto.

– A dla Śpiącej Królewny trochę moich ciuchów. Na razie powinny wystarczyć.

Rebus zdążył się wgryźć w pierwszą kanapkę. Sałatka z serem na białym chlebie nigdy nie smakowała mu lepiej.

– Jak wrócę do domu? – spytał.

– Zamówiłam ci taksówkę – Siobhan spojrzała na zegarek. – Będzie za dwie minuty.

– Co ja bym bez ciebie zrobił?

– Do wyboru: zamarzłbyś na śmierć albo umarł z głodu – odparła, zamykając okno. – A teraz zmykaj stąd.

Rebus spojrzał na Candice. Niemalże zapragnął ją obudzić i jakoś przekonać, że nie zostawia jej na pastwę losu. Ale spała jak zabita, poza tym był pewien, że Siobhan dobrze się nią zaopiekuje.

Rzucił więc klucz na sofę i wyszedł.

Czwarta trzydzieści. Taksówka już czekała. Rebus czuł się jak na kacu. Przebiegł myślą listę wszystkich miejsc, gdzie mógłby się napić o tej porze. Nie pamiętał, ile minęło od jego ostatniego drinka. Przestał liczyć.

Podał kierowcy swój adres, oparł się wygodnie i wrócił myślami do Candice, śpiącej w hotelu i na razie bezpiecznej. A potem pomyślał o Sammy, która nie potrzebowała już ojca. Pewnie też spała, wtulona w Neda Farlowe'a. Sen to niewinność. Nawet uśpione miasto wyglądało niewinnie. Czasami spoglądał na Edynburg i dostrzegał piękno, którego nie był w stanie zniweczyć nawet jego policyjny cynizm. Ktoś w jakimś barze, nie pamiętał kiedy, kazał mu zdefiniować romantyczność. Ale jak miałby to zrobić? Zbyt dużo widział w życiu chorej miłości, ludzi, którzy zabijali ogarnięci namiętnością lub z powodu jej braku. I kiedy teraz spotykał piękno, jedyne, co mógł zrobić, to dać mu się uwieść, mając pełną świadomość, iż pewnego dnia zostanie zniszczone. Widział kochanków w ogrodzie przy Princes Street, ich oddanie, ale i zdradę, która być może kiedyś przyjdzie. Widział kartki walentynkowe z sercami przebitymi strzałą i myślał o prawdziwych ranach serca.

– Zdefiniuj romantyczność – usłyszał wtedy, w barze. W odpowiedzi uniósł kufel piwa i pocałował zimne szkło.

Obudził się o dziewiątej, wziął prysznic i zaparzył sobie kawę. Potem zadzwonił do hotelu i upewnił się, że u Siobhan wszystko gra.

– Była trochę zaskoczona, kiedy po przebudzeniu zobaczyła mnie zamiast ciebie. Ciągle powtarzała twoje imię, ale jakoś jej wytłumaczyłam, że jeszcze cię zobaczy.

– A jaki jest plan?

– Szybki wypad na zakupy. Potem jedziemy do Fettes. Koło południa będzie tam Colquhoun. Zobaczymy, co z tego wyniknie.

Rebus stał przy oknie i spoglądał na Arden Street.

– Opiekuj się nią, Siobhan.

– Żaden problem.

Wiedział, że z Clarke nie będzie problemu. To była jej pierwsza prawdziwa akcja w brygadzie i bardzo się starała.

Zadzwonił telefon.

– Czy rozmawiam z inspektorem Rebusem?

– Kto mówi? – nie rozpoznał głosu.

– Nazywam się David Levy. Nie zna mnie pan. Przepraszam, że dzwonię do domu, ale dostałem ten numer od Matthew Vanderhyde'a.

Stary Vanderhyde. Dawno go nie widział.

– Tak?

– Muszę przyznać, że byłem zaskoczony, kiedy dowiedziałem się, że on pana zna – w głosie słychać było ironię. – Choć w zasadzie już nic mnie nie powinno zdziwić, jeżeli chodzi o Matthew. Udałem się do niego, bo zna Edynburg.

– Tak?

Śmiech po drugiej stronie.

– Przepraszam, inspektorze. Nie powinienem mieć pretensji, że jest pan nieufny po takim wstępie z mojej strony. Jestem z zawodu historykiem. Przysyła mnie panu do pomocy Solomon Mayerlink.

Mayerlink... Rebus znał to nazwisko. To z jego biura przysłano materiały na temat Lintza.

– A jaką pomoc ma pan na myśli?

– Czy mógłbym o tym porozmawiać z panem osobiście, inspektorze? Zatrzymałem się w hotelu przy Charlotte Square. Czy moglibyśmy się tu spotkać? Najlepiej jeszcze dzisiaj.

Rebus spojrzał na zegarek.

– Za godzinę? – zaproponował.

– Świetnie. Do zobaczenia, inspektorze.

Rebus zadzwonił do komisariatu i zostawił informację, dokąd jedzie.

5

Usiedli w holu. Pod oknem jakaś starsza para pochylała się nad gazetami. David Levy również nie był młody. Nosił okulary w czarnych oprawkach. Jego zarost, tak jak i włosy, był srebrnoszary i kontrastował z opaloną skórą. Oczy sprawiały wrażenie nieustannie załzawionych. Miał na sobie piaskowy garnitur safari, niebieską koszulę, krawat. Obok krzesła spoczywała laska. Levy był już na emeryturze, ale wcześniej pracował w Oksfordzie, Nowym Jorku, Tel Awiwie i w wielu innych zakątkach świata.

– Nigdy nie miałem bliższego kontaktu z Josephem Lintzem. Nie było potrzeby – oświadczył na wstępie.

– Dlaczego więc Mayerlink uważa, że mógłby mi pan pomóc?

– Cóż, inspektorze, chodzi raczej o wsparcie moralne.

– Wsparcie moralne?

– Widzi pan, wielu ludzi było wcześniej w takiej, jak pan teraz, sytuacji. Mam na myśli ludzi obiektywnych, profesjonalistów, którzy nie mają żadnego prywatnego interesu w dochodzeniu prawdy.

Rebus żachnął się.

– Jeśli sugeruje pan, że nie wykonuję należycie mojej pracy...

Przez twarz Levy'ego przebiegł jakby skurcz bólu.

– Proszę, inspektorze, przecież nie o to mi chodzi. Wiem po prostu, że nadejdzie czas, gdy zacznie pan mieć wątpliwości co do sensu podjętych działań. – Oczy mu błyszczały. – A może już je pan ma?

Rebus nie odpowiedział. Oczywiście, że miał, i to mnóstwo, zwłaszcza teraz, gdy stanął wobec realnej, ważnej i dotyczącej teraźniejszości sprawy. Candice. Candice, która mogła go zaprowadzić do Telforda.

– Może mnie pan uznać za swoje sumienie – skrzywił się Levy. – Znowu źle to ująłem, pan już jedno posiada, to nie ulega wątpliwości. – Westchnął. – Pytanie, które zapewne pan sobie wciąż zadaje, jest takie samo, jakie czasami dręczy mnie: czy upływ czasu zwalnia od odpowiedzialności? Dla mnie odpowiedź jest jedna: – nie. Chodzi o to, inspektorze – Levy wychylił się ku niemu – że nie prowadzi pan dochodzenia w sprawie zbrodni dokonanych przez starego człowieka, ale przez młodego żołnierza, który zdążył się zestarzeć. Proszę o tym pamiętać. Do tej pory przeprowadzono mnóstwo takich śledztw. Rządy wolą czekać na śmierć wojennych zbrodniarzy, niż stawiać ich przed sądem. Ale każde śledztwo, każdy proces to akt pamięci, a co służy pamięci, nigdy nie jest stratą czasu. Tylko tak możemy się czegoś nauczyć.

– Tak jak nauczyła nas Bośnia?

– Otóż to. Niestety, rodzaj ludzki uczy się wolno, a to niejednokrotnie prowadzi do walki bratobójczej.

– I ja mam być pańską karzącą ręką? Czyżby w Villefranche mieszkali jacyś Żydzi? – Rebus nie przypominał sobie, aby w dokumentach była o tym mowa.

– A czy to ma znaczenie?

– Po prostu zastanawiam się, skąd zainteresowanie tą sprawą?

– Mówiąc szczerze, inspektorze, jest pewien ukryty motyw. – Levy chwilę się zastanawiał. – Rat Line. Chcemy udowodnić, że ta organizacja istniała i że pomagała nazistom uniknąć odpowiedzialności. A co ważniejsze, że działała za cichym przyzwoleniem, więcej niż za cichym przyzwoleniem zachodnich rządów, a nawet samego Watykanu.

– Jednym słowem, chciałby pan, żąda pan, aby wszyscy poczuli się winni?

– Żądam sprawiedliwości. Prawdy. Czy panu nie chodzi o to samo? Matthew Vanderhyde dał mi do zrozumienia, iż one są dla pana najważniejsze.

– Widocznie nie zna mnie dobrze.

– Nie byłbym tego taki pewien. Tymczasem są i tacy, którzy woleliby, żeby prawda nie wyszła na jaw.

– A prawda to...?

– Fakt, że zbrodniarze wojenni zostali sprowadzeni do Wielkiej Brytanii, gdzie pozwolono im prowadzić normalne życie.

– W zamian za co?

– Proszę nie zapominać, że był to początek zimnej wojny, inspektorze. Zna pan powiedzenie: wróg mojego wroga jest moim przyjacielem. Ci mordercy byli osłaniani przez tajny wywiad, który zaoferował im pracę. Są ludzie, którzy nie życzyliby sobie, aby te fakty dotarły do wiadomości publicznej.

– A więc...?

– A więc proces pozwoli zdemaskować i ujawnić ich matactwa.

– Czy to ostrzeżenie przed agentami?

Levy złożył dłonie jak do modlitwy.

– Proszę posłuchać. Wiem, że to spotkanie nie było dla pana satysfakcjonujące i za to przepraszam. Zostanę w Edynburgu kilka dni, może dłużej, jeżeli zajdzie potrzeba. Czy możemy spróbować jeszcze raz?

– Nie wiem.

– Proszę o tym pomyśleć, dobrze? – Levy wyciągnął dłoń i Rebus ją uścisnął. – Będę czekał. I dziękuję za to, że pan przyszedł.

– Wszystkiego dobrego, panie Levy.

– *Shalom*, inspektorze.

Rebus siedział przy swoim biurku, myśląc o odbytym spotkaniu, niemal czując energiczny uścisk dłoni Levy'ego. Pośród dokumentów dotyczących masakry w Villefranche czuł się jak kustosz muzeum odwiedzanego wyłącznie przez specjalistów lub maniaków. Zło dokonało się w Villefranche, ale czy odpowiedzialny za to był Joseph Lintz? A nawet jeśli tak, to czy przez pół wieku nie odkupił już swojej winy? Rebus zadzwonił do biura prokuratora Fiscala i poinformował o powolnych postępach w sprawie. A potem poszedł do komisarza Farmera.

– Wejdź, John. Czym mogę ci służyć?

– Czy wiedział pan o tym, że jednostka specjalna prowadzi inwigilację w jednej z naszych spraw?

– Chodzi ci o Flint Street?

– Więc pan o tym wie?

– Informują mnie na bieżąco.

– Kto jest łącznikiem?

Farmer zmarszczył czoło.

– Tak jak powiedziałem, informują mnie na bieżąco.

– Czyli nie ma łącznika? Nie współpracujemy z nimi? – Farmer milczał. – A powinniśmy.

– Do czego zmierzasz, John?

– Chcę pracować.

Szef wpatrywał się w swoje biurko.

– Masz dużo pracy z Villefranche.

– Chcę pracować.

– John, łącznik to dyplomacja. A to nigdy nie było twoim atutem.

Rebus nie miał innego wyjścia, jak opisać sprawę Candice i wyjaśnić, że już jest zamieszany w dochodzenie.

– Skoro więc na tyle daleko zaszedłem, szefie, równie dobrze mogę to ciągnąć dalej.

– A co z Villefranche?

– Pozostanie moim priorytetem.

Farmer spojrzał mu prosto w oczy. Rebus wytrzymał to, nawet nie mrugnął.

– W porządku – powiedział wreszcie komisarz.

– Powiadomi pan Fettes?

– Możesz na mnie liczyć.

– Dziękuję – Rebus odwrócił się do wyjścia.

– John...? – Farmer stał za biurkiem. – Wiesz, co chcę ci powiedzieć, prawda?

– Chce mnie pan ostrzec, bym nie nadepnął na zbyt wiele odcisków, nie urządzał własnej krucjaty, zdawał relacje na bieżąco i nie zawiódł pańskiego zaufania. Czy może coś pominąłem?

Watson uśmiechając się, potrząsnął głową.

– Spieprzaj stąd, synu – dodał.

Rebus niezwłocznie wykonał polecenie.

Kiedy wszedł do pokoju, Candice tak szybko wstała z krzesła, że aż wywróciła je na podłogę. Podeszła i uścisnęła go serdecznie, a Rebus zmieszany rozejrzał się po twarzach obecnych – Ormistona, Claverhouse'a, Colquhouna i policjantki.

Znajdowali się w pokoju przesłuchań Komendy Głównej Policji przy Fettes Avenue. Colquhoun miał na sobie ten sam garnitur i takie samo nerwowe spojrzenie. Ormiston podniósł krzesło Candice. Claverhouse siedział przy stole, obok Colquhouna, pochylony nad stertą dokumentów.

– Cieszy się, że pana widzi – przetłumaczył Colquhoun.

– Nigdy bym nie zgadł. – Candice była ubrana w dżinsy, nieco przydługie, oraz czarny golf. Na oparciu jej krzesła wisiała narciarska kurtka.

– Nie traćmy czasu – nakazał Claverhouse.

Dla Rebusa nie było krzesła, więc stanął obok Ormistona i funkcjonariuszki. Candice powróciła do swojej opowieści, co i raz zerkając w jego stronę. Zauważył, że na stole oprócz papierów leży brązowa teczka i biała koperta A4. Do koperty przypięto czarno-białe zdjęcie Tommy'ego Telforda.

– Czy zna tego mężczyznę? – spytał Claverhouse, stukając palcem w zdjęcie.

Colquhoun przetłumaczył pytanie i wysłuchał odpowiedzi dziewczyny.

– Ona... – odchrząknął – ...mówi, że nigdy nie miała z nim bliższego kontaktu. – Dwuminutową wypowiedź Candice sprowadził do jednego zdania. Claverhouse pogrzebał w dokumentach, wyjął inne zdjęcia i pokazał je dziewczynie. Wskazała jedno z nich.

– Pretty-Boy – powiedział Claverhouse i ponownie wziął w rękę zdjęcie Telforda. – Czy naprawdę nie miała z nim nic do czynienia?

– Ona... – Colquhoun otarł spocone czoło. – Mówi coś o jakichś Japończykach... O wschodnich biznesmenach.

Rebus wymienił spojrzenie z Ormistonem, który tylko wzruszył ramionami.

– Gdzie dokładnie to było? – zapytał Claverhouse.

– W samochodzie... w wielu samochodach. Wie pan, coś w rodzaju konwoju.

– Była w jednym z nich?

– Tak.

– Dokąd pojechali?

– Poza miasto. Zatrzymywali się raz czy dwa.

– Juniper Green – wyszeptała nagle Candice.

– Juniper Green – powtórzył bezwiednie Colquhoun.

– Zatrzymali się tam?

– Nie, wcześniej.

– Po co?

Colquhoun ponownie zwrócił się do Candice.

– Nie wie. Chyba jeden z kierowców musiał kupić papierosy. Reszta przyglądała się z zainteresowaniem budynkowi, ale nic nie mówili.

– Jakiemu budynkowi?

– Nie wie.

Claverhouse wyglądał na zawiedzionego. Dziewczyna nie podała żadnych ważnych informacji. A to oznacza, pomyślał Rebus, że nie będzie im potrzebna i że nie będą jej chronić. Colquhoun również nie miał szczęśliwej miny.

– A co robili po odjeździe z Juniper Green?

– Kręcili się po okolicy. Przez dwie, trzy godziny. Czasami się zatrzymywali, ale tylko po to, aby podziwiać widoki. Tam było dużo pagórków i... – Colquhoun coś sprawdził w słowniku. – Pagórków i flag.

– Flag? Zwisających z budynków?

– Nie, wbitych w ziemię.

Claverhouse spojrzał na Ormistona z rozpaczą w oczach.

– Pole golfowe – domyślił się Rebus. – Niech pan spróbuje opisać jej pole golfowe.

Tłumacz spełnił jego prośbę, a dziewczyna pokiwała energicznie głową, uśmiechając się do inspektora. Claverhouse także na niego patrzył.

– Strzeliłem w ciemno – powiedział skromnie Rebus, wzruszając ramionami. – Po to przecież przyjeżdżają do Szkocji Japończycy.

Claverhouse odwrócił się do Candice.

– Proszę spytać, czy... czy obsługiwała któregoś z tych mężczyzn.

Colquhoun ponownie chrząknął, czerwieniąc się jak burak. Candice spuściła głowę i zaczęła opowiadać.

– Mówi, że takie było jej zadanie. Myślała, że może potrzebowali ładnej kobiety do towarzystwa. Najpierw miły lunch, później przejażdżka. Ale potem wrócili do miasta, podrzucili Japończyków do hotelu, a ci zabrali ją na górę, gdzie... jak wyraził się detektyw Claverhouse... obsługiwała ich trzech.

– Czy pamięta nazwę hotelu?

– Nie.

– Gdzie jedli lunch?

– W restauracji obok flag i... – Colquhoun poprawił się. – Obok pola golfowego.

– Kiedy to było?

– Dwa lub trzy tygodnie temu.

– Pamięta liczbę osób?

– Trzech Japończyków i może czterech innych mężczyzn.

– Spytaj, jak długo jest w Edynburgu – poprosił Rebus.

– Według niej około miesiąca.

– Miesiąc na ulicy... Dziwne, że nie zgarnęliśmy jej wcześniej.

– Wylądowała tam za karę.

– Jak to? – zdziwił się Claverhouse. Rebus znał odpowiedź.

– Za to, że się oszpeciła. – Zerknął na Candice. – Spytaj, dlaczego się okaleczała.

Candice spojrzała na inspektora i wzruszyła ramionami.

– O co chodzi? – zainteresował się Ormiston.

– Myślała, że blizny zniechęcą klientów. Co oznacza, że chce zerwać z dotychczasowym życiem.

– A pomaganie nam to dla niej jedyna szansa, żeby z tego wyjść?

– Coś w tym rodzaju.

– Powiedz jej, że jeżeli nam pomoże, nigdy już nie będzie musiała się okaleczać.

Colquhoun tłumaczył, zerkając na zegarek.

– Czy mówi jej coś nazwa Newcastle? – spytał Claverhouse.

Colquhoun zwrócił się do dziewczyny.

– Wytłumaczyłem jej, że to miasto w Anglii, zbudowane nad rzeką.

– Proszę nie zapomnieć o mostach – wtrącił Rebus.

Colquhoun dodał kilka słów, ale Candice nie zareagowała. Wyglądała na przygnębioną tym, że ich zawiodła. Rebus uśmiechnął się do niej, aby dodać jej otuchy.

– A co z mężczyzną, dla którego pracowała, zanim przyjechała do Edynburga? – indagował Claverhouse.

Na ten temat dziewczyna miała dużo więcej do powiedzenia. Kiedy mówiła, dotykała nieustannie swej twarzy. Colquhoun kiwał głową, co jakiś czas przerywając jej, by móc przetłumaczyć.

– Duży mężczyzna... otyły. On był szefem. Coś o skórze... może jakieś znamię, coś, co go wyróżniało. I okulary, jakby przeciwsłoneczne, ale nie do końca.

Rebus zauważył wymianę spojrzeń pomiędzy Ormistonem i Claverhousem. Informacje były zbyt ogólnikowe. Colquhoun znowu sprawdził czas.

– Dużo samochodów, całe mnóstwo. Ten człowiek rozbijał się nimi.

– Może miał bliznę na twarzy – zasugerował Ormiston.

– Okulary i blizna daleko nas nie zaprowadzą – rzucił Claverhouse.

– Panowie – odezwał się Colquhoun – obawiam się, że będę musiał was opuścić.

– A czy mógłby pan potem wrócić? – spytał Claverhouse.

– Czy „potem" oznacza dzisiaj?

– Miałem na myśli dzisiejszy wieczór...

– Proszę wybaczyć, ale mam inne zobowiązania.

– Doceniamy pański wysiłek, naprawdę. Detektyw Ormiston odwiezie pana do miasta.

– Z wielką przyjemnością – oświadczył Ormiston. Potrzebowali Colquhouna i musieli być dla niego mili.

– Jeszcze jedna sprawa – dodał naukowiec. – W Fife mieszka rodzina uchodźców z Sarajewa. Mogę spytać, czy by się nią nie zaopiekowali.

– Będziemy na pewno wdzięczni – Claverhouse starał się być uprzejmy. – Ale o tym porozmawiamy później, dobrze?

Kiedy Colquhoun wyszedł z Ormistonem, przez chwilę panowało milczenie.

– Dziwak z niego – skomentował Claverhouse.

– Nie jest przyzwyczajony do naszego świata.

– I niewielka z niego pomoc.

Rebus spojrzał na Candice.

– Mogę z nią na chwilę wyjść?

– Co?

– Tylko na godzinę. – Claverhouse wpatrywał się ze zdziwieniem w Rebusa. – Albo siedzi tutaj, albo ogląda ściany pokoju hotelowego. Niech się trochę rozerwie. Podrzucę ją do hotelu za godzinę, może półtorej.

– Tylko dostarcz ją w jednym kawałku!

Rebus dał znak Candice, aby szła za nim.

– Japończycy i pola golfowe – zagadnął Claverhouse. – Co o tym myślisz?

– Telford jest biznesmenem. A tacy robią interesy z innymi biznesmenami.

– Przecież on zajmuje się automatami do gier. Jaki to ma związek z Azjatami?

Rebus wzruszył ramionami, otwierając drzwi.

– Zagadki zostawiam takim jak ty – powiedział.

– Słuchaj, John... – nie wytrzymał Claverhouse. – Pamiętaj, że ona jest własnością naszej jednostki, okay? I pamiętaj, że to ty przyszedłeś do nas.

– Bez obaw, detektywie. A tak przy okazji, to pracujemy razem nad sprawą Flint Street.

– Od kiedy?

– Od zaraz. Jak nie wierzysz, spytaj szefa. Wiem, że włączam się w twoje dochodzenie, ale w końcu Telford działa na moim terenie.

Rebus podał Candice ramię i wyszli razem z pokoju.

Na Flint Street zatrzymał samochód.

– W porządku, Candice – powiedział, widząc jej wahanie. – Zostajemy w wozie. Wszystko gra.

Rzucała wokół nerwowe spojrzenia, zapewne bojąc się, że zobaczy twarze, których nie chciała więcej oglądać. Rebus ponownie włączył silnik i ruszył.

– Spójrz, odjeżdżamy – uspokoił ją, choć wiedział, że go nie rozumie. – To chyba stąd cię zabrali tamtego dnia. Wtedy, kiedy pojechałaś do Juniper Green – dodał, spoglądając na nią. – Japończycy zatrzymali się w jakimś drogim hotelu w centrum. Zaczepiłaś ich, a potem pojechaliście na wschód. Może Dalry Road? – kontynuował. – Chryste, nie wiem... Candice, jeżeli cokolwiek wyda ci się znajome, cokolwiek, daj mi znać, okay?

– Okay.

Zrozumiała? Nie, widział to po jej uśmiechu. Znajomo zabrzmiało wyłącznie ostatnie słowo. Wiedziała tylko, że wyjeżdżają z Flint Street. Najpierw zawiózł ją na Princes Street.

– Czy tu był ten hotel? Z Japończykami? Tutaj? – spoglądała przez okno nieobecnym wzrokiem.

Skierował samochód na Lothian Road.

– Usher Hall, Sheraton – wymieniał. – Coś ci mówią te nazwy?

Nic. Dalej na Western Approach, Slateford Road, do Lanark Road.

Rebus wskazywał każdy kiosk z gazetami w nadziei, że to tutaj konwój zatrzymał się po papierosy. Wkrótce wyjechali z miasta i skierowali się w stronę Juniper Green.

– Juniper Green! – wykrzyknęła, wskazując na drogowskaz, zachwycona swą spostrzegawczością. Rebus zdobył się na uśmiech. Wokół miasta rozciągało się mnóstwo pól golfowych. Nie mogli odwiedzić każdego z nich, na pewno nie w ciągu godziny. Zatrzymał samochód obok najbliższego. Wysiedli. Zapalił papierosa. W pobliżu drogi znajdowały się dwa kamienne słupki, lecz ani śladu bramy. Być może kiedyś stał tu dom. Na jednym ze słupków umieszczono marną rzeźbę byka. Candice wskazała na miejsce za filarem, gdzie leżał głaz pokryty trawą i chwastami.

– Wygląda jak wąż. Albo smok – powiedział Rebus. Popatrzył na dziewczynę. – Każdy powie ci co innego. – Candice odwzajemniła spojrzenie. Znów zobaczył w niej Sammy, i przypomniał sobie, jak bardzo chce jej pomóc. Obawiał się, że jeśli tak dalej pójdzie, zupełnie przestanie się dla niego liczyć to, co powinno – jak Candice może im pomóc w sprawie Telforda.

Kiedy znaleźli się z powrotem w samochodzie, postanowił pojechać do Livingstone, a stamtąd do Rathi i dopiero potem wrócić do miasta. Nagle zorientował się, że Candice bacznie się czemuś przygląda.

– Co się dzieje?

Zaczęła coś mówić niepewnym głosem. Rebus zawrócił i zatrzymał wóz na poboczu obok niewysokiego murku, za którym rozciągało się pole golfowe.

– Poznajesz je? – Dziewczyna wymamrotała kilka słów. Rebus wskazał na przestrzeń zielonej murawy. – Tutaj? Tak?

Odwróciła się do niego i powiedziała coś, co brzmiało jak przeprosiny.

– W porządku – uspokoił ją. – Przyjrzyjmy się temu z bliska.

Podjechali pod żelazną bramę. Po jednej stronie widniał napis: Klub Poyntinghame. Poniżej zaś: Bar i Restauracja. Witamy miłych gości. Kiedy przejeżdżali przez bramę, Candice nie przestawała kiwać głową, a gdy ich oczom ukazał się dziewiętnastowieczny dom, aż podskoczyła na siedzeniu, uderzając dłońmi o uda.

– Zrozumiałem – uśmiechnął się.

Zaparkował nieopodal głównego wejścia, wciskając się pomiędzy volvo a toyotę. Na polu trzech mężczyzn właśnie kończyło rozgrywkę. Po ostatnim uderzeniu sięgnęli po portfele i jeden z nich z zadowoleniem przyjął wygraną.

Rebus wiedział dwie rzeczy na temat golfa. Po pierwsze, dla niektórych była to religia. Po drugie, gracze uwielbiali robić zakłady. Zakładali się o każdy dołek, każde uderzenie.

Wziął Candice pod rękę i weszli razem do głównego budynku. Z baru dolatywały dźwięki fortepianu, w holu rozchodził się zapach potraw. Na wyłożonych dębową boazerią ścianach wisiały portrety ważnych klientów i plakat informujący o halloweenowej zabawie. Rebus podszedł do recepcji i wyjaśnił cel swojej wizyty. Recepcjonista skierował go do biura kierownika klubu.

Hugh Malahide, łysy, szczupły czterdziestoparoletni mężczyzna, lekko się jąkał, co nasiliło się po pierwszym pytaniu Rebusa. Powtórzył je, co sprawiało wrażenie, jakby grał na zwłokę.

– Czy mieliśmy ostatnio gości z Japonii? Cóż, kilku gra tu w golfa.

– Tamci mężczyźni przyjechali tu na lunch. Dwa tygodnie temu, może trzy. Było ich trzech i czterech mężczyzn stąd. Najprawdopodobniej w range roverach. Stolik mógł być rezerwowany na nazwisko Telford.

– Telford?

– Thomas Telford.

– A tak... – Malahide spoważniał jeszcze bardziej.

– Zna go pan?

– Poniekąd.

Rebus pochylił się w krześle.

– Proszę mówić.

– Cóż, on... proszę zrozumieć, nie chcę, żeby którakolwiek z informacji przedostała się na zewnątrz.

– Rozumiem.

– Pan Telford jest pośrednikiem.

– Pośrednikiem?

– W negocjacjach.

Rebus pojął, o czym mówi Malahide.

– Japończycy chcą kupić Poyntinghame?

– Właśnie, inspektorze. Ja jestem tu tylko zatrudniony, co znaczy, że zajmuję się wyłącznie sprawami organizacyjnymi.

– Ale jest pan kierownikiem.

– Tylko kierownikiem. Właściciele klubu z początku nie chcieli go sprzedawać. Jednak oferta musiała być wyjątkowo korzystna, jak sądzę. A poza tym... potencjalni kupcy widocznie naciskali.

– Czy komuś grożono, panie Malahide?

Mężczyzna spłoszył się.

– Grożono?

– Nieważne.

– Negocjacje były raczej pokojowe, jeżeli o to pan pyta.

– Więc Japończycy, ci, którzy jedli tu lunch...?

– Reprezentowali konsorcjum.

– To znaczy...?

– Nie wiem dokładnie. Oni są zawsze bardzo skryci. Pewnie jakaś duża firma lub korporacja.

– A czy domyśla się pan, dlaczego wybrali Poyntinghame?

– Sam się zastanawiałem.

– I?

– Wszyscy wiedzą, że Japończycy uwielbiają grać w golfa. To dla nich kwestia prestiżu. Podobno mają też otworzyć jakąś fabrykę w Livingstone.

– I to miałby być ich klub towarzyski?

Zamiast odpowiedzi Malahide wzruszył ramionami. Rebus podniósł się z krzesła.

– Inspektorze, niech to zostanie między nami.

– Oczywiście. Jak sądzę, nie może mi pan podać żadnych nazwisk?

– Nazwiska?

– Tych, którzy tamtego dnia jedli u pana lunch.

Malahide pokręcił głową.

– Przykro mi, nie jestem w stanie. Nie ma nawet potwierdzenia płatności kartą. Pan Telford płacił jak zawsze gotówką.

– Zostawił duży napiwek?

– Inspektorze – uśmiechnął się menedżer. – Niektóre sprawy są największą tajemnicą.

– I niech nasza rozmowa będzie jedną z nich, dobrze?

Malahide zerknął na Candice.

– Ona jest prostytutką, prawda? Wtedy też tak pomyślałem. – W jego głosie dało się wyczuć obrzydzenie. – Lepsza z ciebie dziwka, co?

Candice popatrzyła na niego, potem spojrzała na Rebusa, szukając pomocy. Po chwili powiedziała coś, czego nie zrozumieli.

– Co ona mówi? – spytał Malahide.

– Mówi, że kiedyś miała klienta podobnego do pana. Paradował ubrany w pumpy i kazał się okładać pejczem.

Menedżer sztywnym gestem pokazał im drzwi.

6

Rebus zadzwonił do Claverhouse'a z pokoju Candice.

– To może być coś, ale równie dobrze nic – zawyrokował Claverhouse, lecz w jego głosie wyczuwało się zainteresowanie. Dopóki potrzebował Candice w śledztwie, dziewczyna mogła czuć się bezpieczna. Ormiston właśnie wyjechał do hotelu, żeby zmienić Rebusa.

– Interesuje mnie, po jakiego grzyba Telford wpakował się w coś takiego.

– Dobre pytanie – ocenił Claverhouse.

– To przecież kompletnie poza sferą jego zainteresowań i działalności, prawda?

– Z tego, co wiem, tak.

- Usługi przewozowe dla japońskich firm... - dziwił się Rebus.

- Być może chce sprzedawać im swoje automaty do gry.

Rebus potrząsnął głową.

- Nadal tego nie rozumiem.

- To nie twój problem, John, pamiętaj o tym.

- Mam nadzieję.

Usłyszał pukanie do drzwi.

- To pewnie Ormiston.

- Wątpię. Wyszedł dosłownie przed chwilą.

Rebus poprosił szeptem Claverhouse'a, by nie odkładał słuchawki. Pukanie się powtórzyło. Gestem nakazał Candice, by ukryła się w łazience. Podszedł do drzwi, wyjrzał przez judasza i zobaczył recepcjonistkę z dziennej zmiany. Otworzył.

- Tak?

- List do pana żony.

Wpatrywał się w małą, białą kopertę, którą starała się mu wręczyć.

- List - powtórzyła kobieta.

Na kopercie nie było ani imienia, ani adresu, ani znaczka. Rebus wziął list i spojrzał na niego pod światło. W środku znajdowała się pojedyncza kartka razem z czymś płaskim i kwadratowym, wyglądającym na zdjęcie.

- Jakiś mężczyzna wręczył mi to w recepcji.

- Kiedy to było?

- Dwie, trzy minuty temu.

- Jak wyglądał?

Recepcjonistka wzruszyła ramionami.

- Dosyć wysoki, szatyn, krótkie włosy. Miał na sobie garnitur, list wyjął z aktówki.

- A skąd pani wie, do kogo jest on adresowany?

- Powiedział, że dla kobiety z zagranicy.

Rebus wpatrywał się w kopertę.

- Okay, dziękuję - wymamrotał. Zamknął drzwi i sięgnął po słuchawkę.

- Co się dzieje? - spytał Claverhouse.

- Ktoś przyniósł list dla Candice. - Rebus otworzył kopertę, trzymając słuchawkę między barkiem a podbródkiem. W środku znalazł zdjęcie wykonane polaroidem i jedną kartkę zapisaną ręcznie drukowanymi literami. W nieznanym mu języku.

– Co tam jest napisane?

– Nie wiem – Rebus spróbował przeczytać kilka słów na głos. Candice wyłoniła się z łazienki, wyrwała mu list, szybko przeczytała i pobiegła z powrotem.

– Candice zrozumiała – powiedział Rebus. – Jest i zdjęcie. – Spojrzał na nie. – Klęczy i zabawia jakiegoś starszego gościa.

– Poznajesz go?

– Nie. Tego, kto robił zdjęcie, nie interesowały twarze. Claverhouse, musimy ją stąd zabrać.

– Poczekaj na Ormistona. Chcą, żebyś wpadł w panikę. Jeżeli chodzi im o porwanie Candice, jeden gliniarz w samochodzie nie będzie stanowił problemu. Ale dwóch już tak.

– Skąd wiedzieli?

– Zastanowimy się później.

Rebus spojrzał na drzwi łazienki i przypomniał sobie damską toaletę w St Leonard's.

– Muszę iść.

– Uważaj na siebie.

Inspektor odłożył słuchawkę.

– Candice? – nacisnął klamkę, ale drzwi nie ustąpiły. – Candice? – powtórzył.

Odsunął się i kopnął je nogą. Drzwi nie były tak mocne jak na komisariacie i niemalże wyleciały z zawiasów. Dziewczyna siedziała na sedesie i cięła skórę na ramieniu jednorazową maszynką do golenia. Jedną rękę miała już pociętą. Krew plamiła jej podkoszulek i białe kafelki. Candice zaczęła coś krzyczeć roztrzęsionym głosem. Rebus wyrwał jej golarkę, ściągnął dziewczynę na podłogę, spuścił ostrze w sedesie i zaczął owijać ręcznikami poranione ręce. List leżał w wannie. Machnął jej nim przed oczami.

– Chcą cię zastraszyć, zrozum to – krzyknął gniewnie, sam nie wierząc w to, co mówi. Jeśli Telford zdołał ją odnaleźć tak szybko, jeśli mógł przysłać list napisany w jej ojczystym języku, to był sprytniejszy i mógł więcej, niż Rebus przypuszczał.

– Wszystko będzie dobrze – ciągnął. – Obiecuję. Będzie okay. Zajmiemy się tobą. Zabierzemy cię stąd i ukryjemy tak, że już cię nie znajdą, obiecuję, Candice. Spójrz na mnie, ja ci to obiecuję, rozumiesz?

Ale ona nie słuchała, płakała głośno i potrząsała głową. Przez jakiś czas wierzyła w rycerzy na białych koniach. Teraz zrozumiała, jak bardzo była naiwna i głupia...

Dokoła nie było żywej duszy.

Rebus usadowił Candice na przednim siedzeniu swojego wozu, Ormiston usiadł z tyłu. Mogli albo od razu stamtąd odjechać, albo czekać na wsparcie. Właściwie nie mieli wyboru, bo dziewczyna obficie krwawiła. Droga do szpitala ciągnęła się w nieskończoność. Kiedy zbadano Candice, okazało się, że trzeba założyć parę szwów. Rebus i Ormiston czekali na korytarzu, sącząc kawę i zadając sobie pytania, na które nie byli w stanie odpowiedzieć.

– Skąd wiedział?

– Kto mu napisał list? Co tam napisał?

– Dlaczego nas ostrzega, zamiast od razu zabić Candice?

Rebus zdał sobie sprawę, że szpital znajduje się blisko uniwersytetu. Zadzwonił do Colquhouna i zastał go na wydziale. Przeczytał mu list, literując słowa.

– To chyba jakieś adresy – stwierdził wykładowca. – Nieprzetłumaczalne.

– Adresy? Czy wymienione są jakieś miasta?

– Raczej nie.

– Zaraz zabieramy ją do komendy przy Fettes, jeżeli tylko wystarczająco dobrze będzie się czuła. Czy mógłby pan do nas dołączyć? To bardzo ważne.

– Dla was wszystko jest ważne.

– Tak, zgadzam się z panem, ale to naprawdę sprawa niezwykłej wagi. Zagrożone może być życie Candice.

Colquhoun milczał. Po dłuższej chwili odezwał się niepewnym głosem.

– W takim razie...

– Wyślę po pana samochód.

Po godzinie dziewczyna mogła już opuścić szpital. Lekarz poinformował Rebusa, iż rany nie były głębokie i nie zagrażały życiu.

– Nie o to jej chodziło. – Rebus odwrócił się do Ormistona. – Ona myśli, że wraca do Telforda, dlatego znowu się kaleczy. Jest przekonana, że chcemy się jej pozbyć.

Candice wyglądała tak, jakby uszło z niej życie. W trupio bladej twarzy oczy wydawały się jeszcze ciemniejsze. Rebus starał się przypomnieć sobie jej uśmiech. Dziewczyna unikała jego wzroku. Splotła obandażowane ręce, jakby chciała sama siebie objąć. Przypominała skulone zwierzątko, schwytane w pułapkę.

Claverhouse i Colquhoun już czekali na komendzie. Rebus podał im list i zdjęcie.

– Tak jak powiedziałem, inspektorze, to są adresy – zawyrokował Colquhoun.

– Proszę ją zapytać, co oznaczają – zażądał Claverhouse.

Byli w tym samym pokoju przesłuchań, co poprzednio. Candice usiadła, wciąż ze splecionymi rękami. Colquhoun zadał pytanie, ale równie dobrze mógłby nic nie mówić. Dziewczyna wpatrywała się w ścianę, prawie nie mrugała, lekko kołysząc się na krześle.

– Niech pan spyta raz... – zaczął Claverhouse, lecz Rebus przerwał mu w połowie zdania. – Proszę zapytać, czy to adresy osób, które zna, które są jej bliskie.

Gdy padło pytanie, kołysanie stało się silniejsze. W oczach Candice pojawiły się świeże łzy.

– Rodzice? Rodzeństwo?

Colquhoun przetłumaczył. Candice usilnie starała się powstrzymać drżenie warg.

– Może chodzi o dziecko?

Colquhoun zadał to pytanie. Candice zerwała się krzesła, wrzeszcząc i szarpiąc się. Ormiston chciał ją złapać, ale kopnęła go z całej siły. Po chwili, już spokojniejsza, usiadła w rogu pokoju i nakryła głowę rękami.

– Nic nam nie powie – przetłumaczył Colquhoun jej krzyki. – Była głupia, że w ogóle nam wierzyła. Teraz chce stąd wyjść. W niczym nam nie pomoże.

Rebus spojrzał na Claverhouse'a.

– Nie możemy jej przetrzymywać, John, zwłaszcza teraz, gdy sama chce odejść. I tak już przesadziliśmy, nie zapewniając jej prawnika. Jeżeli chce iść... – wzruszył ramionami.

– Daj spokój, człowieku – wysyczał Rebus. – Jest wystraszona jak cholera i ma ku temu powody. A ty chcesz ją po prostu oddać Telfordowi?

– Posłuchaj, nie chodzi o...

– Zabije ją, wiesz o tym.

– Jeśli chciałby ją zabić, już by nie żyła. Zrozum, to sprytny gość. Wie, że wystarczy ją zastraszyć. Zna ją. Też mi się to nie podoba, ale co mogę zrobić?

– Potrzymaj ją jeszcze kilka dni, zobaczymy, czy nie moglibyśmy...

– Zrobić czego? Chcesz ją przekazać urzędowi imigracyjnemu?

– To jest jakiś pomysł. Niech ją zabiorą jak najdalej stąd.

Claverhouse zastanawiał się chwilę, po czym poprosił Colquhouna, by spytał Candice, czy chce wracać do Sarajewa.

Dziewczyna coś wyszeptała, łkając.

– Jeżeli wróci, wszystkich zabiją.

Zapadła cisza. Patrzyli na nią. Czterej mężczyźni, mężczyźni, którzy mają pracę, rodzinę, swoje miejsce w świecie. Rzadko uświadamiali sobie, jak są szczęśliwi. A teraz uświadomili sobie coś zupełnie innego: jak są bezsilni.

– Proszę jej powiedzieć – odezwał się cichym głosem Claverhouse – że w każdej chwili może stąd odejść, jeśli tylko naprawdę tego chce. Jeżeli zostanie, zrobimy wszystko, co w naszej cholernej mocy, żeby jej pomóc...

Colquhoun skończył tłumaczyć. Candice podniosła się i spojrzała na nich. Potem wytarła nos w bandaż, odgarnęła z czoła włosy i skierowała się do drzwi.

– Nie rób tego, Candice – powiedział Rebus.

Odwróciła się do niego.

– Okay – odrzekła.

Otworzyła drzwi i wyszła.

Rebus złapał Claverhouse'a za ramię.

– Musimy zapowiedzieć Telfordowi, żeby nie ważył się jej tknąć.

– Uważasz, że on o tym nie wie?

– I że posłucha? – dodał Ormiston.

– To mi się, cholera, w głowie nie mieści! On ją zastraszył tak, że teraz prawie umiera z lęku o bliskich, i rezultat jest taki, że my pozwalamy jej odejść! Pełny sukces. Jego!

- Tym razem nas pokonał - skomentował Claverhouse, ze wzrokiem utkwionym w Rebusie. - Ale dorwiemy go, nie martw się - zdobył się na słaby uśmiech. - Nie myśl, John, że się poddajemy. To nie w naszym stylu. To początek, kolego, dopiero się rozkręcamy...

Czekała na niego na parkingu, obok jego steranego saaba 900.
- Okay? - spytała.
- Okay - potwierdził, uśmiechając się. Otworzył samochód. Do głowy przychodziło mu tylko jedno miejsce, do którego mógł ją zabrać. Kiedy jechali przez The Meadows, wskazała palcem na szybę, rozpoznając otoczone drzewami korty.
- Byłaś tu wcześniej?
Powiedziała kilka słów, pokiwała głową, a Rebus skręcił w Arden Street, zaparkował wóz i odwrócił się do niej.
- Byłaś tutaj?
Wskazała przed siebie i zwinęła palce jakby patrzyła przez lornetkę.
- Z Telfordem?
- Telford - powtórzyła. Pokazała mu, że chciałaby coś napisać i Rebus wręczył jej notatnik i pióro. Narysowała pluszowego misia.
- Przyjechałaś w samochodzie Telforda? - zrozumiał Rebus. - I obserwowaliście któreś z tamtych mieszkań? - Wskazał na swoje.
- Tak, tak.
- Kiedy to było? - Nie zrozumiała pytania. - Potrzebuję rozmówek - wymamrotał do siebie inspektor. Potem otworzył drzwi, wysiadł i rozejrzał się. Samochody stojące przed domem były puste. Ani jednego range rovera. Gestem nakazał Candice, by wysiadła i poszła za nim.
Kiedy weszła do pokoju, pomaszerowała prosto do półki z płytami, lecz nie znalazła tam nic, co by znała. Rebus skierował się do kuchni, żeby zaparzyć kawę i pomyśleć. Nie mógł jej tu trzymać, zwłaszcza jeżeli Telford wiedział o tej kryjówce. Telford... Dlaczego obserwował jego mieszkanie? Odpowiedź wydawała się prosta - wiedział, że inspektor był powiązany ze sprawą Cafferty'ego. Myślał, że Cafferty opłaca Rebusa. Poznaj swojego wroga - to kolejna zasada, jakiej nauczył się Telford.

Rebus zadzwonił do znajomego pracującego w „Scotland on Sunday", w dziale ekonomicznym.

– Japońskie firmy – rzucił. – Plotki mile widziane.

– Możesz trochę zawęzić pole?

– Tereny wokół Edynburga, może Livingston.

Rebus usłyszał szelest papieru.

– Chodzą słuchy o fabryce mikroprocesorów.

– W Livingston?

– To jedna z możliwości.

– Coś jeszcze?

– Nic. Skąd to zainteresowanie?

– Trzymaj się, Tony. – Rebus odłożył słuchawkę i zerknął na Candice. Nie wiedział, gdzie może ją ukryć. Hotel nie był bezpieczny. Jedno miejsce przyszło mu na myśl, ale to mogło być ryzykowne... No, może jednak nie tak bardzo. Zadzwonił.

– Sammy? Czy mogłabyś wyświadczyć mi przysługę...?

Jego córka mieszkała w dzielnicy Shandon. Ulica pod jej domem była tak wąska, że parkowanie graniczyło z cudem.

Sammy czekała na nich na korytarzu i poprowadziła do ciasnego salonu. Na wiklinowym krześle leżała gitara. Candice podniosła ją i uderzyła w struny.

– Sammy – powiedział Rebus – to jest Candice.

– Cześć – uśmiechnęła się do gościa jego córka. – Wesołego Halloween.

Candice zaczęła grać.

– Przecież to Oasis – Sammy rozpoznała melodię.

Candice uśmiechając się, pokiwała głową.

– Oasis – powtórzyła.

– Mam tu gdzieś płytę... – Sammy przejrzała swoją kolekcję. – Jest. Włączyć?

– Tak, tak.

Sammy włączyła muzykę i powiedziała Candice, że idzie zrobić kawę, po czym skinęła na ojca, aby poszedł za nią.

– Kim ona jest? – Kuchnia była mikroskopijna i Rebus musiał stać w drzwiach.

– Zmuszono ją do prostytucji. Nie chcę, żeby jej alfons ją znalazł.

– Skąd pochodzi?

- Z Sarajewa.
- I nie mówi po angielsku?
- A ty mówisz po serbsko-chorwacku?
- Kiepsko.

Rebus rozejrzał się.

- Gdzie twój chłopak?
- Pracuje.
- Nad książką? - Rebus nie lubił Neda Farlowe'a. Po części
z powodu imienia. „Ned" - tak gazeta „Sunday Post" określa-
ła chuligana, który na ulicy wyrywa staruszkom torebki. Zaka-
ła tego świata. A Farlowe kojarzył mu się z Chrisem Farlowem
i *Out of Time*. Numer jeden, który powinien należeć do Sto-
nesów. Chłopak Sammy zajmował się historią przestępczości
zorganizowanej w Szkocji.
- W zasadzie tak. Żeby móc pracować nad książką, naj-
pierw trzeba popracować na książkę - wyjaśniła Sammy.
- Więc co robi?
- Jakieś dorywcze prace. Ile czasu mam ją niańczyć?
- Najwyżej kilka dni. Dopóki nie znajdę czegoś innego.
- Co zrobią, kiedy ją znajdą?
- Wolę nie myśleć.

Sammy skończyła myć kubki.

- Ona wygląda jak ja, prawda?
- Zgadza się.
- Mam teraz trochę czasu. Mogę z nią zostać. Jak ma na-
prawdę na imię?
- Nie powiedziała.
- Ma jakieś ubrania?
- W hotelu. Poproszę, żeby jeden z wozów patrolowych je
podrzucił.
- Naprawdę grozi jej niebezpieczeństwo?
- To bardzo prawdopodobne.

Sammy spojrzała na niego.

- Ale mnie nie?
- Nie - odrzekł - ponieważ ta kryjówka będzie naszą tajem-
nicą.
- Co powiem Nedowi?
- Jak najmniej, po prostu wyjaśnij, że robisz mi przysługę.
- Myślisz, że dziennikarzowi to wystarczy?

- Zakochanemu dziennikarzowi - tak.

Zagotowała się woda i Sammy wlała wrzątek do trzech kubków. W salonie Candice właśnie przeglądała amerykańskie komiksy.

Rebus wypił kawę i wyszedł, zostawiając je zajęte płytami i komiksami. Wstąpił do baru Ox na Young Street i zamówił jeszcze jedną filiżankę rozpuszczalnej kawy. Pięćdziesiąt pensów. Całkiem tanio, w porównaniu do ceny piwa...

Sala na tyłach była pusta, nie licząc jednej osoby piszącej coś przy najbliższym stoliku. Rebus pomyślał o Nedzie, który na pewno będzie chciał dowiedzieć się czegoś o Candice. Miał nadzieję, że Sammy powstrzyma go od węszenia. Wyjął komórkę i zadzwonił do biura Colquhouna.

- Przepraszam, że znów pana niepokoję - powiedział na wstępie.

- O co chodzi tym razem? - wykładowca nie silił się na uprzejmy ton.

- Wspomniał pan o tych uchodźcach mieszkających w Fife. Czy mógłby pan z nimi porozmawiać?

- Cóż, ja... - Colquhoun odchrząknął. - Tak, myślę, że to możliwe. Czy to znaczy, że...?

- Candice jest bezpieczna.

- Nie mam tutaj ich numeru. Jeśli to może poczekać, zadzwonię do nich, jak tylko wrócę do domu.

- Proszę dać mi znać, kiedy się pan z nimi skontaktuje. Dziękuję i do widzenia.

Rebus dopił kawę i zadzwonił do Siobhan Clarke.

- Potrzebuję twojej pomocy. - Czuł się jak zacięta płyta.

- W co mnie tym razem wpakujesz?

- W nic.

- Czy mogę to dostać na piśmie?

- Uważasz, że nie wiem, co mówię? - uśmiechnął się. - Chciałbym zobaczyć akta sprawy Telforda.

- Dlaczego nie poprosisz Claverhouse'a?

- Wolę ciebie.

- Jest tego mnóstwo. Mam ci zrobić ksero?

- Gdyby się dało.

- Zobaczę. - Przy barze podniosły się jakieś głosy. - Nie jesteś chyba w Ox?

- Jestem.
- Co pijesz?
- Tylko kawę.

Zaśmiała się bez przekonania i na pożegnanie powiedziała, żeby się pilnował. Rebus popatrzył na kubek. Mając do czynienia z ludźmi takimi jak Siobhan Clarke, człowiek rzeczywiście może zacząć pić.

7

Była siódma rano, gdy obudził go natarczywy dzwonek domofonu. Na wpół przytomny powlókł się do korytarza i spytał, kto go, do cholery, nachodzi.

- Facet od słodkich rogalików - odpowiedział szorstki głos z silnym angielskim akcentem.
- Kto?
- Dalej, ptasi móżdżku, obudź się. Pamięć ci szwankuje na stare lata?

Rebus wreszcie skojarzył.

- Abernethy?
- Otwieraj, bo tu na dole można zamarznąć.

Wpuścił gościa i wrócił do sypialni, żeby się ubrać. Abernethy pracował w londyńskiej policji. Ostatnim razem zawitał do Edynburga w poszukiwaniu jakichś terrorystów. Co, u licha, robił tu dziś?

Zabrzęczał dzwonek do drzwi. Abernethy rzeczywiście przyniósł torbę z rogalikami. Prawie się nie zmienił: takie same wytarte dżinsy, czarna, skórzana kurtka, tak samo równo przycięte, nażelowane włosy. Duża, ospowata twarz i niemal psychopatyczne spojrzenie błękitnych oczu.

- Co tam u ciebie, jak leci? - Abernethy poklepał Rebusa po ramieniu i bezceremonialnie wpakował się do kuchni. - Wstaw wodę – polecił, jakby codziennie jadali razem śniadania i nie dzieliły ich setki kilometrów.

– Abernethy, co ty tu robisz, do diabła?

– Dokarmiam cię, a co? My, Anglicy, zawsze musieliśmy żywić was, Szkotów. Masz masło?

– W lodówce.

– Talerze?

Rebus wskazał na szafkę.

– Na pewno pijesz rozpuszczalną, zgadza się?

– Abernethy...

– Najpierw zjedzmy, a potem pogadamy, okay?

– Woda zagotuje się szybciej, jeśli włączysz czajnik.

– No tak.

– Chyba mam gdzieś dżem.

– A miód?

– Czy ja ci wyglądam na pszczołę?

Abernethy parsknął śmiechem.

– Tak przy okazji, stary Georgie Flight przesyła pozdrowienia. Niedługo idzie na emeryturę.

George Flight – kolejny upiór z przeszłości. Abernethy odkręcił słoik z kawą i powąchał zawartość.

– Czy to jest w ogóle świeże? – zmarszczył nos. – Fuj, John, co za brak klasy.

– Nie to, co ty, prawda? Kiedy przyjechałeś?

– Pół godziny temu.

– Z Londynu?

– Zatrzymałem się na dwie godziny w motelu. Nie cierpię tej cholernej A1. A na północ od Newcastle czuję się jak w Trzecim Świecie.

– Czy przejechałeś kilkaset kilometrów po to, żeby mnie obrażać?

Zanieśli wszystko do pokoju i postawili na stole. Rebus musiał odsunąć na bok porozkładane notatki i książki o drugiej wojnie światowej.

– A więc – powiedział, kiedy usiedli – jak rozumiem, to nie jest wyłącznie towarzyska wizyta.

– W zasadzie tak. Mogłem zadzwonić, ale pomyślałem: ciekawe, jak sobie radzi ten stary diabeł? I ani się obejrzałem, jak siedziałem w aucie i gnałem do ciebie.

– Wzruszyłem się, naprawdę.

– Zawsze staram się śledzić twoje poczynania.

– Dlaczego?

– Bo kiedy się spotkaliśmy... powiem inaczej – jesteś inny, sam to przyznasz.

– Naprawdę?

– Nie nadajesz się do działania zespołowego. Jesteś samotnikiem, trochę jak ja. Czasami tacy też się przydają.

– Przydają?

– Jako tajniacy, do wszelkich nietypowych zadań.

– Sądzisz więc, że nadaję się do pracy w twojej sekcji?

– A myślałeś kiedyś o przeprowadzce do Londynu? Tam sporo się dzieje.

– Na to akurat nie narzekam.

Abernethy wyjrzał przez okno.

– Tego miejsca nie da się ożywić nawet porządną eksplozją.

– Słuchaj, stary, jesteś cholernie miłym kompanem, ale może wreszcie mi wyjaśnisz, o co chodzi?

Anglik strzepnął z dłoni okruszki.

– Dobra, to by było na tyle, jeśli chodzi o uprzejme przyjęcie. – Upił łyk kawy, krzywiąc się z niesmakiem. – To dotyczy zbrodni wojennych.

Rebus znieruchomiał.

– Mamy nową listę nazwisk. Wiesz o tym, bo jedna z tych osób mieszka w Szkocji.

– I...?

– Działam na zlecenie Komendy Głównej w Londynie. Niedawno powołaliśmy Jednostkę do spraw Zbrodni Wojennych. Mam zadanie opracować centralny wykaz spraw prowadzonych w tym zakresie.

– Chcesz wiedzieć, co ja wiem, tak?

– Właśnie.

– I jechałeś całą noc, żeby mnie o to spytać? Niemożliwe, musi być coś więcej.

Abernethy zaśmiał się.

– Naprawdę?

– Snuję domysły. Zadanie, o którym mówisz, to typowa papierkowa robota, coś, czego nie znosisz. Jesteś szczęśliwy tylko wtedy, gdy działasz w terenie.

– Ha, daleko szukać! Nigdy nie sądziłem, że zostaniesz historykiem – Anglik znacząco popukał palcem w jedną z książek leżących na stole.

– To w ramach pokuty.

– Dlaczego ze mną miałoby być inaczej? Więc mów, jaki jest aktualny wynik rozgrywki z Herr Lintzem?

– Żaden. Jak dotąd wszystkie strzały chybione. Ile prowadzi się teraz takich spraw?

– Na początku było dwadzieścia siedem, ale w ośmiu przypadkach oskarżeni zmarli.

– Jakieś postępy?

Abernethy pokręcił głową.

– Jedną sprawę oddaliśmy do sądu, ale proces zakończył się już pierwszego dnia. Nie mogą i nie chcą sądzić zdziecinniałych staruszków.

– A więc, do twojej wiadomości, sprawa wygląda następująco: nie jestem w stanie udowodnić, że Lintz jest Josefem Linzstekiem. Nie mogę też podważyć wersji, którą on sam podaje. – Rebus wzruszył z rezygnacją ramionami.

– Coś niecoś o tym słyszałem.

– A czego oczekiwałeś? – Rebus sięgnął po rogalik.

– Na pewno nie takiej kiepskiej kawy. Twoja lura nie nadaje się do picia. Masz tu w okolicy jakąś porządną knajpę?

W kawiarni Abernethy zamówił podwójne espresso, a Rebus bezkofeinową. Jakiś mężczyzna czytał „Record". Na pierwszej stronie gazety widniała informacja o zasztyletowaniu gościa klubu nocnego. Skończywszy śniadanie, mężczyzna wcisnął gazetę pod pachę i wyszedł.

– Jest nadzieja, że będziesz dziś rozmawiać z Lintzem? – zagadnął nagle Abernethy.

– Czemu pytasz?

– Pomyślałem, że mógłbym się z tobą zabrać. Niecodziennie ma się okazję zobaczyć mordercę, który ma na koncie aż siedmiuset żabojadów.

– Niezdrowa ciekawość?

– Nie sądzisz, że każdy ją odczuwa?

– Nie mam do niego żadnych nowych pytań. A poza tym ostatnim razem przebąkiwał coś o wniesieniu skargi o nagabywanie.

– Ma niezłe znajomości, tak?

Rebus spojrzał na detektywa.

– Widzę, że odrobiłeś pracę domową.

– Abernethy to sumienny gliniarz, mój drogi.

– Otóż Lintz ma sporo wysoko postawionych przyjaciół, ale od kiedy zrobiło się wokół niego tyle zamieszania, gdzieś się pochowali.

– Czyżbyś wierzył w jego niewinność?

– Dopóki nie udowodnię mu winy, muszę.

Abernethy uśmiechnął się, unosząc filiżankę do ust.

– Kręci się wokół tej sprawy pewien historyk. Czy już się z tobą kontaktował?

– Jak się nazywa?

Anglik obdarzył Rebusa kolejnym uśmiechem.

– A ilu historyków dzwoniło do ciebie i pytało o Lintza? Chodzi o Davida Levy'ego.

– Mówisz, że węszy wokół sprawy?

– Tydzień tu, tydzień tam, zadaje sporo pytań.

– Jest teraz w Edynburgu.

Abernethy zakrztusił się kawą.

– Rozmawiałeś z nim?

– Tak się składa.

– I?

– Nic takiego – Rebus wzruszył ramionami.

– Próbował ci wcisnąć tę swoją bajkę o Rat Line?

– A bo co?

– Próbował tego chwytu ze wszystkimi.

– Powiedzmy, że próbował.

– Chryste, czy zawsze trzeba cię tak ciągnąć za język? Posłuchaj, badam te sprawy i gość o nazwisku Levy bez przerwy wyskakuje mi na ekranie komputera. Stąd zainteresowanie.

– Jasne, Abernethy to sumienny gliniarz.

– Otóż to. Pójdziemy więc do Lintza?

– Cóż, skoro fatygowałeś się taki szmat drogi...

W drodze powrotnej do domu Rebus kupił „Record". Przeczytał, że zasztyletowany został dwudziestopięcioletni bramkarz z klubu, niejaki William Tennant. Pracował w Megan's Nightclub w Portobello. Artykuł wydrukowano na pierwszej stronie, gdyż w incydent zamieszany był piłkarz pierwszoligowy. Przyjaciel, który mu towarzyszył, został zraniony. Napastnik uciekł na motorynce. Piłkarz nic nie powiedział gazetom. Rebus znał go i pamiętał, że rok temu zatrzymano go za szybką jazdę i znaleziono przy nim kokainę.

– Coś ciekawego? – spytał Abernethy.

– Ktoś zabił bramkarza klubu nocnego.

– W Londynie nie poświęciliby takiej historii nawet kilku zdań.

– Jak długo tu zostaniesz?

– Dziś wyjeżdżam, chcę jeszcze wpaść do Carlisle. Chyba mają tam kolejnego starego nazistę. A potem mam zajrzeć do Blackpool, Wolverhampton i wracam do domu.

– Pracuś z ciebie.

Rebus jechał trasą turystyczną – The Mound, potem Princes Street. Dwa razy podjeżdżał pod Herriot Row, ale Lintza nie było w domu.

– Nie szkodzi – pocieszył swojego towarzysza. – Chyba wiem, gdzie go znaleźć.

Pojechali Inverleith Row i skręcili w Warriston Gardens, zatrzymując się przed bramą cmentarza.

– A ten co, bawi się w grabarza? – Abernethy wysiadł z samochodu i zapiął kurtkę.

– Sadzi kwiatki.

– Kwiatki? Jak to?

Według Rebusa Warriston nie był typowym cmentarzem, nie kojarzył się jednoznacznie ze śmiercią. Bardziej przypominał park z kolekcją rzeźb. Przez nowszą część, z wyłożoną kamieniem aleją, przechodziło się aż do piaszczystej ścieżki wijącej się pośród nagrobków, których napisy zacierał czas. Były tam obeliski i celtyckie krzyże, wśród starych drzew uwijały się wiewiórki i mnóstwo ptaków. W tej części znajdowało się serce tego miejsca, przypominające o przeszłości Edynburga. Stare nazwiska, takie jak Ovenstone, Cleugh, Flockart. Kupcy handlujący jedwabiem, aktuariusze, właściciele sklepów żelaznych. Niektórzy zmarli w Indiach, inni nie dożyli wieku dojrzałego. Tabliczka na bramie informowała, że tę część zakupiły władze miasta, gdyż poprzedni właściciele dopuścili się poważnych zaniedbań. Jednak właśnie dzięki owym zaniedbaniom miejsce nabrało szczególnego uroku. Ludzie przychodzili tu na spacery z psami, robili sobie zdjęcia, snuli się pomiędzy zmurszałymi nagrobkami. Jedni szukali towarzystwa, inni ciszy.

Cmentarz nocą cieszył się złą reputacją. W tym roku zamordowano tu prostytutkę, którą Rebus znał i lubił. Inspektor zastanawiał się, czy Lintz o tym wiedział.

– Panie Lintz?

Starszy pan strzygł trawnik wokół jednego z nagrobków, sprawnie posługując się ogrodniczymi nożycami. Na jego twarz wystąpił pot, gdy podnosił się z kolan.

– Inspektor Rebus. Przyprowadził pan znajomego?

– Detektyw inspektor Abernethy – dokonał prezentacji Rebus.

Abernethy przyglądał się nagrobkowi, na którym wyryto nazwisko nauczyciela Cosmo Merrimana.

– Pozwalają panu na to? – spytał, krzyżując spojrzenie ze starszym mężczyzną.

– Nikt do tej pory mnie nie powstrzymywał.

– Inspektor opowiadał, że sadzi pan również kwiaty.

– Ludzie zazwyczaj uważają mnie za krewnego.

– Ale pan krewnym nie jest?

– Wszyscy należymy do ludzkiej rodziny, inspektorze Abernethy.

– Jest pan chrześcijaninem?

– Tak.

– Z dziada pradziada?

Lintz wyjął chustkę i wytarł nos.

– Zastanawia się pan, czy chrześcijanin mógłby popełnić taką zbrodnię jak w Villefranche? Zapewne takie stwierdzenie nie stawia mnie w dobrym świetle, ale uważam, że jest to możliwe. Wyjaśniałem to inspektorowi Rebusowi.

Rebus przytaknął.

– Rzeczywiście, odbyliśmy kilka rozmów na ten temat.

– Przekonania religijne nie są żadną tarczą obronną. Proszę spojrzeć na Bośnię, na mnóstwo katolików zamieszanych w tamtejsze zbrodnie, i jeszcze więcej muzułmanów. Nazywają siebie wyznawcami i wierzą święcie, że wiara daje im prawo do zabijania.

Bośnia. Rebus wyobraził sobie Candice uciekającą z ojczystego kraju przed terrorem tylko po to, by znów stanąć oko w oko z przemocą.

Lintz upychał dużą, białą chustkę do nosa w kieszeni sztruksowych spodni. W zielonych kaloszach, szarym, wełnianym golfie i tweedowej kurtce rzeczywiście wyglądał jak ogrodnik. Nic dziwnego, że nie wzbudzał zainteresowania. Niczym się nie wyróżniał, był jak każdy, wtapiał się w tło. Rebus zastanawiał się, jak długo musiał doskonalić tę sztukę bycia niezauważalnym.

– Wygląda pan na zniecierpliwionego, inspektorze Abernethy. Woli pan praktykę od teorii, prawda?

– Nic mi o tym nie wiadomo.

– W takim razie niewiele pan wie. Proszę spojrzeć na inspektora Rebusa, który słucha tego, co mówię, a nawet udaje zainteresowanego. Oto przykład prawidłowego nastawienia. – Lintz mówił to w taki sposób, jakby ćwiczył każdą linijkę tekstu. – Podczas jego ostatniej wizyty w moim domu rozmawialiśmy o dwoistości ludzkiej natury. Czy ma pan jakieś zdanie na ten temat, inspektorze Abernethy?

Wyraz twarzy Abernethy'ego był niewzruszony.

– Niestety, nie.

Lintz wzruszył ramionami. Wygrał tę potyczkę i szykował się do następnej.

– Zbrodnie, inspektorze, są czynami kolektywnymi – cedził powoli i starannie jak na wykładzie. – Bywa, iż strach przed wykluczeniem ze społeczności zamienia nas w potwory.

Abernethy pociągnął nosem, wciąż trzymając dłonie w kieszeniach.

– Brzmi to jak usprawiedliwianie zbrodni wojennych; jakby pan sam tam był i wiedział z doświadczenia, o czym mówi – stwierdził.

– Czy muszę być kosmonautą, żeby wyobrazić sobie Marsa? – Lintz odwrócił się do Rebusa i lekko uśmiechnął.

– Cóż, może jestem zbyt ograniczony, by pojąć pańskie subtelne wywody – podsumował Abernethy. – Prawdę mówiąc, jestem też zbyt zmarznięty. Czy możemy pójść do samochodu i po drodze kontynuować naszą rozmowę?

Kiedy Lintz pakował narzędzia do torby, Rebus rozejrzał się i dostrzegł jakiś kształt poruszający się pomiędzy nagrobkami. Skulona sylwetka mężczyzny. Rozpoznał twarz.

– Co się dzieje? – zapytał Abernethy.

- Nic, coś mi się zdawało.

Trzej mężczyźni w ciszy przeszli do saaba. Rebus otworzył tylne drzwi Lintzowi i zdziwił się, kiedy Abernethy też usiadł z tyłu. Sam usadowił się za kierownicą i włączył silnik. Wnętrze wozu nagrzewało się szybko. Abernethy obrócił się do Lintza.

- A teraz, panie Lintz, wytłumaczę panu moją obecność tutaj. Zbieram informacje na temat byłych nazistów. Rozumie pan, iż w przypadku tak poważnych oskarżeń, jak wobec pana, naszym obowiązkiem jest prowadzić dochodzenie?

- Powiedziałbym raczej „fałszywe", a nie „poważne" oskarżenia.

- W takim razie nie ma pan się o co martwić.

- Tylko o swoją reputację.

- Zadbamy o nią, jak tylko zostanie pan oczyszczony z zarzutów.

Rebus przysłuchiwał się tej wymianie zdań. Nie poznawał Abernethy'ego. Ponury, wrogi ton przeszedł w dwuznaczną uprzejmość.

- A w międzyczasie? - Lintz zdawał się swobodnie wychwytywać podteksty w słowach londyńczyka. Rebus poczuł się wyłączony z rozmowy i zrozumiał, dlaczego Abernethy usiadł z tyłu. W ten sposób zyskał fizyczną barierę pomiędzy sobą a oficerem prowadzącym sprawę Lintza. Coś wisiało w powietrzu.

- A w międzyczasie - podjął Abernethy - poproszę pana o pełną współpracę z moim kolegą po fachu. Im szybciej dojdzie on do jakichś wniosków, tym szybciej skończy się całe zamieszanie wokół pana osoby.

- Problem z wnioskami polega na tym, iż powinny one być rozstrzygające. Trwała wojna, inspektorze, i wiele dowodów uległo zniszczeniu.

- Brak jakichkolwiek dowodów powoduje zamknięcie sprawy.

- Rozumiem.

Abernethy powiedział wszystko, co myślał sam Rebus. Problem w tym, że rozmawiał bezpośrednio z podejrzanym.

- Bardzo by nam pomogło, gdyby przypomniał sobie pan więcej niż dotychczas - dodał Rebus, nie licząc na odzew.

- Tak czy inaczej, panie Lintz - ciągnął Abernethy - dziękuję za poświęcony nam czas. - Położył dłoń na ramieniu starszego mężczyzny niemalże współczującym gestem. – Czy mamy gdzieś pana podrzucić?

– Zostanę tu jeszcze chwilę – odpowiedział Lintz, otwierając drzwi.

Abernethy wręczył mu torbę z narzędziami.

– Proszę na siebie uważać – dorzucił.

Lintz skinął głową, wykonał lekki ukłon w stronę Rebusa i skierował się z powrotem do bramy. Abernethy przesiadł się do przodu.

– Podstępny stary pierdziel, nie?

– Niemalże zapewniłeś go, że ma już sprawę z głowy.

– Gówno prawda – prychnął Anglik. – Wytłumaczyłem mu tylko, na czym stoi. – Zauważył minę Rebusa. – Daj spokój, naprawdę chcesz go zaciągnąć do sądu? Tego starego profesorka, który porządkuje groby?

– Nie ułatwiasz mi zadania, zachowując się tak, jakbyś stał po jego stronie.

– Nawet jeżeli to on wydał rozkaz dokonania tej masakry, to czy uważasz, że proces i zapakowanie go na parę lat do pierdla mają sens, kiedy i tak jest jedną nogą w grobie? W czymś pomoże to jego ofiarom? Lepiej po prostu porządnie nastraszyć tych wszystkich starych nazioli, dać sobie spokój z procesami i zaoszczędzić kawał grosza podatników.

– Nie za to nam płacą – odrzekł zniecierpliwiony Rebus i uruchomił silnik.

Zawiózł Abernethy'ego na Arden Street. Uścisnęli sobie dłonie. Anglik starał się sprawiać wrażenie, jakby miał ochotę zostać w Edynburgu nieco dłużej.

– Jeszcze kiedyś przyjdzie taki dzień... – powiedział i już go nie było. Gdy odjechał swoją sierrą, na jego miejscu zaparkował inny wóz. Wysiadła z niego Siobhan Clarke, niosąc wypchaną torbę.

– Dla ciebie – uśmiechnęła się. – Należy mi się kawa.

Nie była tak wybredna jak Abernethy. Zadowoliła się kubkiem rozpuszczalnej i rogalikiem. Na automatycznej sekretarce Colquhoun pozostawił informację, iż rodzina uchodźców, o której wspominał, może przyjąć Candice jutro. Rebus zanotował adres i zajrzał do torby Clarke. Było tam ze dwieście kartek.

- Tylko ich nie pomieszaj - ostrzegła. - Nie miałam czasu na zszywanie.

- Szybka robota.

- Specjalnie po to wróciłam późnym wieczorem do pracy. Pomyślałam, że najlepiej nie mieć świadków. Mogę ci wszystko streścić, jeżeli chcesz.

- Wystarczą mi główni rozgrywający.

Podeszła do stołu i przystawiła sobie krzesło. Poszukała w aktach zdjęć.

- Brian Summers - rzuciła pierwsze nazwisko. - Znany jako Pretty-Boy. Zajmuje się prostytutkami. - Blada, koścista twarz, czarne, gęste rzęsy, wydatne usta. Alfons Candice.

- Nie jest znów taki ładny*.

Clarke odnalazła kolejne zdjęcie.

- Kenny Houston.

- Jeden Ładny Chłopiec, jeden Brzydki Chłopiec.

- Na pewno mamusia go kocha. - Królicze zęby, żółta cera.

- Czym się zajmuje?

- Pilnowaniem porządku. Kenny, Pretty-Boy i Tommy Telford dorastali na tej samej ulicy. To trzon Rodziny. - Kolejne zdjęcia.

- Malky Jordan... narkotyki. Sean Haddow... mózgowiec, zajmuje się finansami. Ally Cornwell... mięśniak. Deek McGrain... nie ma podziałów religijnych w Rodzinie, protestanci i papiści pracują razem.

- Idealna społeczność.

- Ale bez kobiet. To filozofia Telforda: nie ma miejsca na romanse.

Rebus podniósł plik papierów.

- Więc co mamy?

- Wszystko, tylko nie dowody.

- A dochodzenie ma je nam zapewnić?

Clarke uśmiechnęła się znad parującego kubka.

- Masz inne propozycje?

- To nie mój problem.

- Jednak interesuje cię ta sprawa - zrobiła pauzę. - Chodzi o Candice?

---

*Pretty - ang. - ładny, przystojny (przyp. tłum.).

– Nie podoba mi się to, co z nią zrobili.

– Rozumiem. Tylko pamiętaj, ode mnie nic nie dostałeś.

– Dzięki, Siobhan. A tak poza tym, wszystko w porządku?

– Jasne. Nie narzekam.

– Masz więcej rozrywki niż w St Leonard's.

– Brakuje mi Briana – wyznała. Pracowali razem przy jednej sprawie.

– Widujesz go?

– Nie, a ty?

Rebus potrząsnął głową przecząco.

Po jej wyjściu przez godzinę przeglądał dokumenty; dowiedział się sporo o Rodzinie i jej interesach. Żadnej wzmianki o Newcastle. Nic o Japończykach. Mężczyźni stanowiący trzon organizacji – ośmiu czy dziewięciu – chodzili razem do szkoły. Trzech z nich wciąż zajmowało się biznesem w Paisley, reszta mieszkała w Edynburgu i starała się przejąć schedę po Caffertym.

Inspektor przejrzał listę klubów nocnych i barów, które interesowały Telforda. Dołączono do niej raporty z różnych incydentów mających miejsce w pobliżu lokali. Bójki, bijatyki z bramkarzami, zniszczone samochody. Coś zwróciło uwagę Rebusa – furgonetka z hot-dogami parkująca przed kilkoma z klubów. Przesłuchano właściciela, ale nigdy nie zauważył nic podejrzanego.

Nazwisko: Gavin Tay.

Pan Taystee.

I jego niewyjaśnione samobójstwo.

Rebus zadzwonił do Billa Pryde'a i spytał, jak idzie śledztwo w tej sprawie.

– Ślepy zaułek, stary – odrzekł Pryde bez specjalnego zainteresowania. Dawno nie awansował, jego kariera zmierzała donikąd. Rozpoczął długą wędrówkę do emerytury.

– Wiedziałeś, że prowadził na boku interes z hot-dogami?

– To wyjaśnia, skąd miał gotówkę.

Gavin Tay: były więzień. Od ponad roku sprzedawał lody. Z powodzeniem – obok domu stał zaparkowany mercedes. Jego rozliczenia podatkowe nie wykazały tak dużych dochodów, a wdowa po nim nie wiedziała, skąd wziął pieniądze na samochód. I teraz, zimą, dorabianie hot-dogami, sprzedawanymi klientom klubów nocnych.

Klubów nocnych należących do Telforda.

Gavin Tay: dwa wyroki za napaść. Recydywista, który stał się prawym obywatelem. Rebusa zaczęła boleć głowa; duchota w pokoju stawała się nie do zniesienia, więc postanowił wyjść.

Minął The Meadows, most Jerzego IV, Playfair Steps i dotarł do Princes Street. Kilka osób siedziało na schodach Szkockiej Akademii: nieogolone, z ufarbowanymi włosami, w podartym ubraniu. Rebus zdawał sobie sprawę, że miał z nimi wiele wspólnego. Zdążył w swoim życiu rozczarować bliskich jako ojciec, mąż i kochanek. Nie potrafił podporządkować się zasadom panującym w armii, a i w szeregach policyjnych nie czuł się na swoim miejscu. Kiedy jeden z grupki wyciągnął dłoń, Rebus dał mu pięć funtów i skierował swe kroki do baru Oxford.

Usiadł w rogu z kubkiem kawy, wyjął komórkę i zadzwonił do Sammy. Była w domu, z Candice wszystko w porządku. Powiedział córce, że jutro dziewczyna przeprowadzi się do nowego miejsca.

– Świetnie – odparła Sammy. – Poczekaj chwilę. – Rebus usłyszał odgłos przekazywanej słuchawki.

– Cześć, John, jak się masz?

Uśmiechnął się.

– Cześć, Candice. Dobrze dajesz sobie radę.

– Dziękuję. Sammy mnie... uczę się... – wybuch śmiechu, słuchawka znowu powędrowała do córki inspektora.

– Uczę ją angielskiego.

– Słyszę.

– Zaczęłyśmy od piosenki Oasis.

– Postaram się do was zajrzeć. Co powiedział Ned?

– Był tak wykończony, że chyba nie zauważył.

– Jest tam? Chciałbym z nim pomówić.

– Wyszedł do pracy.

– Mówiłaś mi, nad czym on znowu pracuje?

– Nic nie mówiłam.

– No tak. Dzięki raz jeszcze. Do zobaczenia.

Pociągnął łyk kawy i przepłukał nim usta. Jasne: Abernethy nie może tak tego zostawić. Przełknął kawę, wykręcił numer hotelu i poprosił o połączenie z pokojem Davida Levy'ego.

– Levy. Słucham?

- Mówi John Rebus.
- Inspektorze, jak miło pana słyszeć. W czym mogę pomóc?
- Chciałbym z panem porozmawiać.
- Jest pan w pracy?
Rebus rozejrzał się. W barze nadal było pustawo.
- Można tak to ująć. Dwie minuty drogi z hotelu. Po wyjściu proszę skręcić w prawo, przeciąć George Street i iść Young Street. Na końcu ulicy znajduje się bar Oxford. Jestem w sali na tyłach.

Gdy pojawił się Levy, Rebus postawił mu drinka. Historyk usadowił się na krześle, powiesiwszy laskę na oparciu.
- Co więc mogę dla pana zrobić? - spytał.
- Nie jestem jedynym policjantem, z którym pan rozmawiał.
- Owszem, nie przeczę.
- Widziałem się dziś z kimś z sekcji specjalnej policji londyńskiej.
- I ten ktoś powiedział panu, że węszę wokół sprawy?
- Tak.
- I ostrzegł pana przed wdawaniem się ze mną w dyskusje?
- Nie w tylu słowach.
Levy zdjął okulary i zaczął je czyścić.
- Jak już powiedziałem, są ludzie, którzy życzyliby sobie, aby wiele spraw pokrył kurz historii. Czy ów mężczyzna przyjechał z Londynu tylko po to, by panu o mnie powiedzieć?
- Chciał się spotkać z Josephem Lintzem.
- Ach, tak - zamyślił się Levy. - A jaka jest pańska interpretacja, inspektorze?
- Miałem nadzieję usłyszeć pańską.
- Moją jak najbardziej subiektywną interpretację? - Rebus potwierdził. - Chce mieć pewność co do Lintza. Ten człowiek pracuje dla sekcji specjalnej, a jak wszyscy wiemy, sekcja specjalna to publiczny organ służb specjalnych.
- Upewniał się, że nic nie wyciągnę z Lintza? - poddał Rebus.

Levy skinął głową, wpatrując się w dym z papierosa inspektora. Taka też była natura tej sprawy, równie ulotna jak papierosowy dym.
- Przyniosłem coś ze sobą - powiedział, sięgając do kieszeni. -

Chcę, żeby pan to przeczytał. To angielskie tłumaczenie z hebrajskiego. O Rat Line.

Rebus wziął książkę.

– Czy coś udowadnia?

– To zależy, co pan przez to rozumie.

– Ja wymagam konkretnych dowodów.

– Konkretne dowody istnieją, inspektorze.

– I znajdę je w tej publikacji?

Levy potrząsnął głową.

– Tylko w ministerstwie, zamknięte pod kluczem i objęte zakazem wglądu przez sto lat.

– Czyli nie możemy nic udowodnić.

– Jest jeden sposób...

– Jaki?

– Któryś z nich zacznie mówić i sam o tym opowie.

– Więc o to toczy się gra? Trzeba złamać ich opór? Znaleźć najsłabsze ogniwo?

Levy znów się uśmiechnął.

– My, w Izraelu, nauczyliśmy się cierpliwie czekać, inspektorze. – Dokończył drinka. – Cieszę się, że pan zadzwonił. To spotkanie było o wiele bardziej zadowalające.

– Czy wyśle pan swoim przełożonym raport o postępach?

Naukowiec zignorował uwagę Rebusa.

– Porozmawiamy, jak przeczyta pan książkę. – Wstał. – Ten funkcjonariusz z sekcji specjalnej... nie zapamiętałem jego nazwiska?

– Nie podałem go panu.

Levy zawahał się przez moment.

– Rozumiem. Czy wciąż przebywa w Edynburgu? – Rebus pokręcił głową. – W takim razie jest już w drodze do Carlisle?

Rebus dopijał kawę, nie komentując.

– Jeszcze raz dziękuję, inspektorze – powiedział niezrażony Levy.

– A ja dziękuję za wizytę – odrzekł Rebus.

Jego gość rozejrzał się po raz ostatni po barze.

– Miejsce pracy, hm...

8

Rat Line stanowiła „podziemny szlak", którym przerzucano nazistów uratowanych z rąk Sowietów, często z pomocą samego Watykanu. Koniec światowego konfliktu oznaczał zarazem początek zimnej wojny. Rosło zapotrzebowanie na inteligentnych, a zarazem rutynowo działających członków wywiadu. Podobno brytyjskie służby specjalne zaoferowały pracę Klausowi Barbie, słynnemu „Rzeźnikowi z Lyonu". Inna plotka głosiła, że innemu naziście, stojącemu wysoko w hierarchii, ułatwiono wyjazd do Ameryki. Dopiero w 1987 roku Organizacja Narodów Zjednoczonych opublikowała pełną listę zbiegłych nazistów i japońskich zbrodniarzy wojennych, w sumie czterdzieści tysięcy nazwisk.

Rebus wcale się nie dziwił opóźnieniu w publikacji listy. W światowej polityce Niemcy i Japonia stanowiły część globalnego kapitalistycznego bractwa i otwieranie starych ran nie leżało w niczyim interesie. Poza tym nasuwało się pytanie, ile zbrodni popełnili sami alianci i czy w ogóle ktokolwiek mógł się poszczycić czystym sumieniem. Rebus znał specyfikę armii i zrozumienie pewnych spraw przychodziło mu z łatwością. Niejednego w swoim życiu doświadczył. Służył w Irlandii Północnej; widział, jak zaufanie sypie się w gruzy, a strach ustępuje pola nienawiści.

Jakąś cząstką swego umysłu wierzył w istnienie Rat Line.

Książka od Levy'ego wyjaśniała prawdopodobną strukturę całej operacji. Rebus nieraz zastanawiał się, czy człowiek może zaginąć bez śladu, kompletnie zmienić tożsamość, jeśli nie pomogą mu w tym wyspecjalizowane komórki. Powracała też kwestia sensu tropienia takich ludzi. Można ich było odnaleźć, zidentyfikować i postawić przed sądem, jak to się stało się z Eichmannem, Barbiem, Demianiukiem i innymi. Ale przeczytał też o wojennych zbrodniarzach, którym pozwolono wrócić do domu, prowadzić interesy, wzbogacić się i dożyć w spokoju podeszłego wieku. Przeczytał też o kryminalistach, którzy po odsiedzeniu wyroku stali się porządnymi ludźmi. Twierdzili, że wszystkiemu była winna wojna. Rebus przypomniał sobie jedną z pierwszych rozmów w domu Josepha Lintza. Szyję starszego mężczyzny otulała apaszka, jego głos był szorstki i zachrypnięty.

– W moim wieku, inspektorze, zwykła infekcja gardła może się okazać śmiertelna.

W salonie stało tylko kilka fotografii. Lintz wyjaśnił, że większość z nich przepadła w czasie wojny.

– Razem z innymi pamiątkami. Ale mam te.

Pokazał Rebusowi sześć oprawionych zdjęć, wszystkie z lat trzydziestych. Kiedy wyjaśniał, kogo przedstawiają, Rebus nagle zaczął się zastanawiać, czy przypadkiem te historie nie są zmyślone. Mógł przecież włożyć w ramki cudze fotografie, nadać ludziom nieistniejące nazwiska i imiona. Po raz pierwszy zdał sobie sprawę, jak łatwo jest napisać fikcyjny życiorys.

Tego samego dnia, popijając herbatę z miodem, Lintz zaczął mówić o Villefranche.

– Dużo o tym myślałem, inspektorze. Ten porucznik Linzstek... on tego dnia dowodził oddziałem, prawda?

– Tak.

– Ale najprawdopodobniej otrzymał rozkazy z góry. Nie sądzę, aby był aż tak samodzielny.

– Być może.

– Widzi pan, kiedy żołnierz dostaje rozkazy... musi je wykonać, czyż nie?

– Możliwe.

– W każdym bądź razie, według mojej jak najbardziej subiektywnej opinii, osoba taka była zmuszona do popełnienia zbrodni, i w podobnych okolicznościach dopuściłoby się jej wielu z nas, zapewne nawet większość. Czy nie dostrzega pan hipokryzji w osądzaniu kogoś, jeśli w analogicznej sytuacji najprawdopodobniej postąpilibyśmy tak samo? Jeden sprzeciwiający się całej sytuacji głos; oficer odmawiający wykonania rozkazu na wojnie. Czy pan byłby gotów zrobić coś takiego?

– Mam nadzieję – odrzekł Rebus, powracając myślami do własnych przeżyć w wojsku.

Książka Levy'ego niczego nie dowiodła. Dowiedział się z niej, że Josef Linzstek figurował na liście tych, którym pomogła Rat Line. Ale lista została sporządzona w Izraelu, co samo w sobie było sporną kwestią i podważało jej wartość dowodową.

I nawet jeśli instynkt podpowiadał Rebusowi, iż Lintz i Linzstek to jedna i ta sama osoba, wciąż nie był przekonany, czy ma to jakiekolwiek znaczenie.

Podrzucił książkę do hotelu i spytał recepcjonistkę, czy pan Levy jest w swoim pokoju.

– Myślę, że tak. Jeżeli chce pan...

Rebus w odpowiedzi pokręcił głową. Nie zostawił żadnej wiadomości w książce, wiedząc, iż Levy mógłby zinterpretować ten fakt na swój sposób. Wrócił pod dom po samochód i pojechał do Haymarket, a potem do Shandon. Jak zawsze miał problemy z zaparkowaniem w pobliżu mieszkania Sammy. Wszyscy wrócili już z pracy i zasiedli przed telewizorami. Wszedł po kamiennych schodkach, zastanawiając się, jak śliskie będą, gdy nadejdą mrozy. Zadzwonił do drzwi. Samantha zaprowadziła go do salonu, gdzie Candice oglądała teleturniej.

– Cześć, John – uśmiechnęła się. – Czy jesteś moim cukiereczkiem?

– Nie jestem niczyim cukiereczkiem, Candice – odrzekł nieco sztywno i odwrócił się do Sammy. – Wszystko w porządku?

– Jak najbardziej.

Z kuchni wyszedł Ned Farlowe. Trzymał talerz z zupą, w której moczył się kawałek chleba.

– Mogę zamienić z tobą słowo? – spytał Rebus.

Farlowe skinął głową i udał się z powrotem do kuchni.

– Czy nie będzie panu przeszkadzało, jeśli w trakcie rozmowy będę jadł? Umieram z głodu.

Usiadł przy składanym stole, wyjął kolejną kromkę chleba i posmarował ją margaryną. Sammy zajrzała do środka, ale wycofała się natychmiast, gdy zobaczyła wyraz twarzy ojca. Kuchnia była mała i zastawiona naczyniami oraz urządzeniami kuchennymi. Nawet kotu trudno byłoby w tej chwili się tu wcisnąć.

- Widziałem cię dzisiaj - zaczął Rebus - jak kryłeś się w krzakach na cmentarzu Warriston. Przypadek?

- A jak pan myśli?

- To ja pytam ciebie. - Inspektor oparł się o zlew i skrzyżował ramiona.

- Obserwuję Lintza.

- Dlaczego?

- Bo mi za to płacą.

- Kto? Gazeta?

- Prawnik Lintza uzyskał tymczasowy zakaz zbliżania się. Nikt nie zaryzykuje, żeby go złamać.

- Ale wciąż chcą mieć Lintza na oku?

- Jeżeli rozpocznie się proces, chcą wiedzieć jak najwięcej o sprawie.

- Jeśli cię zauważy...

- Nie ma pojęcia, kim jestem. Zresztą, zawsze znajdzie się ktoś, kto zajmie moje miejsce. Czy teraz ja mogę zadać jedno pytanie?

- Dobrze, ale najpierw coś ci jeszcze powiem. Wiesz, że prowadzę dochodzenie w sprawie Lintza? - Farlowe przytaknął. - Znamy się, jesteś chłopakiem mojej córki. Jeżeli znajdziesz cokolwiek, ludzie pomyślą, że to ja dostarczyłem ci informacji.

- Nie powiedziałem Sammy, nad czym pracuję, więc nie ma konfliktu interesów.

- Inni mogą w to nie uwierzyć.

- Jeszcze tylko kilka dni i będę miał wystarczająco dużo pieniędzy na następny miesiąc pracy nad książką. - Farlowe dokończył zupę, włożył pusty talerz do zlewu i stanął obok Rebusa.

- Nie chcę, aby miał pan przeze mnie kłopoty, ale nie oszukujmy się, nie porzucę takiego tematu tylko dlatego, że pan ma coś przeciw.

Rebus wpatrywał się w młodego mężczyznę. Miał ochotę wepchnąć Nedowi łeb pod kran, ale nie mógł tego zrobić ze względu na córkę.

- A teraz - przerwał ciszę Farlowe - czy mogę już zadać moje pytanie?

- O co chodzi?

- Kim jest Candice?

- Moją znajomą.

- W takim razie, co jest nie tak z pana mieszkaniem?

Rebus zdał sobie sprawę, że nie rozmawia już z chłopakiem Sammy, ale z węszącym i wścibskim dziennikarzem.

- Coś ci powiem - odparł powoli. - Uznajmy, że nie widziałem cię na cmentarzu, i że nie było tej rozmowy.

- A ja mam w zamian nie pytać o Candice? - Rebus milczał. Farlowe rozważał propozycję. - Okay, powiedzmy, że zamiast tego zadam kilka pytań związanych z tematem mojej książki.

- Jakiego rodzaju pytań?

- Dotyczących Cafferty'ego.

Rebus pokręcił głową.

- Nie, ale mogę ci opowiedzieć o Tommym Telfordzie.

- Kiedy?

- Kiedy trafi za kratki.

Farlowe uśmiechnął się.

- Wtedy będę już na emeryturze.

- Candice i tak jest tu tylko do jutra - skwitował Rebus.

- A dokąd pójdzie?

Rebus nawet nie mrugnął. Wyszedł z kuchni i wrócił do salonu. Chwilę rozmawiał z Sammy, podczas gdy teleturniej oglądany przez Candice wchodził w rozstrzygającą fazę. Kiedy tylko dziewczyna słyszała śmiech publiczności, sama śmiała się do rozpuku. Rebus umówił się na kolejny dzień i opuścił mieszkanie. Farlowe się nie pojawił. Albo ukrył się w sypialni, albo już wyszedł. Rebus musiał chwilę zastanowić się, gdzie zaparkował, po czym pojechał do domu, zatrzymując się grzecznie na każdym czerwonym świetle.

Nie udało mu się znaleźć miejsca na Arden Street, więc zostawił swojego saaba tuż za strefą parkingową. Kiedy zbliżał się do mieszkania, usłyszał odgłos otwieranych drzwi samochodu.

To był Claverhouse. Sam.

- Mogę wejść?

Rebus miał z tuzin powodów, by odmówić, lecz tylko w milczeniu skinął głową twierdząco.

- Wiadomo coś o morderstwie w nocnym klubie? - spytał.

– A skąd ci przyszło do głowy, że to nas interesuje?

– Bramkarz obrywa nożem, zabójca ucieka na motorynce. Widać, że napad został zaplanowany. A większość bramkarzy pracuje dla Telforda.

Szli po schodach. Rebus mieszkał na drugim piętrze.

– Tu masz rację – przyznał Claverhouse. – Billy Tennant pracował dla Tommy'ego. Kontrolował handel w klubie i w okolicy.

– Masz na myśli narkotyki?

– Ten przyjaciel piłkarskiej gwiazdy, który też oberwał, jest znanym dilerem. Zajmuje się rozprowadzaniem towaru poza Paisley.

– No to też ma powiązania z Telfordem.

– Podejrzewamy, że to on był celem, ale przez przypadek napatoczył się Tennant.

– Pozostaje pytanie, kto za tym stoi.

– Nie żartuj sobie, John. Cafferty, bez dwóch zdań.

– To nie było w stylu Grubego Gera – stwierdził Rebus, otwierając drzwi.

– Może nauczył się paru sztuczek od Młodego Gniewnego.

– Czuj się jak u siebie – rzucił Rebus. Na stole wciąż leżały resztki śniadania, a obok krzesła stała torba Siobhan.

– Miałeś gościa. – Calverhouse wskazał na dwa kubki i talerze. Rozejrzał się. – Nie ma jej tu teraz, prawda?

– Ani nie było na śniadaniu.

– Bo jest u twojej córki.

Rebus zamarł.

– Pojechałem zapłacić rachunek za hotel. Powiedziano mi, że po rzeczy dziewczyny przyjechał wóz patrolowy. Potem trochę popytałem i dostałem adres Samanthy. – Claverhouse usiadł na kanapie, krzyżując nogi. – W co się bawisz, John, i dlaczego chciałeś mnie posadzić na ławce rezerwowych? – Jego głos był spokojny, choć Rebus wiedział, że detektyw aż kipi ze złości.

– Chcesz drinka?

– Chcę odpowiedzi!

– Kiedy wybiegła z komendy, postanowiła czekać na mnie przy moim samochodzie. Nie miałem pojęcia, dokąd ją zabrać, więc przywiozłem ją tutaj. Ale ona rozpoznała ulicę. Telford obserwuje moje mieszkanie, a przynajmniej obserwował.

– Dlaczego? – zainteresował się Claverhouse, zapominając o złości.

– Może dlatego, że znam Cafferty'ego. Nie mogłem pozwolić, aby Candice tu została, więc zabrałem ją do Sammy.

– Wciąż tam jest? – Rebus skinął głową. – I co teraz planujesz?

– Jest jedno miejsce, u rodziny uchodźców z jej kraju.

– Na jak długo?

– Co masz na myśli?

Claverhouse westchnął.

– John, ona jest... jedyne życie, jakie tu zna, to prostytucja.

Rebus podszedł do wieży, aby znaleźć i włączyć jakąś płytę albo kasetę. Musiał zrobić cokolwiek.

– Jak będzie zarabiać na życie? Ty ją będziesz utrzymywać? W jakim świetle cię to stawia?

Rebus upuścił płytę i odwrócił się gwałtownie.

– W takim – splunął z irytacją.

Claverhouse rozłożył ręce w pojednawczym geście.

– John, sam dobrze wiesz, że to...

– Nic nie wiem.

– John...

– Stary, zmyj się stąd, dobra?

Rebus miał za sobą cholernie długi dzień. Wieczór ciągnął się bez końca, bez szans na odpoczynek. Przed oczami inspektora wciąż pojawiał się obraz kołyszących się ciał i dymu nad kościołem. I Telford na motocyklu, imponujący opanowaniem i zręcznością zebranym w salonie gier widzom. Abernethy kładący rękę na ramieniu Lintza. Żołnierze okładający cywilów kolbami karabinów. A John Rebus... John Rebus był w każdym z tych miejsc, starając się pozostać bezstronnym obserwatorem.

Włączył płytę Van Morrisona: *Hardnose the Highway*. Zawsze puszczał ten kawałek na wakacjach i podczas obserwacji policyjnych. Ta muzyka zdawała się go leczyć albo przynajmniej zasklepiać rany. Wyjrzał przez okno. Naprzeciwko, na drugim piętrze, było okno dziecinnego pokoju. Rebus często obserwował tych dwoje dzieci, lecz one nigdy go nie zauważyły, gdyż nie odczuwały potrzeby badania świata zewnętrznego. Ich rzeczywistość była wystarczająco kompletna i absorbująca.

Były już w łóżku, a ich matka właśnie zaciągała zasłony. Spokojne miasto. Abernethy miał rację. Było sporo takich miejsc w Edynburgu, gdzie ludzie żyli swoimi sprawami i nie zajmowali się problemami bliźnich. Z drugiej strony, w Szkocji popełniano dwa razy więcej morderstw niż w Anglii, z czego połowę w dwóch największych miastach.

Tak naprawdę statystyka nie miała znaczenia. Śmierć to śmierć. Z powierzchni ziemi znika coś wyjątkowego, niepowtarzalnego. Jedno morderstwo czy kilkaset... każde znaczyło jakieś cierpienie, nie tylko dla tych, co umierali, także dla żywych. Rebus pomyślał o ocalałej dziewczynie z Villefranche. Nigdy jej nie spotkał i prawdopodobnie nie spotka. Kolejny dowód na to, jak trudno angażować się w sprawę z zamierzchłej przeszłości. Ze współczesnymi było inaczej – można było zebrać dowody na miejscu przestępstwa, rozmawiać ze świadkami, dokonywać ekspertyz sądowych, konfrontować różne wersje wydarzeń. Wina i żal były o wiele bardziej wymierne. Człowiek stawał się częścią jakiejś żywej ludzkiej sprawy. To właśnie naprawdę interesowało i fascynowało Rebusa: ludzie, ich sprawy. Kiedy stawał się częścią ich życia, mógł zapomnieć o swoim własnym.

Zauważył migającą lampkę automatycznej sekretarki – ktoś zostawił wiadomość.

– Cóż, witam. Ja... hmm, nie wiem, jak to powiedzieć... – Rozpoznał głos Kirstin Mede. Westchnęła. – Proszę posłuchać, nie mogę dłużej tego robić. Więc proszę... Przepraszam, po prostu nie mogę. Są inni, którzy mogą panu pomóc. Jestem pewna, że jeden z nich...

Koniec wiadomości. Rebus wpatrywał się w sekretarkę. Nie winił Mede. „Nie mogę dłużej tego robić". No to jest nas dwoje, pomyślał. Tylko że on musiał to ciągnąć dalej. Usiadł przy stole i sięgnął po akta Villefranche: lista nazwisk i wykonywanych zawodów, wiek ofiar, daty urodzin. Picat, Mesplede, Rousseau, Deschamps. Handlujący winem, malujący porcelanę, woźnica i gospodyni domowa. Czy cokolwiek z tego mogło coś znaczyć dla Szkota w średnim wieku, kilkadziesiąt lat później? Odłożył akta i zaczął przeglądać dokumenty skopiowane dla niego przez Siobhan.

Dosyć Morrisona, czas na pierwszą stronę *Wish You Were*

Here. Czarny krążek, zdarty do cna. Przypomniał sobie moment, kiedy po raz pierwszy wyjmował ją, dziewiczą, z cienkiej plastikowej koszulki. Poczuł wtedy ten charakterystyczny dziwny zapach nowych płyt, mający w sobie coś ze swądu spalonego ciała.

– Muszę się napić – powiedział sam do siebie. – Chcę się napić. Kilka piw, może z odrobiną whisky. – Coś na wyostrzenie zmysłów...

Spojrzał na zegarek. Jeszcze parę godzin do zamknięcia barów, choć w Edynburgu, mieście pubów otwartych do ostatniego klienta, właściwie nie było się nad czym zastanawiać. Na pewno zdąży wpaść do Ox. Ale to wydawało się zbyt łatwe. Oto wyzwanie: odczekać godzinę i rozpocząć na nowo debatę z samym sobą.

Albo zadzwonić do Jacka Mortona.

Albo natychmiast wyjść.

Zadzwonił telefon. Inspektor podniósł słuchawkę.

– Słucham?

– John? – to zabrzmiało raczej jak „Sean".

– Cześć, Candice. Co słychać?

– Słychać?

– Czy masz jakiś problem?

– Nie, nie problem. Ja tylko chcę... Mówię ci, zobaczyć ciebie jutro.

Uśmiechnął się.

– Tak, do jutra. Mówisz świetnie po angielsku.

– Byłam przykuta do żyletki.

– Co?

– To z piosenki.

– Ach, tak. Ale już z tym skończyłaś?

Nie zrozumiała.

– Ja...

– Okay, Candice. Do jutra.

– Tak.

Rebus odłożył słuchawkę. Przykuta do żyletki... Nagle przeszła mu cała ochota na drinka.

9

Pojechał po Candice następnego dnia po południu. Cały jej dobytek mieścił się w dwóch reklamówkach. Uściskała Sammy tak mocno, jak tylko pozwalały jej na to zabandażowane ręce.

– Do zobaczenia, Candice – powiedziała Sammy.

– Ty też do zobaczenia. Dzięki... – Zamiast dokończyć, Candice szeroko otworzyła ramiona, nie wypuszczając z rąk toreb.

Zatrzymali się przy McDonaldzie, żeby coś przekąsić. Frank Zappa i Mothers of Invention: *Cruising for Burgers*. Dzień był rześki i pogodny, w sam raz na wycieczkę. Rebus zwolnił, aby Candice mogła się lepiej przyjrzeć widokom. Jechali do Fife, do East Neuk, dzielnicy dawnych osad rybaków, popularnej wśród artystów i wczasowiczów. Poza sezonem wydawała się praktycznie wymarła. Miał adres, ale musiał się zatrzymać, by spytać o drogę. Wreszcie zaparkowali przed małym domkiem wtopionym w cały szereg podobnych. Dziewczyna wpatrywała się w czerwone drzwi. Rebus dał jej znak, by wysiadła. Nie był w stanie jej wytłumaczyć, po co tu przyjechali. Miał nadzieję, że państwo Drinić zrobią to lepiej.

Drzwi otworzyła czterdziestoparoletnia kobieta. Miała długie, czarne włosy i uważnie przyjrzała się inspektorowi zza okularów. Następnie przeniosła wzrok na Candice i powiedziała coś w języku zrozumiałym dla obu kobiet. Candice nieśmiało odpowiedziała, nie do końca rozumiejąc, co się dzieje.

– Proszę wejść – powiedziała pani Drinić. – Mój mąż jest w kuchni.

Usiedli przy stole. Pan Drinić był muskularnym, wąsatym mężczyzną o lekko kręconych, przyprószonych siwizną włosach. Jego żona postawiła przed nimi imbryk z herbatą, a następnie przysunęła sobie krzesło i rozpoczęła rozmowę z Candice.

– Wszystko jej wytłumaczy – poinformował pan Drinić.

Rebus kiwnął głową, upił łyk mocnej herbaty i wsłuchiwał się w słowa, których nie rozumiał. Candice, początkowo nieufna, ożywiła się nieco w trakcie rozmowy, zwłaszcza że pani Drinić była wdzięczną słuchaczką, okazującą zrozumienie i współczucie.

– Zabrano ją do Amsterdamu, gdzie, jak jej obiecano, miała dostać pracę – wyjaśnił pan Drinić. – Wiem, że tak się zwabia wiele młodych kobiet.

– Domyślam się, że zostawiła w kraju dziecko.

– Tak, syna. Właśnie opowiada o nim żonie.

– A jak to było z państwem? – spytał inspektor. – Jak tu trafiliście?

– Byłem architektem w Sarajewie. Zostawić całe swoje dotychczasowe życie, to nie jest łatwa decyzja – zamilkł na chwilę. – Najpierw pojechaliśmy do Belgradu. A do Szkocji dotarliśmy autobusem przewożącym uchodźców. – Pan Drinić wzruszył ramionami. – Mieszkamy tutaj już pięć lat. Teraz jestem stolarzem. Nie ma wielkiej różnicy – uśmiechnął się.

Rebus spojrzał na Candice, która płakała, pocieszana przez panią Drinić.

– Zajmiemy się nią – powiedziała, wpatrując się w męża.

Wychodząc, inspektor chciał zostawić trochę pieniędzy, ale ich nie przyjęli.

– Czy nie będzie państwu przeszkadzało, jeżeli od czasu do czasu wpadnę zobaczyć, jak się miewa?

– Oczywiście, że nie.

Stanął naprzeciwko Candice.

– Naprawdę ma na imię Karina – dodała szeptem pani Drinić.

– Karina – spróbował Rebus. Dziewczyna uśmiechnęła się, a jej oczy stały się łagodne jak nigdy. Pochyliła się ku niemu.

– Pocałuj dziewczynę – rozkazała.

Ucałował oba jej policzki. W oczach Kariny zalśniły łzy. Rebus pokiwał głową, chcąc dać dziewczynie do zrozumienia, że nic więcej nie musi tłumaczyć.

Przy samochodzie pomachał do niej, a ona przesłała mu kolejnego całusa. Kiedy zniknął za rogiem, zatrzymał wóz i zacisnął dłonie na kierownicy. Zastanawiał się, czy Karina sobie poradzi. Czy zdoła zapomnieć o złu. Przypomniał sobie słowa żony. Co by teraz powiedziała? Czy wykorzystał Karinę? Zapewne nie, ale pytanie brzmiało: czy tylko dlatego, że nie była w stanie dostarczyć mu informacji o Telfordzie? W pewnym stopniu ją zawiódł. Dotychczas sama zdecydowała, dokonała świadomego wyboru tylko raz: wtedy, kiedy została, by czekać na niego, zamiast wrócić do Telforda. Przedtem i potem wszystkie decyzje podejmowali za nią inni. Zresztą nadal w jakimś stopniu pozostała zniewolona, tylko teraz w większej mierze była więźniem własnego umysłu. Sporo czasu zajmie jej zmiana myślenia i ponowne zaufanie ludziom i światu. Być może państwo Drinić zdołają jej w tym pomóc.

Jadąc na południe wzdłuż wybrzeża i rozmyślając o ostatnich wydarzeniach, Rebus postanowił odwiedzić brata.

Mickey mieszkał w Kirkcaldy. Na podjeździe jego domu stało zaparkowane czerwone bmw. Przed chwilą wrócił z pracy i był bardzo zdziwiony wizytą Rebusa.

– Chrissie i dzieciaki są u teściowej – powiedział. – Właśnie miałem zrobić sobie coś do jedzenia. Co powiesz na piwo?

– Wystarczy kawa – usiadł w salonie i czekał na brata. Po chwili Mickey przyniósł dwa stare pudełka po butach.

– Zobacz, co w sobotę znalazłem na strychu. Pomyślałem, że będziesz chciał na to rzucić okiem. Chcesz do kawy mleko i cukier?

– Trochę mleka.

Mickey poszedł do kuchni, a Rebus zajrzał do pudełek. Były po brzegi wypełnione posegregowanymi w małe paczuszki zdjęciami. Niektóre opatrzone zostały datami, czasami ze znakiem zapytania. Otworzył jedną z nich. Parada przebierańców. Piknik. Nie miał żadnego zdjęcia rodziców, dlatego te fotografie były dla niego zaskoczeniem. Matka wyglądała trochę inaczej, niż zapamiętał, miała grubsze nogi, ale jej sylwetka była kształtna. Ojciec na każdym zdjęciu w ten sam sposób szczerzył zęby w uśmiechu; podobnie uśmiechali się Rebus i Mickey. Na dnie pudełka znalazł zdjęcie zrobione gdzieś na plaży, przy silnym wietrze. On, Rhona i Sammy. Peter Gabriel: *Family Snapshot*. Rebus nie mógł sobie przypomnieć tych wakacji. Wrócił Mickey z kubkiem kawy i butelką piwa.

– Kto jest na niektórych fotografiach, nie wiem – powiedział. – Jacyś krewni? A może nasi dziadkowie?

– Raczej niewiele ci w tym pomogę.

Mickey wręczył mu menu.

– Rzuć okiem i wybierz coś dla siebie – zaproponował. – Mają najlepszą hinduską kuchnię w mieście.

Rebus wybrał, a Mickey zadzwonił i złożył zamówienie. Dostawa za dwadzieścia minut. Rebus otworzył kolejną paczkę zdjęć. Te były z lat czterdziestych. Ojciec w mundurze. Żołnierze w kapeluszach podobnych do tych noszonych przez obsługę w McDonaldzie i w szortach. Na odwrocie niektórych zdjęć napisano „Malaje", na innych – „Indie".

– Pamiętasz? Nasz staruszek został tam ranny – powiedział Mickey.

– Nieprawda.

– Pokazywał nam ranę. Gdzieś na kolanie.

Rebus pokręcił głową.

– Wujek Jimmy twierdził, że ojciec zranił się, kiedy grał w piłkę nożną. Zdrapywał strup dotąd, aż została mu paskudna blizna.

– Nam powiedział, że to blizna z czasów wojny.

– Zmyślał.

Mickey otworzył drugie pudełko.

– Spójrz na to... – Wręczył bratu sporą kolekcję pocztówek i zdjęć opasanych gumką. Rebus ją zdjął, rozłożył kartki. Rozpoznał swoje pismo na odwrocie. Kiepskiej jakości fotografie przedstawiały jego samego, zazwyczaj w sztucznych pozach.

– Skąd je masz?

– Zawsze przysyłałeś mi kartkę albo zdjęcie, nie pamiętasz? Wszystkie pochodziły z czasów, gdy Rebus służył w armii.

– Zapomniałem o tym – skwitował zażenowany.

– Zazwyczaj raz na dwa tygodnie. List do taty, a dla mnie pocztówkę.

Rebus usiadł na krześle i zaczął przeglądać korespondencję. Listy zostały ułożone chronologicznie. Szkolenie, potem służba w Niemczech i Ulsterze, dodatkowe treningi na Cyprze, Malcie, w Finlandii, na pustyniach Arabii Saudyjskiej.

Rebus zdziwił się, że pocztówki napisane były w tak radosnym tonie. Zwłaszcza te z Belfastu zawierały prawie wyłącznie dowcipy, chociaż on wspominał ten okres jako jeden z najgorszych w swoim życiu.

– Uwielbiałem te twoje kartki – uśmiechnął się Mickey. – Mówię ci, miałem ochotę do ciebie dołączyć.

Rebus myślał o Belfaście: zamknięte baraki, jak forteca. Po ulicznym patrolu nie było jak odreagować. Gorzałka, hazard i bijatyki – wszystko w tych samych czterech ścianach. A tu miał przed oczami pocztówki – i taki obraz swojego ówczesnego życia, w jaki Mickey wierzył przez ostatnie dwadzieścia parę lat.

A wszystko to było kłamstwem.

A może nie było? Co tworzyło rzeczywistość inną od tej, która istniała w jego umyśle? Pocztówki były sfałszowanymi dokumentami, ale istniały tylko one. Nikt nie mógł im zaprzeczyć, oprócz jego samego. Podobnie było z Rat Line, podobnie z opowieścią Josepha Lintza. Rebus popatrzył na brata, myśląc, że za chwilę może zniszczyć piękny mit. Wystarczy tylko powiedzieć prawdę.

– O co chodzi? – spytał Mickey.

– O nic.

– Dojrzałeś do piwa? Zamówienie będzie tu za chwilę.

Rebus wpatrywał się w stygnącą w kubku kawę.

– Więcej niż dojrzałem – odrzekł, ponownie opasując gumką zdjęcia, pocztówki i swoją przeszłość. – Ale zostanę przy tym. – I kubkiem kawy wzniósł toast za brata.

10

Następnego dnia Rebus pojechał do St Leonard's, zadzwonił do centrali NCIS* w Prestwick i spytał, czy mają coś na temat powiązań brytyjskich przestępców z prostytucją na kontynencie. Ktoś musiał przewieźć Candice – wciąż tak ją nazywał – z Amsterdamu do Wielkiej Brytanii i raczej nie był to Telford. Ktokolwiek to zrobił, Rebus prędzej czy później go dopadnie. Chciał pokazać Candice, że może ją uwolnić od przeszłości.

Poprosił NCIS o przefaksowanie informacji. Większość dotyczyła tak zwanego Tippelzone – licencjonowanego parkingu, gdzie kierowcy przyjeżdżali uprawiać seks. Pracowały tam prawie wyłącznie zagraniczne prostytutki, większość nie miała pozwolenia na pracę, część przeszmuglowano z Europy Wschodniej. Najwięcej kobiet pochodziło z byłej Jugosławii. NCIS nie miało żadnych nazwisk alfonsów. Nie mieli też nic na temat prostytutek przywożonych z Amsterdamu.

Rebus wyszedł na dwór zapalić swojego drugiego tego dnia papierosa. Na zewnątrz stało już kilku palaczy, mała społeczna elita nałogowców. Kiedy wrócił do budynku, zjawił się Farmer i spytał o postępy w sprawie Lintza.

– Może gdybym go tutaj przyprowadził i trochę nim porzucał po ścianach... – zasugerował Rebus.

– Bądź poważny, okay? – wycedził Farmer i wrócił do siebie.

Rebus usiadł przy biurku i wyciągnął akta.

– Pana problem, inspektorze – powiedział mu kiedyś Lintz

---

*National Crime Investigation Service – ang. – Centralne Biuro Śledcze Zjednoczonego Królestwa (przyp. tłum.).

- polega na tym, iż obawia się pan, że ktoś weźmie pana na serio. Pan chce dawać ludziom to, czego – jak się panu wydaje – oczekują. Ja wspominam o bramie Isztar, a pan zaczyna mówić o hollywoodzkiej scenografii. Na początku myślałem, iż chce pan w ten sposób uśpić moją czujność, licząc, że się z czymś zdradzę. Ale teraz widzę, że to raczej gra, którą prowadzi pan sam ze sobą.

Rozmawiali wtedy, siedząc w salonie Lintza. Okno wychodziło na Queen Street Gardens. Żeby móc tam wejść, trzeba było zapłacić za otwarcie bramy.

– Czy wykształceni ludzie budzą w panu lęk?

– Nie.

– Jest pan tego pewien? Czy przypadkiem nie chce pan być do nich bardziej podobny? – Lintz się uśmiechnął, ukazując drobne, żółtawe zęby. – Intelektualiści lubią widzieć się w roli ofiar historii, borykających się z uprzedzeniami, wsadzanych do więzień za przekonania, a nawet torturowanych i mordowanych. Ale Radovan Karadžić też uważa siebie za intelektualistę. Naziści mieli swoich myślicieli i filozofów. I Babilon... – Lintz wstał, by dolać sobie herbaty.

– I Babilon, inspektorze – kontynuował, sadowiąc się w fotelu – z całym swym bogactwem i sztuką, z oświeconym władcą... Wie pan, co oni robili? Nabuchodonozor więził Żydów przez siedemdziesiąt lat. Ta wspaniała, inspirująca cywilizacja... Czy teraz już widzi pan to szaleństwo, inspektorze, skazę, która tkwi tak głęboko w nas?

– Chyba będę potrzebował okularów.

Lintz cisnął filiżankę na podłogę.

– Pan powinien słuchać i uczyć się! Musi pan zrozumieć!

Filiżanka leżała na dywanie. Herbata wsiąkała w zawiły deseń, zostawiając widoczną plamę...

Rebus zaparkował na Buccleuch Place. Instytut Studiów Słowiańskich mieścił się w jednym z budynków. Najpierw zajrzał do sekretariatu i spytał o doktora Colquhouna.

– Nie widziałam go dzisiaj – usłyszał.

Kiedy wyjaśnił, czego szuka, sekretarka zadzwoniła pod kilka numerów, ale nikogo nie zastała. Zasugerowała, by sam sprawdził w instytutowej bibliotece na pierwszym piętrze.

Wręczyła mu klucz, wyjaśniając, że biblioteka jest zazwyczaj zamknięta.

Pokój miał wymiary pięć na cztery metry i pachniał kurzem. Żaluzje były spuszczone. Na jednym z biurek, obok tabliczki informującej o zakazie palenia, stała popielniczka z niedopałkami. Na jednej ze ścian półki z książkami i czasopismami, na drugiej – mapy. Na regale pudła z wycinkami prasowymi. Rebus zdjął pudełko z najnowszymi artykułami.

Tak jak i większość jego znajomych, niewiele wiedział na temat wojny w byłej Jugosławii. Oglądał szokujące zdjęcia pokazywane w telewizyjnych serwisach informacyjnych, słuchał komentarzy, a potem wracał do swojego życia. Ale jeśli wierzyć wycinkom z prasy, całym regionem rządzili zbrodniarze wojenni. Siły pokojowe za wszelką cenę chciały uniknąć konfrontacji. Było ostatnio trochę aresztowań, ale stanowiły raczej kroplę w morzu; zresztą, z siedemdziesięciu czterech aresztowanych skazano zaledwie siedmiu.

Nie znalazł nic na temat handlu żywym towarem, podziękował więc sekretarce i oddał klucz. Jadąc przez zatłoczone ulice, usłyszał sygnał komórki. Kiedy dotarła do niego informacja, o mało nie wjechał na chodnik.

Candice zniknęła.

Pani Drinić była zrozpaczona. Poprzedniego dnia zjedli razem kolację, tego ranka śniadanie, rozmawiając o swoich doświadczeniach. Karina wydawała się uspokojona, pogodniejsza, jakby obudziła się w niej nadzieja.

– O wielu sprawach nie chciała nam opowiedzieć – pan Drinić stał za krzesłem żony i starał się ją uspokoić, gładząc delikatnie jej ramiona. – Twierdziła, że woli o nich zapomnieć.

A potem wyszła na spacer nad zatokę i już nie wróciła. Może zabłądziła, chociaż o to trudno w tak małej wiosce. Pan Drinić był w pracy; jego żona wyszła szukać dziewczyny, popytać ludzi.

– I syn pani Muir powiedział mi, że Karinę zabrano do jakiegoś samochodu.

– Gdzie to było?

– Kilka przecznic stąd.

– Chodźmy tam.

117

Jedenastolatek Eddie Muir jeszcze raz opowiedział, co widział. Samochód zatrzymał się przy kobiecie. Nastąpiła krótka wymiana zdań, której nie słyszał. Po czym kobieta wsiadła do wozu.

– Na które siedzenie, Eddie?

– Z tyłu. Na pewno, bo w samochodzie siedziały już dwie osoby.

– Mężczyźni?

Eddie pokiwał głową.

– A kobieta wsiadła sama? Nikt jej nie wciągał, nie szarpał?

Eddie zaprzeczył. Kręcił się zniecierpliwiony przy rowerze, chcąc już odjechać.

– A możesz opisać samochód?

– Duży, trochę szpanerski. Nie stąd.

– A mężczyźni?

– Nie przyjrzałem się. Kierowca miał na sobie koszulkę piłkarską klubu Dunfermline.

Fan futbolu. Mógł być z Fife. Rebus zmarszczył brwi. Eddie powiedział „duży samochód", czy to mogła być furgonetka? Candice wróciła do zawodu? Mało prawdopodobne, nie w takim miejscu, nie na takiej uliczce. Pani Drinić miała rację: dziewczyna została porwana. Oznaczało to, że ktoś wiedział, gdzie jej szukać. Czy śledzono go, kiedy wiózł Candice do państwa Drinić? Jeśli tak, to byli nieźli, nie zauważył ich. Może umieścili coś w jego samochodzie? Raczej nie, ale dla pewności sprawdził koła i podwozie, nic nie znajdując. Pani Drinić uspokoiła się nieco po wypiciu odrobiny wódki. Rebusa też poczęstowali, ale odmówił.

– Czy gdzieś dzwoniła? – spytał. Państwo Drinić zaprzeczyli. – A może ktoś widział kręcących się w pobliżu obcych?

– Zauważyłbym. Po Sarajewie trudno czuć się bezpiecznym. – Pan Drinić rozłożył ręce w geście bezsilności. – I mamy na to kolejny dowód. Nigdzie nie jest się bezpiecznym.

– Czy mówili państwo komuś o Karinie?

– A komu mogliśmy powiedzieć?

Kto wiedział o miejscu pobytu dziewczyny? Rebus. I Claverhouse z Ormistonem, bo wspomniał o tym przy nich Colquhoun.

Colquhoun wiedział. Ten nerwowy specjalista od języków

słowiańskich... W drodze do Edynburga inspektor starał się do niego dodzwonić, ale nikt nie odpowiadał. Poprosił państwa Drinić, by poinformowali go o powrocie Candice, choć nie spodziewał się, że dziewczyna wróci. Pamiętał, co mówiło jej spojrzenie, kiedy prosił ją, by mu zaufała, obiecywał, że jej pomoże: „Wcale mnie to nie zaskoczy, kiedy mnie zostawisz". Jakby przeczuwała, że ją zawiedzie. A jednak dała mu drugą szansę i czekała na niego przy samochodzie. A on znowu zawiódł jej zaufanie.

Zjechał na pobocze, wyciągnął z kieszeni komórkę i wybrał numer Jacka Mortona.

– Jack, na Boga, mów co chcesz, ale wyperswaduj mi ochotę na kielicha.

Próbował znaleźć Colquhouna w jego domu, potem w Instytucie, ale wszędzie drzwi były zamknięte. Pojechał na Flint Street i szukał Tommy'ego Telforda w salonie gier. Jednak Telforda tam nie było. Zastał go w pokoju na tyłach kafejki, jak zawsze w otoczeniu jego ludzi.

– Chcę z tobą porozmawiać – powiedział.

– No to gadaj.

– Nie potrzebuję widowni. On może zostać – Rebus wskazał Pretty-Boya.

Telford chwilę zastanawiał się, po czym kazał ludziom wyjść. Pretty-Boy stał przy ścianie, chowając ręce za plecami. Telford siedział przy biurku, nogi oparł na blacie. Wydawali się spokojni, odprężeni. Rebus zdawał sobie sprawę, że sam wygląda raczej jak schwytane w pułapkę zwierzę.

– Chcę wiedzieć, gdzie ona jest.

– Kto?

– Candice.

Telford uśmiechnął się.

– Pan ciągle o niej, inspektorze? A skąd ja mam wiedzieć, gdzie jest?

– Bo dwóch twoich chłoptasiów ją zwinęło. – Nagle Rebus zdał sobie sprawę, że popełnił błąd. Gang Telforda był jak rodzina: razem wychowywali się w Paisley. Popatrzył na Pretty-Boya, który u Tommy'ego odpowiadał za działkę prostytucji. Candice przyjechała do Edynburga z miasta mostów, może

119

z Newcastle. Telford miał powiązania z Newcastle. A barwy klubowe Newcastle United – białe i czarne pionowe paski – były diabelnie podobne do barw Dunfermline. Dzieciak z Fife mógł je pomylić.

Klub z Newcastle. Samochód z Newcastle.

Telford coś mówił, ale Rebus już go nie słuchał. Wyszedł z kafejki i wsiadł do saaba. Pojechał na Fettes, wszedł do biura jednostki specjalnej i odszukał numer telefonu do detektyw Miriam Kenworthy. Zadzwonił, lecz nikt nie odbierał.

– Pieprzyć to – rzucił i poszedł do samochodu.

Autostradę numer 1 trudno było nazwać najszybszą z dróg – Abernethy miał co do tego rację. Na szczęście ruch nie był duży i Rebus jechał na południe w przyzwoitym tempie. Pod wieczór dotarł do Newcastle, gdzie zaczynały już pustoszeć bary, a kolejki ustawiały się przed nocnymi klubami. Na wystawach znalazł kilka koszulek miejscowego klubu piłkarskiego. Nie znał miasta. Krążył ulicami, mijał te same znaki i budynki.

Szukał Candice. Albo dziewczyn, które ją znały.

Po kilku godzinach dał za wygraną i zawrócił do centrum. Początkowo zamierzał spać w samochodzie, ale kiedy natknął się na hotel z wolnymi pokojami i pomyślał o podstawowych wygodach, zmienił zdanie.

Upewnił się, że w pokoju nie ma minibarku.

Wziął kąpiel i pozwolił sobie na chwilę odpoczynku po męczącej podróży. Potem usiadł przy oknie i wsłuchiwał się w odgłosy nocy: przejeżdżające taksówki, jakieś rozmowy, czasem krzyki, łoskot ciężarówek dostawczych. Nie mógł zasnąć. Leżał na łóżku, oglądał telewizję z wyłączonym dźwiękiem, wspominając Candice śpiącą w hotelowym pokoju, i papierki po słodyczach przy jej łóżku. Deacon Blue: *Chocolate Girl*.

Obudził go poranny program w telewizji. Wymeldował się z hotelu, zjadł śniadanie w pobliskim barze i zadzwonił do Miriam Kenworthy, która już była w pracy.

– Przyjeżdżaj nawet zaraz – detektyw wydawała się być rozbawiona. – To parę minut drogi.

Była młodsza, niż sugerowałby jej głos. Miała łagodną, okrągłą twarz z zaróżowionymi, pulchnymi policzkami. Przyglądała mu się uważnie, kołysząc się lekko na krześle i słuchając jego opowieści.

– Tarawicz – powiedziała, kiedy Rebus skończył. – Jake Tarawicz. Prawdziwe imię najprawdopodobniej Joachim. – Uśmiechnęła się. – Niektórzy wołają na niego Różowooki. Prowadzi jakieś interesy z tym Telfordem. – Otworzyła brązową teczkę. – Różowooki załatwia wiele spraw na kontynencie. Wiesz coś o Czeczenii?

– W Rosji?

– To rosyjska Sycylia, jeśli rozumiesz, co mam na myśli.

– Czy stamtąd pochodzi Tarawicz?

– To jedna z wersji. Według innej jest Serbem. To mogłoby wyjaśniać, dlaczego zorganizował ten konwój.

– Jaki konwój?

– Ciężarówek wiozących dary do byłej Jugosławii. Nasz Różowooki organizuje pomoc humanitarną. Wzruszające, czyż nie?

– I może w ten sposób szmuglować ludzi?

Kenworthy spojrzała na niego.

– Nieźle pan kojarzy, inspektorze.

– Nazwij to strzałem w ciemno.

– Ożenił się z Angielką. Nie z miłości. Była jedną z jego dziewczyn.

– Ale zyskał prawo stałego pobytu.

Miriam pokiwała głową.

– Chociaż długo go nie było, z pięć czy sześć lat...

Jak Telford, pomyślał Rebus.

– Kradnie interesy Azjatom i Turkom... Wieść niesie, że zaczynał od szmuglu ikon. Sporo tego spływało z obszaru byłych republik sowieckich. Kiedy biznes przestał być dochodowy, przerzucił się na prostytutki. Czysty zysk, w dodatku uzależniając dziewczyny od koki, miał nad nimi dodatkową kontrolę. Kokaina jest z Londynu, a Londyn z kolei kontrolują ludzie z Indii. Pan Różowooki rozprowadza towar na północno-wschodnim wybrzeżu. Handluje też heroiną dla Turków i sprzedaje kobiety do burdeli Triady. – Kenworthy spojrzała na Rebusa, który słuchał jej ze skupieniem. – W tym interesie nie ma granic rasowych ani wyznaniowych.

– Właśnie widzę.

- Najprawdopodobniej gość sprzedaje też narkotyki twojemu Telfordowi, który rozprowadza je w swoich nocnych klubach.
- Najprawdopodobniej?
- Nie mamy dowodów. Krążyły też słuchy, że Różowooki nie sprzedaje Telfordowi, ale od niego kupuje.

Rebus pokręcił głową.
- Telford nie jest na tyle silny.

Miriam wzruszyła ramionami.
- Skąd brałby towar? - spytał retorycznie inspektor.
- To tylko plotki.

Lecz Rebus wiedział, że jeżeli uda mu się to ustalić, być może wyjaśni powiązania Tarawicza z Telfordem.
- A co ma z tego Tarawicz? - spytał.
- Oprócz pieniędzy? Cóż, Telford ma dobrą rękę do bramkarzy. A zaangażowani w sprawę bramkarze są tu powszechnie szanowani. No i są kasyna, w których Telford ma udziały.
- A tam z kolei Tarawicz pierze swoje pieniądze? - zamyślił się inspektor. - Czy jest coś, w czym Tarawicz nie maczał palców?
- Jasne. On uwielbia płynne interesy. I wciąż jest tu stosunkowo nowy.

Eagles: *New Kid in Town*.
- Wydaje nam się, że ostatnio handluje bronią przerzucaną z Europy Wschodniej. Czeczeni mają tego mnóstwo.
- Wygląda na to, że Tarawicz wyprzedza Telforda o krok.

Rebus już rozumiał, dlaczego Tommy chce robić z Tarawiczem interesy. Chciał się czegoś nauczyć, wpasować się w szeroko pojmowany biznes. Azjaci, Turcy i Czeczeni, powiązani siecią interesów. Rebus wyobraził to sobie jako jakieś ogromne koło, które toczy się przez świat, miażdżąc ludzkie życiorysy, wszędzie tam, gdzie się pojawia.
- Dlaczego nazywany jest Różowooki? - spytał.

Kenworthy czekała na to pytanie. Wyjęła kolorowe zdjęcie i podała Rebusowi.

Fotografia przedstawiała twarz o różowej, pokrytej pęcherzami i białymi bliznami skórze. Twarz była nabrzmiała, rozmazana, a oczy spoglądały zza okularów w niebieskich oprawkach, z niebieskimi szkłami. Brwi nie było. Nad czołem sterczały cienkie, żółte kosmyki. Mężczyzna wyglądał jak wielka ogolona świnia.

– Co mu się stało? – zainteresował się inspektor.

– Nie wiemy. Już tak wyglądał, kiedy się u nas pojawił.

Rebus przypomniał sobie człowieka opisanego przez Candice: gruby, dziwne okulary, twarz jak po wypadku samochodowym.

– Chcę z nim porozmawiać – oświadczył.

Lecz najpierw Kenworthy pokazała mu okolicę i miejsca, gdzie pracują prostytutki. Był ranek, prawie nikogo na ulicy. Rebus opisał Candice, a Kenworthy obiecała, że popyta o nią. Udało się im porozmawiać z kilkoma dziewczynami. Nie bały się Kenworthy ani nie były do niej wrogo nastawione.

– Są takie same jak ty czy ja. Pracują, żeby wyżywić dzieci.

– Albo zarobić na działkę.

– To też.

– W Amsterdamie mają swoje związki zawodowe.

– To nie pomoże biedaczkom, które tu pracują. A co do tej Candice, jesteś pewny, że to Różowooki ją ma?

– Wątpię, by zabrał ją Telford. Ktoś znał adresy jej rodziny w Sarajewie. I ktoś ją stamtąd przywiózł.

– Wygląda na robotę Różowookiego.

– I tylko on może ją stąd odesłać.

Spojrzała na niego, nie rozumiejąc.

– A dlaczego miałby to robić?

Okolica stawała się coraz bardziej ponura – zniszczone budynki, dziury w jezdni, walające się śmieci. Kenworthy skręciła w bramę złomowiska.

– Żartujesz? – wymamrotał Rebus.

Trzy uwiązane na łańcuchach owczarki alzackie obszczekały ich wóz. Miriam je zignorowała i jechała, nie zatrzymując się. Posuwali się wąwozem, którego ściany tworzyły stosy samochodowych wraków.

– Słyszysz?

Odgłos miażdżonej blachy. Wjechali na plac i Rebus ujrzał żółty dźwig, który swym długim ramieniem chwycił jeden z wraków, uniósł go i rzucił na stertę mu podobnych. Z boku stało kilku mężczyzn: palili papierosy i wyglądali na znudzo-

123

nych. Ramię dźwigu spadło na dach samochodu znajdującego się na szczycie tej układanki i zmasakrowało go doszczętnie. Na pokrytą olejem ziemię posypały się kawałki szkła, mieniące się jak brylanty na czarnym atłasie.

Jake Tarawicz, Różowooki, siedział w kabinie dźwigu, wybuchając raz po raz śmiechem, za każdym razem, gdy podnosił kolejny wrak. Zachowywał się jak kot nadal bawiący się myszą, chociaż jego ofiara dawno nie żyje. Jeżeli nawet zauważył Rebusa i Kenworthy, nie dał tego po sobie poznać. Miriam nie od razu wysiadła z samochodu. Najpierw wzięła głęboki oddech, a kiedy była gotowa, dała znak Rebusowi i razem otworzyli drzwi.

Kiedy inspektor wyprostował się, zauważył, że ramię dźwigu puściło wrak i porusza się w ich stronę. Kenworthy skrzyżowała ramiona i stała nieporuszona. Rebus przypomniał sobie jedną z gier sprawnościowych, gdzie za pomocą specjalnego uchwytu trzeba złapać nagrodę umieszczoną w przezroczystym pudle. Widział Tarawicza w kabinie, manipulującego dźwigniami jak dzieciak żądny zabawki. Inspektor zdał sobie sprawę, że Telford ujeżdżający motocykl w salonie gier i mężczyzna o świńskich oczkach jedno mieli wspólne: nigdy nie dorosną.

Silnik dźwigu został nagle wyłączony. Tarawicz wysunął się z kabiny. Miał na sobie kremowy garnitur i szafirową koszulę, rozpiętą pod szyją. Na nogi założył zielone gumiaki, żeby nie pobrudzić spodni. Kiedy zbliżał się do detektywów, jego ekipa podążała krok w krok za nim.

– Miriam – powiedział – to zawsze przyjemność. – Zrobił znaczącą pauzę. – A przynajmniej tak wieść głosi.

Kilku jego ludzi się roześmiało. Rebus rozpoznał jednego: „Krab", tak go nazywali. Jego uścisk był w stanie zmiażdżyć kości. Inspektor nie widział go już dłuższy czas, a nigdy tak elegancko ubranego.

– Wszystko w porządku, Krabie? – spytał.

Jego odezwanie się nieco wytrąciło Tarawicza z równowagi. Odwrócił się ku swoim ludziom. Krab stał spokojnie, ale na twarzy miał ceglaste wypieki.

Zeszpecone oblicze Różowookiego przyciągało wzrok. Jego oczy szukały oczu rozmówcy, ale z dwojga złego każdy wolał studiować zniekształconą tkankę, w której były osadzone.

Tarawicz patrzył teraz na Rebusa.

– Czy my się znamy?

– Nie.

– To detektyw inspektor Rebus – wyjaśniła Kenworthy. – Przyjechał ze Szkocji, żeby się z tobą zobaczyć.

– Jestem zaszczycony. – W uśmiechu Tarawicz odsłonił drobne, ostre, rzadko rozstawione zęby.

– Chyba domyślasz się, dlaczego tu jestem – zignorował złośliwość Rebus.

– Naprawdę? – Tarawicz zdziwił się nieszczerze.

– Telford potrzebował twojej pomocy. Potrzebował mieszkania, gdzie mógłby trzymać Candice, notatki w serbsko-chorwackim...

– Czy to jakaś zagadka?

– A teraz ją zabrałeś.

– Czyżby?

Rebus zrobił krok do przodu. Ludzie Tarawicza zacieśnili krąg wokół swego szefa, którego twarz błyszczała od potu lub maści leczniczej.

– Chciała się od was uwolnić – ciągnął Rebus. – A ja przyrzekłem, że jej pomogę. Nigdy nie łamię obietnic.

– Chciała się uwolnić? Powiedziała ci to? – drażnił się Tarawicz.

Jeden z mężczyzn odchrząknął. Był znacznie niższy i szczuplejszy od pozostałych, bardziej powściągliwy, ale za to lepiej ubrany; miał smutne oczy i ziemistą cerę. Rebus już wiedział: to prawnik. A kaszlnięcie było ostrzeżeniem dla Tarawicza, że posuwa się za daleko.

– Mam zamiar zapuszkować Tommy'ego Telforda – powiedział cicho Rebus. – Obiecuję ci to. A kiedy już będzie siedział, kto wie, co z niego wyciągniemy.

– Myślę, że pan Telford doskonale potrafi o siebie zadbać, inspektorze, czego nie można powiedzieć o Candice. – Prawnik znowu odchrząknął.

– Żądam, aby nie posyłano jej na ulicę – oświadczył Rebus.

Tarawicz wpatrywał się w niego natarczywie. Źrenice miał rozszerzone.

– A czy Thomas Telford będzie mógł bez przeszkód prowadzić swoje interesy? – spytał w końcu.

Prawnik za jego plecami gwałtownie wciągnął powietrze.

- Wiesz, że nie mogę tego obiecać. Nie ja siedzę mu na karku.

- Przekaż wiadomość swojemu przyjacielowi - wyszczerzył zęby Tarawicz. - A potem przestańcie być przyjaciółmi.

Inspektor zdał sobie sprawę, że Tarawicz mówi o Caffertym. Widocznie Telford go poinformował, że Rebus jest człowiekiem Grubego Gera.

- To chyba mogę zrobić - powiedział cicho.

- Więc zrób. - Tarawicz odwrócił się.

- A Candice?

- Zobaczę, co się da zdziałać. - Zatrzymał się i włożył dłonie do kieszeni marynarki. - Słuchaj, Miriam - dodał, wciąż odwrócony plecami. - Zdecydowanie wolę cię w tym twoim czerwonym komplecie.

Odszedł, zanosząc się śmiechem.

- Wsiadaj - wycedziła Kenworthy, co też Rebus uczynił. Miriam wyglądała na zdenerwowaną, upuściła klucze i zaczęła ich szukać pod siedzeniem.

- Co się dzieje?

- Nic się nie dzieje.

- Czerwone wdzianko?

Spojrzała na niego.

- Nie mam takiego. - Zapaliła silnik i nacisnęła zbyt mocno sprzęgło.

- Nie rozumiem.

- W ubiegłym tygodniu kupiłam czerwoną bieliznę... stanik i figi. - Zwiększyła obroty silnika. - To część jego małej, wrednej gierki.

- Ale skąd o tym wie?

- Właśnie się nad tym zastanawiam. - Przemknęła obok psów i minęła bramę. Rebus pomyślał o Telfordzie, który obserwuje jego mieszkanie.

- Widzisz, nie zawsze inwigilację prowadzi tylko jedna strona - powiedział, domyślając się już, kto nauczył Tommy'ego tej sztuczki. Chwilę później zapytał o złomowisko.

- Jest jego właścicielem. Ma ubijarkę do złomu, ale lubi się pobawić wrakami. Jeżeli staniesz na jego drodze, zrobi wszystko, by cię zniszczyć. - Spojrzała na Rebusa. - Właśnie stałeś się częścią jego gry.

Nigdy nie angażuj się emocjonalnie: to była złota zasada. Ale Rebus przy każdej sprawie ją łamał. Czasami wydawało mu się, że ponieważ nie ma własnego życia, może żyć tylko poprzez doświadczanie losów innych.

Dlaczego tak mu zależało na sprawie Candice? Czy dlatego, że dziewczyna była uderzająco podobna do Sammy? A może dlatego, że go potrzebowała? Sposób, w jaki rzuciła mu się do nóg pierwszego dnia... czy przypadkiem nie chciał, choć przez moment, być czyimś rycerzem w lśniącej zbroi, być dla kogoś ważną osobą, a nie tylko przedmiotem żartów?

John Rebus. Kompletny, cholerny oszust.

Zadzwonił do Calverhouse'a z samochodu, zdając mu pobieżną relację. Claverhouse poradził mu, żeby się tak nie przejmował.

– Dzięki. Od razu czuję się o niebo lepiej – powiedział Rebus. – Słuchaj, kto jest zaopatrzeniowcem Telforda?

– Masz na myśli narkotyki?

– Tak.

– Ba, to jest akurat dżoker w całej tej talii. Telford robi jakieś interesy z Newcastle, ale nie dojdziesz, kto kupuje, a kto sprzedaje.

– A jeśli sprzedaje Telford?

– W takim razie ma kontakty na kontynencie.

– Co mówią w narkotykowym?

– Że nie sprzedaje. Jeżeli bierze towar ze statku, musi go przywieźć z wybrzeża. Bardziej prawdopodobne, że w Newcastle kupuje. Tarawicz ma jakieś kontakty na kontynencie.

– I zaczynasz się zastanawiać, po co mu taki Telford...

– John, zrób coś dobrego dla samego siebie. Wyłącz się choć na pięć minut.

– Wygląda na to, że Colquhoun wsadził głowę w piasek...

– Czy ty słyszałeś, co mówiłem?

– Wkrótce się odezwę.

– Wracasz?

– Można tak to ująć.

Rebus wyłączył komórkę i skupił się na prowadzeniu.

11

- Wypłosz - powiedział Morris Gerald Cafferty zamiast
powitania, kiedy dwaj więzienni strażnicy doprowadzili go do
pokoju widzeń.

Rebus obiecał Cafferty'emu, że wsadzi za kratki Wujka Joe
Toala, gangstera z Glasgow. Nie udało się, pomimo wielu wy-
siłków inspektora. Toal, powołując się na podeszły wiek i drę-
czące go choroby, wciąż był na wolności, podobnie jak zbrodniarze wojenni, którym dawano spokój ze względu na starczą
demencję. Od tamtej pory Cafferty uważał, że Rebus jest mu
coś winien.

Gangster usiadł i przez chwilę rozcierał kark.

- Więc? - spytał.

Rebus dał znak strażnikom, by wyszli. Potem wyjął z kieszeni marynarki piersiówkę z whisky.

- Zatrzymaj ją - powiedział Cafferty. - Sądząc po twoim
wyglądzie, tobie będzie bardziej potrzebna.

Rebus schował butelkę.

- Mam wiadomość z Newcastle.

Cafferty skrzyżował ramiona.

- Jake Tarawicz?

Inspektor pokiwał głową.

- Chce, żebyś dał spokój Telfordowi.

- Co to znaczy?

- No co ty, Cafferty. Ten dziabnięty wykidajło, i diler... Za
moment będziemy tu mieli wojnę.

Cafferty wpatrywał się w detektywa.

- Ja do tego ręki nie przykładałem.

Rebus parsknął, ale niewinny wzrok gangstera sprawił, że
nieomalże mu uwierzył.

- Nie ty, więc kto?
- A skąd ja mam wiedzieć?
- Mniejsza z tym, wojna już trwa.
- Być może. Ale co ma do tego Tarawicz?
- Robi interesy z Tommym.
- I żeby je chronić, wysyła do mnie gliniarza z ostrzeżeniem? - Cafferty potrząsnął z niedowierzaniem głową. - Kupiłeś to?
- Sam nie wiem - odparł Rebus.
- Jest jeden sposób, by to zakończyć - Cafferty zrobił pauzę. - Usunąć Telforda z gry. - Dostrzegł wyraz twarzy Rebusa. - Nie mówię o sprzątnięciu go, ale o wsadzeniu do paki. I to już twoja działka, Wypłoszu.
- Ja tylko dostarczyłem wiadomość.
- A co ty z tego masz? Jakiś interes w Newcastle?
- Być może.
- Jesteś teraz człowiekiem Tarawicza?
- Chyba lepiej mnie znasz.
- Doprawdy? - Cafferty rozsiadł się na krześle i wyprostował nogi. - Czasami się nad tym zastanawiam. Nie żeby mi to nie dawało spać, ale się zastanawiam.
Rebus pochylił się nad stołem.
- Zostałeś odstawiony na boczny tor. Dlaczego nie potrafisz się z tym pogodzić?
Cafferty zaśmiał się. Obaj wyczuwali narastające napięcie.
- Chcesz mnie wysłać na emeryturę?
- Dobry bokser wie, kiedy skończyć z walkami.
- No to żaden z nas nie byłby wiele wart na ringu, czyż nie? Też się wybierasz na emeryturę?
Rebus uśmiechnął się na przekór sobie.
- Tak też myślałem. Czy mam ci coś powiedzieć, żebyś mógł to przekazać Tarawiczowi? - spytał Cafferty.
Rebus potrząsnął głową.
- Nie było takiej umowy.
- Cóż, jeżeli będzie cię wypytywał, powiedz mu, by załatwił sobie ubezpieczenie na życie.
Rebus spojrzał na Cafferty'ego. Więzienie mogło go osłabić, ale tylko fizycznie.
- Byłbym szczęśliwy, gdyby ktoś usunął Telforda z gry -

ciągnął Cafferty. – Wiesz, co mam na myśli? To by wiele dla mnie znaczyło.

Rebus wstał.

– Nie ma mowy – odrzekł. – Chociaż osobiście bym się cieszył, gdybyś kogoś znokautował. Skakałbym z radości w narożniku.

– A wiesz, co się dzieje w narożniku? – Cafferty potarł skronie. – Możesz zostać obryzgany krwią.

– Jak długo to nie jest moja krew...

Cafferty głośno się roześmiał.

– Wypłoszu, przecież ty nie potrafisz stać z boku i obserwować. To nie leży w twojej naturze.

– A ty bawisz się w psychologa?

– Może i nie – odrzekł Cafferty. – Ale wiem, co kręci innych ludzi.

Księga Trzecia

Zasłoń moją twarz, gdy płaczą zwierzęta

Biegł szpitalnym korytarzem, pytając pielęgniarki o drogę. Pot spływał mu po twarzy, na szyi powiewał niedbale zawiązany krawat. Skręcał w lewo, potem w prawo, szukał na ścianach wskazówek. Czyja wina? Ciągle zadawał sobie to pytanie. Nie dotarła do niego wiadomość. Bo był na patrolu. Bo nie miał radia. Bo nie wiedzieli, jak ważna była dla niego ta informacja.

Biegł, odkąd wysiadł z samochodu. Dwa razy po schodach, korytarzem. Miejsce było ciche, jak przystało na środek nocy.

– Porodówka! – krzyknął do mężczyzny pchającego wózek. Ten wskazał na pobliskie drzwi. Rebus przedarł się przez nie i wpadł do boksu, w którym siedziały trzy pielęgniarki. Jedna z nich wyszła do niego.

– W czym mogę pomóc?

– Nazywam się John Rebus. Moja żona...

Spojrzała na niego surowo.

– Trzecie łóżko – wskazała.

Trzecie łóżko, zaciągnięta zasłona. Odciągnął ją. Rhona leżała na boku, z rozpaloną twarzą, z kosmykiem włosów przyklejonym do brwi. Obok niej, wtulone w matkę, spoczywało maleństwo o brązowych włoskach i szeroko otwartych oczkach.

Dotknął noska dziecka, potem uszka. Twarzyczka się zmarszczyła. Pochylił się, by pocałować żonę.

– Rhona... Tak mi przykro. Dostałem wiadomość dopiero dziesięć minut temu. Jak to się...? To znaczy... jest piękny.

– On to ona – poprawiła go żona, odwracając się do niego plecami.

12

Rebus siedział w biurze swojego szefa. Była 9.15 rano, a on poprzedniej nocy spał zaledwie czterdzieści pięć minut. Czuwał w szpitalu, gdzie Sammy miała operację wycięcia jakiegoś skrzepu. Wciąż była nieprzytomna, a jej stan krytyczny. Zadzwonił do Rhony do Londynu. Dał jej swój numer telefonu komórkowego, żeby poinformowała go, jak tylko przyjedzie. Zaczęła pytać, ale głos jej się załamał. Odłożyła słuchawkę. Starał się znaleźć w sobie jakieś uczucie dla niej. Richard i Linda Thompson: *Withered and Died.*

Potem zadzwonił do Mickeya, który obiecał, że wpadnie jeszcze tego samego dnia. I tyle, jeśli chodzi o rodzinę. Mógł zatelefonować do innych ludzi, na przykład do Patience, swojej byłej kochanki, która wynajmowała Sammy mieszkanie. Ale nie zrobił tego. Rano poinformował biuro, w którym pracowała Sammy. Zapisał to sobie, żeby nie zapomnieć. I zadzwonił do mieszkania córki, do Neda Farlowe'a.

Farlowe jako jedyny zadał Rebusowi to pytanie.

– A co z panem? W porządku?

Inspektor rozejrzał się po szpitalnym korytarzu.

– Nie do końca.

– Zaraz tam będę.

Spędzili w swoim towarzystwie kilka godzin, na początku prawie nic nie mówiąc. Farlowe palił papierosy, a Rebus pomógł mu opróżnić paczkę. Nie mógł się mu odwdzięczyć nawet łykiem whisky, gdyż butelka była pusta, ale kupił Nedowi kilka kaw, bo ten wszystkie drobne wydał na taksówkę z Shandon.

– Obudź się, John.

Szef delikatnie potrząsnął jego ramieniem. Rebus zamrugał i wyprostował się w krześle.

– Przepraszam.

Komisarz Watson okrążył biurko i usiadł w fotelu.

– Koszmarna historia z twoją Sammy. Nie wiem, co powiedzieć, z wyjątkiem tego, że się za nią modlę.

– Dziękuję, panie komisarzu.

– Chcesz kawy? – Kawa Farmera miała zdecydowanie złą sławę, ale teraz Rebus przyjął ją z wdzięcznością. – Jak ona się czuje?

– Jest ciągle nieprzytomna.

– Nie wiadomo nic o samochodzie?

– O ile wiem, nie.

– Kto zajmuje się sprawą?

– Dochodzenie zaczął Bill Pryde, ale nie wiem, czy ktoś je przejął.

– Zaraz sprawdzimy.

Farmer rozmawiał przez telefon, a Rebus obserwował, ściskając w ręku kubek z kawą. Komisarz był mężczyzną o imponującej postawie i mocnym głosie. Jego policzki pokrywała siateczka czerwonych żyłek, cienkie włosy zaczesywał bardzo starannie, z równiutkim przedziałkiem pośrodku. Na biurku stały zdjęcia wnuków. Dzieci bawiły się w ogrodzie, w tle widać było huśtawkę. Jedno z nich trzymało misia. Rebus poczuł, jak coś dławi go w gardle.

Farmer odłożył słuchawkę.

– Bill wciąż zajmuje się tą sprawą – oznajmił. – Powiedział, że zrobi wszystko, żeby jak najszybciej złapać drania.

– To miło z jego strony.

– Słuchaj, damy ci znać natychmiast, jak tylko coś znajdziemy, ale teraz może lepiej idź do domu...

– Nie, komisarzu.

– Albo do szpitala.

Rebus pokiwał głową. Tak, do szpitala. Ale za chwilę. Najpierw musi porozmawiać z Billem Prydem.

– Twoje sprawy rozdzielę między innych – Farmer zaczął robić notatki. – Masz Lintza, Telforda... Coś jeszcze?

– Panie komisarzu, wolałbym... to znaczy, chciałbym nadal je prowadzić.

Farmer przez chwilę przyglądał mu się uważnie, obracając w dłoni wieczne pióro.

– Dlaczego?

Rebus wzruszył ramionami.

– Muszę się czymś zająć.

Tak, o to chodziło. I nie życzył sobie, by ktokolwiek brał jego sprawy. One były jego własnością. Należały do niego, a on należał do nich.

– Słuchaj, John, chyba przyda ci się trochę wolnego, prawda?

– Dam sobie radę, komisarzu. – Ich spojrzenia spotkały się. – Proszę.

Kiedy pojawił się w komisariacie, wszyscy składali mu wyrazy współczucia. Tylko Bill Pryde nie ruszył się zza swojego biurka. Wiedział, że Rebus przyjdzie z nim porozmawiać.

– Dzień dobry, Bill.

Pryde skinął głową. Widzieli się już wcześniej w szpitalu, gdzie rozmawiali przez moment na korytarzu, żeby nie obudzić drzemiącego na krześle Neda. Teraz Pryde wyglądał na bardziej zmęczonego. Ciemnozielona, rozpięta przy szyi koszula była pognieciona, jego brązowy garnitur też nie wyglądał najlepiej.

– Dzięki za wzięcie sprawy – powiedział Rebus, przysuwając sobie krzesło. Ale w głębi duszy pomyślał, że wolałby kogoś bardziej rozgarniętego, energiczniejszego.

– Nie ma sprawy.

– Jakieś wieści?

– Kilku świadków. Czekali na światła.

– Co mówią?

Pryde zastanowił się nad odpowiedzią. Wiedział, że rozmawia z gliniarzem i ojcem jednocześnie.

– Sammy przechodziła przez ulicę. Chyba kierowała się w dół Minto Street, może szła na przystanek autobusowy.

Rebus pokręcił głową.

– Nie na przystanek. Szła na Gilmour Road, do przyjaciółki.

Tyle zdążyła powiedzieć, gdy się spotkali na pizzy. Przepraszała, że nie może zostać dłużej. Jedna kawa na koniec spotkania... jedna kawa więcej i nie byłoby tragedii. Gdyby tylko zgodziła się, żeby ją podwiózł... Kiedy patrzysz na życie, dzielisz je na pewne etapy, lecz tak naprawdę to seria połączonych ze sobą momentów i każdy z nich może kompletnie cię odmienić.

135

– Samochód kierował się na południe – ciągnął Pryde. – Przejechał na czerwonym świetle. Tak przynajmniej twierdzi motocyklista, który jechał za nim.

– Myślisz, że był pijany?

Pryde pokiwał głową.

– Raczej tak, sądząc po tym, jak jechał. Może stracił kontrolę nad wozem, ale w takim razie, dlaczego się nie zatrzymał?

– Co to za samochód?

Pryde wzruszył ramionami.

– Ciemny, trochę sportowy. Nikt nie zapamiętał tablicy rejestracyjnej.

– To ruchliwa ulica. Musiały tam być jakieś inne pojazdy.

– Kilka osób się zgłosiło. – Pryde przejrzał notatki. – Pewnie niewiele pomogą, ale oczywiście je przesłuchamy.

– Czy samochód mógł być kradziony? Może dlatego kierowca tak się spieszył.

– Sprawdzę to.

– Pomogę ci.

Pryde popatrzył na Rebusa.

– Jesteś pewien?

– Spróbuj mnie powstrzymać, Bill.

– Nie ma śladów poślizgu – skomentował Pryde. – Nie próbował hamować, ani przed, ani po.

Stali na skrzyżowaniu Minto Street i Newington Road. Osobowe, furgonetki, autobusy – potok zatrzymany na chwilę przez czerwone światło.

To mógł być każdy z was, pomyślał Rebus, patrząc na ludzi przechodzących przez jezdnię. Każdy mógł być na miejscu Sammy...

– Była mniej więcej tam – Pryde wskazał na odcinek jezdni, gdzie zaczynał się pas dla autobusów. Szeroka jezdnia, cztery pasy. Sammy nie przechodziła na światłach, przeszła na skos. Kiedy była mała, uczyli ją, jak ma się zachowywać na ulicy. Zasada Zielonego Światła, i tak dalej. Wbijali jej to codziennie do głowy. Rebus rozejrzał się. Na końcu Minto Street stało kilka domów i hotel, na rogu był bank, sklepy, po drugiej stronie restauracja.

- Restauracja musiała być otwarta, może ktoś coś widział – zastanawiał się na głos Rebus. – Gdzie znaleziono Sammy?

- Na pasie dla autobusów.

A więc przeszła już trzy pasy i tylko kilka metrów dzieliło ją od chodnika...

- Świadkowie twierdzą, że była prawie na chodniku, kiedy w nią uderzył. Myślę, że był pijany, zabrakło mu sekundy na manewr. – Pryde kiwnął głową w kierunku banku. Przed budynkiem stały dwie budki telefoniczne. – Stamtąd zadzwonili po karetkę.

Na ścianie za budkami przyklejono plakat, na którym szczerzył zęby maniak siedzący za kierownicą. Napis głosił: „Tylu pieszych, a tak mało czasu". Gra komputerowa...

- Tak łatwo było ją ominąć... – powiedział cicho Rebus.

- John, dobrze się czujesz? Jesteś w stanie to ciągnąć dalej? Niedaleko stąd jest mała kafejka.

- Wszystko w porządku, Bjll. – Rozejrzał się, biorąc głęboki oddech. – Za tamtym budynkiem są biura, ale wątpię, by ktoś tam wtedy był. Za to nad restauracją i bankiem są mieszkania.

- Chcesz porozmawiać z tymi ludźmi?

- Ja wezmę część z biurami i restauracją, a ty z hotelem i resztą. Spotkajmy się gdzieś za godzinę.

Rebus starał się dotrzeć do wszystkich, którzy mogliby coś wiedzieć. W biurowcu pojawiła się już nowa zmiana, ale udało mu się zdobyć od kierownika telefony pracowników z poprzedniej. Nikt nic nie widział ani nie słyszał. Pierwszą rzeczą, jaką zapamiętali, były światła karetki. Sklep z potrawami na wynos był zamknięty, jednak Rebus dotąd walił pięścią w drzwi, aż pojawiła się kobieta, wycierająca ręce w ścierkę do naczyń. Przyłożył do szyby swoją odznakę i kobieta wpuściła go. Poprzedniego dnia w sklepie było sporo klientów i miała dużo roboty. Nie widziała wypadku, tak to nazwała, „wypadek". Do tej pory Rebus nie zdawał sobie z tego sprawy, dopóki ktoś nie nazwał rzeczy po imieniu. Elvis Costello: *Accidents Will Happen*. Jaki był następny wers? Coś o ucieczce z miejsca wypadku?

Wzrok kobiety mówił sam za siebie. Niemalże pragnęła, by ofiara nie przeżyła wypadku. Byłaby wtedy świetna historia do opowiadania.

- Jest w szpitalu - powiedział, nie mogąc dłużej patrzeć kobiecie w oczy.

- Wiem, ale w gazecie napisali, że jest w śpiączce.

- W jakiej gazecie?

Przyniosła mu poranne wydanie „Evening News". Była tam notka na jednej ze stron: „Ofiara w śpiączce. Kierowca zbiegł z miejsca wypadku".

To nie była śpiączka. Sammy pozostawała nieprzytomna, to wszystko. Lecz Rebus był wdzięczny za ten wycinek prasowy. Może ktoś go przeczyta i przyjdzie z cenną informacją na policję. Może poczucie winy zacznie dręczyć sprawcę. Może w samochodzie był jakiś pasażer... Ciężko jest utrzymać taką sprawę w sekrecie, zawsze ktoś coś komuś powie.

Potem poszedł do restauracji, ale była zamknięta, więc wspiął się po schodach do mieszkań. W pierwszym nikogo nie było. W skrzynce na listy zostawił swoją wizytówkę z krótką informacją, a następnie spisał nazwisko. Jeżeli nie oddzwonią, on to zrobi. Drugie drzwi otworzył młody chłopak, odgarniając z czoła kosmyk czarnych włosów. Nosił okulary à la Buddy Holly, a wokół ust miał blizny po trądziku. Rebus się przedstawił. Chłopak ponownie odgarnął włosy i spojrzał niecierpliwie w głąb mieszkania.

- Mieszkasz tu? - spytał Rebus.

- Tak. Ale nie jestem właścicielem. Wynajmujemy to.

- Czy jeszcze ktoś jest w domu?

- Nie.

- Jesteście studentami?

Młodzieniec pokiwał głową. Rebus zapytał o nazwisko.

- Rob. Rob Renton. O co chodzi?

- Wczoraj zdarzył się tu wypadek, Rob. Sprawca zbiegł.

Tyle razy przekazywał takie informacje dotyczące życia innych. Minęła godzina, odkąd ostatni raz dzwonił do szpitala. W końcu wzięli numer jego komórki i obiecali, że zadzwonią, jeśli tylko stan Sammy ulegnie zmianie. Powiedzieli, że tak będzie łatwiej. Dla nich, nie dla niego.

- Ach, tak - powiedział Renton. - Widziałem.

Rebus pomyślał, że się przesłyszał.

- Widziałeś?

Renton pokiwał głową, a nad jego czołem podskoczyły niesforne loki.

– Z okna pokoju. Akurat zmieniałem płytę i...

– Czy mogę wejść na minutę? Chcę sprawdzić, jaki masz widok z okna.

– Cóż, chyba tak... – w głosie chłopaka słychać było wahanie, więc minął go i poszedł od razu do pokoju.

W pokoju nie było dużego bałaganu. Renton wskazał na półkę z płytami stojącą między dwoma oknami.

– Wkładałem nowy dysk i spojrzałem przez okno. Widać stąd przystanek. Zastanawiałem się, czy zobaczę, jak Jane wysiada z autobusu. – Przerwał. – Jane jest dziewczyną Erika.

Słowa powoli docierały do Rebusa. Patrzył na ulicę i widział Sammy przechodzącą na drugą stronę.

– Opowiedz, co widziałeś.

– Jezdnię przekraczała na skos dziewczyna. Nawet ładna... Tak mi się przynajmniej wydawało. Potem nadjechał ten samochód, skręcił gwałtownie i uderzył w nią.

Rebus na moment zamknął oczy.

– Musiało ją wyrzucić z kilkanaście centymetrów nad ziemię, potem odbiła się od żywopłotu i wylądowała z powrotem na chodniku. I już się nie ruszała.

Rebus otworzył oczy. Stał przy oknie, Renton za nim. W dole ludzie przechodzili przez ulicę, depcząc po miejscu, na którym leżała Sammy, tam gdzie upadła. Strząsali popiół na chodnik, na którym leżało jej ciało.

– Nie widziałeś kierowcy?

– Nie pod tym kątem.

– Jacyś pasażerowie?

– Nie potrafię powiedzieć.

Nosił okulary. Do jakiego stopnia mógł być wiarygodny?

– Kiedy zobaczyłeś, co się stało, nie zszedłeś, żeby pomóc?

– Nie studiuję medycyny – wskazał na farby i na sztalugi stojące w kącie. – Ktoś podbiegł do budki telefonicznej, więc wiedziałem, że pomoc zaraz będzie.

Rebus pokiwał głową.

– Ktoś jeszcze to widział?

– Reszta była w kuchni. – Renton nagle przerwał. – Wiem, co pan myśli. – Rebus w to wątpił. – Myśli pan, że skoro noszę okulary, to nie mogłem widzieć wyraźnie. Ale on na pewno skręcił. No wie pan... specjalnie. Tak jakby celował właśnie w nią. - Pokiwał głową.

– Tak jakby celował?

Renton wykonał gest, jakby trzymał w dłoniach kierownicę, którą skręcił w lewo i natychmiast w prawo.

– Prosto w nią.

– Kierowca nie stracił panowania nad wozem?

– Nie, bo był przygotowany do uderzenia.

– Jakiego koloru był samochód?

– Ciemnozielonego.

– A marka?

Renton wzruszył ramionami.

– Jestem beznadziejny, jeśli chodzi o samochody. Chociaż...

– Co?

Renton zdjął okulary i zaczął je polerować.

– Mogę dla pana narysować ten wóz.

Przesunął sztalugi pod okno i zabrał się do pracy. Rebus wyszedł na korytarz i zadzwonił do szpitala. Osoba, która odebrała, nie wydawała się zdziwiona.

– Obawiam się, że bez zmian. Są u niej dwie osoby z rodziny.

Mickey i Rhona. Rebus rozłączył się i wykręcił numer do Pryde'a.

– Jestem w jednym z mieszkań nad restauracją. Znalazłem świadka.

– Tak?

– Widział całe zdarzenie. A w dodatku jest studentem szkoły artystycznej.

– Tak?

– Pomyśl, Bill. Czy może mam ci to narysować?

Po drugiej stronie zaległa cisza. Nagle Pryde wykrzyknął.

– Aha!

13

Rebus szedł szpitalnym korytarzem, trzymając komórkę przy uchu.

– Joe Herdman zrobił listę – informował Bill Pryde. – Rover 600 w różnych odmianach, nowsze modele mondeo, toyota celica, parę nissanów. I jeszcze bmw piątki, choć średnio mi tu pasują.

– Taa, to nam trochę zawęża pole poszukiwań.

– Joe mówi, że najbardziej prawdopodobne są rover, mondeo i celica. Dodał jeszcze parę szczegółów – chromowane ramy tablicy rejestracyjnej, wiesz, ten styl. Zadzwonię do naszego artysty, zobaczę, czy coś skojarzy.

Przechodząca pielęgniarka spojrzała na Rebusa z naganą.

– Zawiadom mnie, jeśli powie coś więcej. Teraz muszę kończyć, Bill – rzucił i szybko wsunął komórkę do kieszeni.

– Na tym oddziale nie wolno używać telefonu komórkowego – fuknęła.

– Przepraszam, ale mam bardzo pilne...

– Telefony zakłócają pracę aparatury.

Rebus spoważniał.

– Zapomniałem o tym – bąknął i otarł czoło drżącą dłonią.

– Czy dobrze pan się czuje?

– Tak, dziękuję. Więcej tego nie zrobię, obiecuję – powiedział, przyspieszając kroku.

Idąc wyciągnął z kieszeni ksero szkicu Rentona przedstawiającego wypadek. Sierżant Joe Herdman z drogówki wiedział wszystko o samochodach. Już wiele razy jego przypuszczenia, formułowane na podstawie nieprecyzyjnych, często chaotycznych opisów, okazywały się trafne. Rebus, idąc, wpatrywał się w rysunek. Było tam wszystko, oddane z malarską precyzją: budynki w tle, żywopłot, przechodnie. I Sammy, uchwycona w momencie uderzenia, na wpół obrócona ku taranującemu ją samochodowi, z wyciągniętymi rękami, jakby chciała go zatrzymać. Ale Renton narysował, ciągnące się z tyłu auta smugi, jak w komiksie, symbolizujące pęd. W miejscu twarzy zostawił pusty owal. Tył wozu był odtworzony bardzo starannie; przód rozmywał się w perspektywie. Renton narysował wyraźnie tylko to, czego był pewien, i pilnował, aby wyobraźnia nie podsunęła mu obrazu reszty.

Twarz... albo raczej jej brak... to najbardziej nie dawało spokoju Rebusowi. Postawił się w roli obserwatora, usiłując sobie wyobrazić, co najbardziej przyciągnęłoby jego uwagę. Czy skupiłby się na samochodzie i tablicy rejestracyjnej? Czy raczej na Sammy? Co by przeważyło – instynkt policjanta czy ojcowskie uczucia? Ktoś w komisariacie powiedział: „Nie martw się, dorwiemy go". A ktoś inny: „Nie martw się, ona wyjdzie z tego". Jedna sprawa, a dwie perspektywy, dwie osoby: on – czyli sprawca i kara, albo ona – czyli ofiara i ocalenie. Co jest ważniejsze?

– Szkoda, że nie mogłem być świadkiem – powiedział spokojnie do siebie, chowając szkic z powrotem do kieszeni.

Sammy leżała, nadal nieprzytomna, obstawiona aparaturą, taką jaką widział w scenach tylu filmów. Lecz prawdziwa szpitalna sala była o wiele mniej nieskazitelna, z łuszczącą się farbą na ścianach i wypaczonymi ramami okien. Krzesła miały metalowe nogi z gumowymi końcówkami i anatomiczne siedzenia z tworzywa nieokreślonego koloru. Na jego widok kobieta siedząca przy łóżku wstała. Objęli się na przywitanie i pocałował ją w czoło.

– Cześć, Rhona.

– Cześć, John.

Wyglądała na zmęczoną, i nic dziwnego, lecz włosy miała modnie ostrzyżone i ufarbowane na kolor dojrzałego zboża. Ubierała się elegancko i nosiła biżuterię. Popatrzył jej w oczy. Zmieniły kolor. Barwne szkła kontaktowe. Nawet pod tym względem pragnęła się odciąć od przeszłości.

– Boże, Rhono, tak strasznie mi przykro.

Mówił szeptem, nie chcąc przeszkadzać Sammy. Bez sensu! Przecież nade wszystko pragnął, aby się obudziła.

– Co z nią?

– Bez zmian.

Mickey wstał. Trzy krzesła zestawiono w półokrąg przy łóżku. Rhona i jego brat siedzieli po brzegach, zostawiwszy wolne miejsce w środku.

– Pieprzony koszmar – powiedział Mickey niskim głosem. Wyglądał tak samo jak zawsze – osobnik z towarzystwa, który na chwilę wyrwał się z imprezy.

Po tej wymianie powitalnych grzeczności Rebus zajął miejsce przy Sammy. Siniaki i otarcia jeszcze nie znikły z jej twarzy. Jedna noga w gipsie, złamana, ręce obandażowane od góry do dołu. Obok głowy leżał pluszowy miś bez ucha. Rebus uśmiechnął się.

– Przyniosłaś Pa Broona.

– Tak.

– Czy wiedzą już coś o... – popatrzył wymownie na córkę.

– O czym? – Rhona uważała, że trzeba mówić jasno.

– O możliwym uszkodzeniu mózgu? – wyjaśnił.

– Nikt z nami nie rozmawiał – odparła tonem pretensji.

„Celował w nią". Czy ktokolwiek to powiedział? Żaden ze świadków, oprócz Rentona, nie posunął się do podobnego stwierdzenia, lecz żaden nie miał bystrego oka artysty.

– Nikt tu nie przychodził?

– Odkąd siedzę z nią, nikt.

– Przyszedłem przed Rhoną – dodał Mickey. – Nie widziałem żywej duszy.

Tego już było za wiele. Rebus zerwał się i wypadł z pokoju. W drugim końcu korytarza stał lekarz, gawędząc z dwoma pielęgniarkami.

– Do czego to podobne! – wybuchnął Rebus. – Przez całe rano nikt nie zajrzał do mojej córki!

Lekarz był młodym blondynem o krótko ostrzyżonych włosach.

– Robimy, co możemy.

– Czyli co konkretnie?

– Rozumiem, że jest pan...

– Pieprzę cię, synu. Dlaczego wielki człowiek nie czuwał nad nią? Dlaczego leży tu jak... – nie zdołał wydusić więcej ze ściśniętego gardła.

– Pańską córkę oglądało dziś rano dwóch specjalistów – poinformował spokojnie doktor. – Obecnie czekamy na wyniki badań, aby ustalić, czy konieczna będzie ponowna operacja. Wystąpił nieznaczny obrzęk mózgu. Na razie jednak nie pozostaje nam nic innego, jak czekać na wyniki badań. A ich zrobienie wymaga czasu.

Rebus stracił cały impet: nadal był zły, lecz nie było już powodu do złości. W milczeniu skinął głową i zawrócił do sali.

Przekazał treść rozmowy Rhonie. W kącie pod ścianą stała walizka i duży neseser.

– Posłuchaj – powiedział – skoro sprawa zapowiada się na dłużej, zatrzymaj się u mnie. Mieszkam tylko dziesięć minut drogi stąd. Mogę też dać ci swój samochód.

Pokręciła głową.

– Mamy rezerwację w Sheratonie.

– Naprawdę nie przeszkadzałoby mi, gdybyś... – „My"? Rebus zerknął na Mickeya, który siedział ze wzrokiem wbitym w łóżko. Otworzyły się drzwi i wkroczył mężczyzna – niewysoki, korpulentny, o sapiącym oddechu. Pocierał ręce gestem kogoś, kto przed chwilą umył je i sprawdza, czy są suche. Włosy miał czarne, gęste, o oleistym połysku. Na widok Rebusa zatrzymał się.

– John – oznajmiła Rhona – poznaj mojego przyjaciela.

– Jackie Platt – przedstawił się mężczyzna, wyciągając ku niemu miękką dłoń.

– Kiedy Jackie usłyszał, co się stało, przywiózł mnie tutaj.

Platt wzruszył tłustymi ramionami.

– Przecież nie mogłem pozwolić, żeby jechała sama w tym stanie.

– Fakt, to kawał drogi – potwierdził Mickey.

– A po drodze przebudowy – dodał Platt. Rebus napotkał wzrok Rhony; uciekła spojrzeniem w bok.

Zdecydowanie, nie trawił tego gościa. To była postać z zupełnie innej bajki. W każdym razie, w jego scenariuszu nie było roli Platta.

– Wygląda jakby spała, prawda? – powiedział londyńczyk, podchodząc do łóżka i pochylając się nad Sammy. Dotknął jej obandażowanego ramienia, pogłaskał je wierzchem dłoni. Rebus zacisnął pięści w kieszeniach marynarki, aż paznokcie wbiły mu się w dłonie.

144

Platt wyprostował się i ziewnął szeroko.

– Słuchaj, Rhona, to wprawdzie wbrew zasadom dobrego wychowania, ale muszę już iść. Po prostu czuję, że zaraz skonam. Spotkamy się w hotelu, dobrze? – Skinęła głową, z wyraźną ulgą. Platt wziął walizkę i mijając Rhonę, wyciągnął z kieszeni plik banknotów.

– Weź taksówkę, dobrze?

– Dobrze, Jackie. Do zobaczenia.

– Cześć, kochanie – uścisnął jej dłoń. – Trzymaj się, Mickey. Miło było poznać, John. – Fałdy tłustej twarzy na moment rozciągnęły się w uśmiechu. Kiedy zniknął za drzwiami, milczeli jeszcze chwilę. Rhona schowała pieniądze.

– Tylko ani słowa – zaznaczyła.

– Nawet przez myśl mi nie przeszło. – Rebus usiadł przy córce. – „Czuję, że zaraz skonam". Bardzo taktowne w tej sytuacji.

– Daj spokój, Johnny, nie warto. – Tylko Mickey potrafił tak po prostu zagadać do niego, jakby widzieli się wczoraj. Rebus popatrzył na brata i uśmiechnął się. Był zawodowym terapeutą i wiedział, co powiedzieć.

– Po co ci były bagaże? – Rebus zagadnął Rhonę.

– Jak to?

– Skoro miałaś jechać do hotelu, dlaczego nie zostawiłaś ich w jego samochodzie?

– Bo myślałam, że zostanę przy Sam. Powiedzieli, że jest taka możliwość. Ale kiedy ją zobaczyłam... zmieniłam zamiar. – Łzy pociekły jej po policzkach, rozmazując i tak już naruszony makijaż. Mickey podał jej chusteczkę.

– John, a jeśli ona...? O Chryste, czy to musiało się zdarzyć? – Teraz rozpłakała się na dobre. Rebus pochylił się ku niej i zamknął jej dłonie w swoich. – Mamy tylko ją jedną, John. Tylko ją.

– Ona ciągle jest z nami, Rhono. Tutaj.

– Ale dlaczego ona? Dlaczego Samantha?

– Zapytam go o to, kiedy go dopadnę. – Pocałował jej włosy, patrząc na Mickeya. – Przysięgam ci, że go znajdę.

Kiedy zjawił się Ned Farlowe, Rebus poprosił, żeby wyszli na zewnątrz. Mżyło, powietrze było rześkie.

- Jeden ze świadków... - powiedział wolno - ...twierdzi, że to było zamierzone.

- Nie rozumiem.

- Sądzi, że kierowca chciał potrącić Sammy.

- Nadal nie rozumiem.

- Są dwa scenariusze. Pierwszy - chciał rozmyślnie kogoś potrącić, obojętnie kogo. Drugi - jego celem była Sammy. Jechał za nią, nadarzyła się okazja, gdy przekraczała jezdnię, tyle że miał czerwone światła, ale tym się nie przejął. Była już tak blisko krawężnika, że musiał zmienić pas.

- Ale dlaczego?

Rebus popatrzył na młodego mężczyznę.

- Jestem ojcem Sammy, a ty jej chłopakiem. Ze względu na to, co może jeszcze nastąpić, proszę cię, żebyś skończył z reporterskim śledztwem.

Farlowe wytrzymał jego spojrzenie, a potem powoli skinął głową.

- Miałem kilka starć z Tommym Telfordem - powiedział Rebus. Przed oczami stanęły mu dwa pluszowe misie - mały Pa Broon i wielki, którego Telford woził w swoim samochodzie. - To może być sygnał dla mnie.

Telford czy Tarawicz? Rzuć monetą - orzeł czy reszka?

- Albo dla ciebie, jeśli węszyłeś za dużo w sprawie Telforda - dodał.

- Chodziłoby o moją książkę?

- Staram się brać pod uwagę wszystkie warianty. Zajmowałem się sprawą Lintza... i ty też.

- Ktoś chciał nas zniechęcić?

Rebus pomyślał o Abernethym, lecz bez przekonania.

- Pozostaje jeszcze praca Sammy i jej samarytańska działalność. Może to sprawka któregoś z podopiecznych?

- Jezu...

- Czy nie wspominała, że ktoś za nią chodzi? Nikt dziwny, obcy nie kręcił się w okolicy? - Podobne pytania zadawał państwu Drinić, tylko w związku z inną ofiarą.

Farlowe zaprzeczył zdecydowanym ruchem głowy.

- Jeszcze pięć minut temu myślałem, że to był zwykły wypadek. Teraz mówi mi pan, że to było usiłowanie zabójstwa. Jest pan pewien?

- Wierzę temu świadkowi. - Ale pamiętał też, co twierdził Bill Pryde: pijany kierowca, narkoman, szaleniec. A jego, Rebusa, główny świadek, to krótkowidz, który oglądał wypadek z okna na piętrze. Znów wyjął z kieszeni szkic.

- Co to jest?

- Tak on to widział.

- Rozpoznał samochód?

- Rover 600, ford mondeo coś w tym stylu. Ciemnozielony. Kojarzy ci się z czymś?

Ned Farlowe pokręcił głową przecząco.

- Mnie nie, ale spróbuję popytać ludzi.

- Zostaw. Jedno dziecko w śpiączce wystarczy.

Biuro opustoszało, pracownicy poszli już do domów. Został tylko Rebus i szefowa Sammy, Mae Crumley. Palące się na biurkach lampy oświetlały zaniedbane pomieszczenie biura, znajdującego się na czwartym, ostatnim piętrze starej kamienicy przy Palmerston Place. Palmerston Place nie było Rebusowi obce - tu znajdował się kościół, w którym odbywały się spotkania klubu AA. Powinien na nie chodzić. Zdarzało się jeszcze, że czuł na języku smak whisky. Rzadko w dzień, głównie wieczorami. Ale wtedy dzwonił do Jacka Mortona.

Pomieszczenie znajdowało się na poddaszu i tylko na środku można było stać, nie schylając głowy. Resztę przestrzeni zajmowały porozstawiane po kątach biurka.

- Które należało do niej?

Mae Crumley wskazała biurko obok swojego. Stał na nim monitor, samego komputera nie było widać pod stosem pism, wycinków i broszur. Papierzyska piętrzyły się też na krześle i na podłodze wokół biurka.

- Za dużo pracuje - powiedziała Crumley. - Jak my wszyscy.

Rebus pociągnął łyk kawy, którą mu zaparzyła. Całkiem niezłej.

- Kiedy Sammy zgłosiła się do nas, pierwsze, co powiedziała o sobie, to że jej ojciec pracuje w policji kryminalnej. Nie próbowała tego ukryć.

- Nie miała pani w związku z tym zastrzeżeń, przyjmując ją do pracy?

- Absolutnie nie. - Crumley skrzyżowała na piersi silne ra-

147

miona. W ogóle była silną, postawną kobietą. Długie włosy, ognistorude i wijące się niesfornie, związywała czarną aksamitką. Brwi, wyskubane w cienkie łuki, wyginały się nad jasnoszarymi oczami. Ubrana była w prostą sukienkę z niefarbowanego lnu i dżinsową kurtkę. Na jej biurku panował względny porządek, lecz tylko dlatego, że, jak wytłumaczyła Rebusowi, zostawała po pracy dłużej niż inni.

– A ci, których sprawami się zajmowała? Czy ktoś z nich miałby powód, aby ją zaatakować?

– Zaatakować ją czy pana?

– Mnie, poprzez nią.

Zastanowiła się chwilę.

– Aż tak, żeby omal nie przejechać dziewczyny na śmierć? Poważnie wątpię.

– Chciałbym zobaczyć listę osób, którymi się zajmowała.

Ruda kobieta pokręciła głową.

– Proszę zrozumieć, to są sprawy poufne. Poza tym, nie wiem, z kim właściwie rozmawiam – z policjantem czy z ojcem Sammy?

– Podejrzewa pani, że będę jako policjant załatwiał prywatne porachunki?

– A nie?

Rebus odstawił pusty kubek.

– Być może.

– I właśnie dlatego nie powinnam panu tego dawać. – Westchnęła. – Numer jeden na mojej liście życzeń: Sammy zdrowa, znów z nami. Natomiast mogę panu obiecać, inspektorze, że postaram się dyskretnie wybadać sprawę. Sądzę, że więcej powiedzą mnie niż panu.

– Będę wdzięczny. – Rebus wstał. – I dziękuję za kawę.

Po wyjściu sprawdził grafik spotkań AA, który dostał z pobliskiego kościoła. Spotkanie zaczynało się za półtorej godziny. Niedobrze. Czas oczekiwania zapewne spędziłby w pubie. Jack Morton wprowadził go do klubu AA i choć opowieści ludzi na pierwszym spotkaniu zrobiły na nim duże wrażenie, nie miał ochoty przyjść na następne.

– Zrozumcie – tłumaczył grupie jeden z uczestników – miałem problemy z żoną i z dziećmi. Miałem problemy z pracą, z forsą, ze zdrowiem i z czym tylko chcecie. Właściwie nie miałem tylko problemów z piciem, a to dlatego, że byłem pijakiem.

Rebus wypalił papierosa, siedząc w samochodzie, a potem pojechał do domu.

Siedział w fotelu i myślał o Rhonie, o ich małżeństwie. Przez tyle lat tak wiele ich łączyło... a potem te więzi zaczęły się rwać. Przedkładał pracę nad rodzinę, a to był niewybaczalny błąd. Kiedy ostatni raz widział się z Rhoną w Londynie, nosiła swoje nowe życie jak zbroję. Nie uprzedziła go, że częścią tego nowego życia może być ktoś taki jak Jackie Platt.

Zadzwonił telefon.

– Rebus, słucham.

– Tu Bill. – Pryde był niemal podekscytowany, a taki stan osiągał niezwykle rzadko.

– Co masz?

– Rover 600, ciemnozielony, właściciel nazwał to „zielenią Sherwoodu". Skradziony wczoraj, na godzinę przed wypadkiem, z płatnego miejsca parkingowego przy George Street.

– Wnioski?

– Za wcześnie. Właściciel zgłosił kradzież wczoraj o osiemnastej czterdzieści. Jeszcze go nie wezwaliśmy.

– Podaj mi numery.

Pryde przedyktował mu ciąg liter i cyfr. Rebus podziękował i odłożył słuchawkę. Myślał o Dannym Simpsonie, wyrzuconym na chodnik na Fascination Street, mniej więcej w tym czasie, kiedy przejechano Sammy. Przypadek? A może podwójne przesłanie? Dla Telforda i Rebusa. To włączałoby do gry Grubego Gera Cafferty'ego. Zadzwonił do szpitala i powiedziano mu, że stan Sammy nie uległ zmianie. Farlowe był u niej. Pielęgniarka mówiła, że miał przy sobie laptop.

Rebus wspominał, jak Sammy dorastała – w serii oderwanych obrazów. Prawie nie było go wtedy przy niej. Pozostały mu tylko w pamięci krótkie impresje, jak pocięty film, którego nie zmontowano w całość. Próbował nie myśleć o piekle lęku, jakie przeszła, będąc dzieckiem, kiedy została porwana...

Spotykał już w życiu dobrych ludzi czyniących zło i złych czyniących dobro. Pomyślał o Candice, o Tommym Telfordzie, o Różowookim. A przede wszystkim pomyślał o Edynburgu. Zobaczył wielu, wielu ludzi zajętych własnym życiem, i pozdrowił ich. Ludzi znających sprawy i uczucia, których nie będzie mu dane poznać. Jako dziecko uważał, że wie wszystko. Teraz nie był już pewien niczego. Nie znam samego siebie, rozmyślał, jak więc mogę się łudzić, że poznam Sammy? I z każdym rokiem rosło w nim poczucie, że wie i rozumie coraz mniej.

Pomyślał o barze Ox. Zawsze znajdzie się jakiś nałóg. Teraz, gdy wychodził z alkoholowego, nałogowo opijał się colą i kawą. A poza tym pub taki jak Ox był czymś więcej niż tylko miejscem, gdzie można się napić. Był terapią i azylem, sztuką i rozrywką. Zerknął na zegarek. Już dawno powinien tam być. Dwie czy trzy szklaneczki whisky, piwo i będzie mógł czuć się dobrze z samym sobą aż do rana.

Znów zadzwonił telefon.

– Dobry wieczór, John.

Rebus uśmiechnął się i wygodniej umościł w fotelu.

– Jack, ty draniu, gdzie się nauczyłeś czytać w myślach?

14

Późny poranek zastał Rebusa na cmentarzu. Zdążył już wpaść do szpitala i zajrzeć do Sammy – bez zmian. Zawładnęła nim prawdziwa żądza mordu...

– Dzisiaj jest trochę chłodniej, inspektorze – Joseph Lintz sztywno podniósł się z kolan i poprawił okulary, które zsunęły mu się na czubek nosa. Na spodniach miał plamy wilgoci i ciemne smugi ziemi. Wrzucił grackę do białej reklamówki, obok której stał rządek zielonych sadzonek.

– Nie zaszkodzi im przymrozek? – zapytał Rebus.

Lintz wzruszył ramionami.

– Chłód zetnie każdego z nas, ale zanim to się stanie, mamy chwilę, aby zakwitnąć – powiedział sentencjonalnie.

Rebus rozejrzał się wokół. Nie był w nastroju do intelektualnych gierek. Cmentarz Warriston dawniej stanowił dla niego swoistą, pisaną nagrobkami lekcję historii XIX-wiecznego Edynburga. Teraz jednak myślał o nim jako o pomniku postawionym przemijaniu. On i Lintz byli jedynymi żywymi w tym mieście zmarłych. Stary człowiek wyciągnął z kieszeni chusteczkę.

- Ma pan jakieś nowe pytania, inspektorze?
- Niezupełnie.
- A zatem co?
- Prawdę mówiąc, teraz liczą się dla mnie zupełnie inne sprawy.
- Być może cała ta wojenna archeologia zaczęła pana nudzić.
- Nadal nie rozumiem, po co sadzić rośliny przed pierwszymi mrozami?
- Cóż, po nich też wiele nie zasadzę. A w moim wieku... w każdej chwili mogę sam lec w tej ziemi. Dlatego lubię wyobrażać sobie, że nade mną przetrwa parę kwiatków.

Lintz mieszkał w Szkocji prawie pół wieku, a jednak za fasadą miejscowego akcentu majaczyło coś obcego, prawie niedostrzegalne językowe nieścisłości, echa innej wymowy – relikty minionego czasu.

- Więc żadnych pytań dzisiaj? – upewnił się, widocznie nie wierząc słowom Rebusa. – Rzeczywiście, inspektorze, widać, że coś zajmuje pańskie myśli. Może mógłbym w czymś pomóc?
- W jaki sposób?
- Tego nie wiem. Ale przyszedł pan do mnie, choć nie miał pan pytań. Musi istnieć jakiś inny powód.

Zaszeleściły zwiędłe liście. Przez cmentarz biegł pies, węsząc z nosem przy ziemi. Żółty, zapasiony labrador. Lintz obrócił się ku niemu gwałtownie, z dziwnym, niskim pomrukiem. Psy były wrogami.

- Właśnie zastanawiałem się, do czego jest pan zdolny. – Lintz popatrzył na niego, zaskoczony. Pies zwęszył coś, zatrzymał się i zaczął kopać. Lintz schylił się po kamień i cisnął go w zwierzę. Nie trafił. Pojawił się właściciel labradora, chudy młodzieniec o zmierzwionej czuprynie.
- Takie coś trzeba trzymać na smyczy! – wybuchnął Lintz.

– *Jawohl!* – odkrzyknął szyderczo chłopak, trzaskając obcasami i wybuchnął śmiechem. Śmiał się jeszcze, mijając ich.

– Jak widać, stałem się znanym człowiekiem – skomentował Lintz, znów w swoim dawnym wcieleniu filozofa. – Wszystko dzięki prasie. – Popatrzył w niebo i zamrugał, jakby oślepił go blask. – Ludzie przysyłają mi pocztą steki wyzwisk. Pewnego wieczoru ktoś zaparkował samochód przed moim domem... rano rozbili szybę kamieniem. To nie był mój samochód, ale o tym nie wiedzieli. Teraz nikt z sąsiadów tam nie parkuje – to jedyne wolne miejsce na całej ulicy.

Mówił jak bardzo stary człowiek, którym w końcu był. Zmęczony życiem, zrezygnowany.

– Najgorszy rok w moim życiu – mówiąc to, patrzył na pas żyznej, brunatnej ziemi, którą odsłonił, pracowicie wyrywając chwasty. – A będzie jeszcze gorzej, prawda?

Rebus wzruszył ramionami. Czuł zimno ogarniające mu stopy, buty przesiąkły wilgocią. Stał na szerokiej alejce, a Lintz na wzniesieniu. Mimo to był zbyt niski, aby patrzeć na Rebusa z góry. Stary, skurczony wiekiem, bezsilny człowiek. Rebus mógł go obserwować jak jakiś okaz, rozmawiać z nim, pojechać do jego domu i przeglądać te parę ocalałych fotografii z dawnych, lepszych dni.

– Co pan miał przed chwilą na myśli... jak pan to ujął: że zastanawiał się, do czego jestem zdolny, czy coś w tym stylu? – zapytał Lintz.

Rebus spojrzał mu w twarz.

– To już się wyjaśniło, miałem dobry przykład z psem.

– Przykład czego?

– Jak pan się potrafi zachować wobec wroga.

Joseph Lintz się uśmiechnął.

– Przyznaję, inspektorze, nie lubię psów. Ale niech się pan za bardzo nie wgryza w ten wątek. To robota dla dziennikarzy.

– Pańskie życie byłoby łatwiejsze, gdyby nie było psów, czy tak?

– Naturalnie – Lintz wzruszył ramionami.

– Gdyby mnie nie było, pewnie też?

Stary człowiek zmarszczył krzaczaste brwi.

– Jeśli nie pana, to przysłaliby kogoś innego – może jakąś tępą piłę w typie inspektora Abernethy'ego.

– A jak pan sądzi, co on chciał panu powiedzieć?

Lintz zamrugał.

– Szczerze mówiąc, nie wiem. À propos, był u mnie jeszcze ktoś. Niejaki Levy. Odmówiłem rozmowy – to jeden z nielicznych przywilejów, które mi jeszcze pozostały.

Rebus poruszył palcami w butach, na próżno usiłując je rozgrzać.

– Mam córkę. Czy mówiłem panu o tym?

– Chyba nie – Lintz zrobił zakłopotaną minę. – A może mówił pan, ale nie pamiętam.

– Otóż, panie Lintz, przedwczoraj wieczorem ktoś usiłował ją zabić albo co najmniej ciężko poranić. Jest w szpitalu, nadal nieprzytomna. I to jest jedyna sprawa, która mnie teraz interesuje.

– Bardzo panu współczuję. Jak to się...? To znaczy, czemu pan...

– Myślę, że ktoś chciał mi coś przekazać, coś dać do zrozumienia.

Lintz popatrzył na niego szeroko otwartymi oczami.

– I mnie pan posądza o coś takiego? Mój Boże, a ja sądziłem, że się wzajemnie rozumiemy, przynajmniej w pewnym stopniu!

Rebus się zastanawiał. Zastanawiał się, o ile łatwiej jest popełnić czyn, jeśli przedtem dokonało się wielu podobnych. Zastanawiał się, czy łatwo jest odnaleźć w sobie zimną, stalową bezwzględność, by móc zabić niewinnego człowieka... albo wydać rozkaz zabicia. Podstawą był rozkaz. Kilka słów wypowiedzianych do kogoś innego, kto popełni twoją zbrodnię. Może Lintz miał w sobie tę łatwość, która cechowała Josepha Linzsteka.

– Jedno powinien pan wiedzieć – powiedział Rebus. – Groźby mnie nie zastraszą. Przeciwnie.

– Dobrze, że jest pan tak silny. – Rebus usiłował doszukać się ukrytego sensu tych słów. – Miałem już wracać do domu. Czy mogę zaprosić pana na filiżankę herbaty?

Rebus czekał w salonie, aż Lintz przygotuje w kuchni poczęstunek. Skracał sobie czas, oglądając książki stojące na półkach.

– Historia starożytna, inspektorze – powiedział Lintz,

wchodząc z tacą. – To jedno z moich hobby. Pasjonuje mnie styk historii i fikcji. Te dzieła traktują o Babilonie. Jego istnienie jest faktem historycznym, ale co można powiedzieć o wieży Babel?

– Że to tytuł piosenki Eltona Johna? – poddał Rebus.

– Jak zwykle, ucieka pan w żart. Czego się pan właściwie obawia?

Rebus sięgnął po filiżankę.

– Słyszałem o wiszących ogrodach Babilonu – powiedział, odkładając książkę. – Jakie jeszcze ma pan hobby?

– Astrologia, okultyzm, zjawiska paranormalne.

– Czy straszyły pana kiedyś jakieś duchy?

– Nigdy – przyznał Lintz z pewnym rozbawieniem.

– A chciałby pan, żeby straszyły?

– Duchy siedmiuset francuskich chłopów, oczywiście? Nie, inspektorze. Wcale bym nie chciał. Trafiłem na Chaldejczyków i Babilon przez astrologię. Czy słyszał pan o liczbach babilońskich? Otóż...

Lintz starał się skierować rozmowę na wybrany przez siebie temat, lecz Rebus nie miał ochoty na dygresje. Zaczekał, aż starszy pan przerwie, aby upić łyk herbaty.

– Czy usiłował pan zabić moją córkę?

Lintz znieruchomiał na moment filiżanką przy ustach, a potem przełknął głośno.

– Nie, inspektorze – powiedział spokojnie.

Zatem pozostali Telford, Tarawicz i Cafferty. Rebus pomyślał o Telfordzie, który otoczył się swoją Rodziną, a jednak zachciało mu się flirtów z wielkimi gangami. Czym różni się wojna gangów od jakiejkolwiek innej? W każdej są żołnierze i są rozkazy. Trzeba się wykazać albo traci się twarz, jest się tchórzem. Zastrzelić cywila, przejechać przechodnia. Rebus zdał sobie sprawę z tego, że nie pragnie dopaść kierowcy, tylko tego, kto kierował jego działaniami, kto wydał mu rozkaz. Lintz bronił racji młodego porucznika Linzsteka, tłumacząc, że otrzymał rozkaz, w dodatku na wojnie, która redukuje zasady moralne niemal do zera.

– Inspektorze... – dobiegł go głos starego człowieka. – Czy pan sądzi, że jestem Lintzstekiem?

Rebus skinął głową.

– Wiem, że pan nim jest.

Gorzki uśmiech.

– No to niech mnie pan aresztuje.

– Oho, witamy naszego piwosza! – oznajmił radośnie ojciec Conor Leary. – Który uszczupli irlandzkie zapasy boskiego guinnessa. – Urwał i przyjrzał się Rebusowi spod zmrużonych powiek. – Chyba że nadal trwasz w abstynencji?

– Próbuję trwać – mruknął Rebus.

– W takim razie, nie będę cię kusić – uśmiechnął się duchowny. – Znasz mnie, John. Może nie mnie to sądzić, ale kropelka nie uczyni krzywdy duszy.

– Zgoda, lecz kiedy dodasz do jednej kropelki następną, i jeszcze jedną, i jeszcze, to nagle zalewa cię cały wielki, cholerny wodospad i lecisz w dół.

Ojciec Leary odpowiedział gromkim śmiechem.

– Synu, a czyż jako ludzie nie jesteśmy z upadkiem związani od samego początku – w raju? Ale chodź już, chodź.

Ojciec Leary był kapłanem parafii Matki Bożej Nieustającej Pomocy. Poprowadził Rebusa do kuchni na plebanii.

– Dawno cię u nas nie było – powiedział, wyciągając z lodówki puszkę piwa. – Już myślałem, że zapomniałeś o mnie.

– Prowadzisz jeszcze swoją apteczkę? – zapytał Rebus, pokazując na lodówkę. – Miałeś tam różne specyfiki.

Leary machnął ręką.

– Coś ty, w moim wieku człowiek idzie do lekarzy, a oni już wiedzą najlepiej, czym go naszpikować.

Rebus poczuł ciężką dłoń na ramieniu.

– Cholernie mi przykro z powodu Sammy.

– Skąd wiesz?

– Zobaczyłem jej nazwisko w jakimś sensacyjnym tytule. – Ojciec Leary usiadł obok niego przy stole. – Drań potrącił ją i uciekł.

– Potrącił i uciekł – powtórzył jak echo Rebus.

Irlandczyk zmęczonym gestem przeczesał gęstwę siwych włosów. Zbliżał się do siedemdziesiątki, ale wciąż wyglądał krzepko. Puszka piwa ginęła w szerokiej dłoni, a kiedy wlewał płyn do szklanki, czynił to powoli, z namaszczoną uwagą, nie roniąc ani kropli.

– Straszna rzecz. Jest w śpiączce, tak?

- Tak wygląda, ale lekarze jeszcze nie postawili ostatecznej diagnozy. Zrobią to, kiedy dostaną wyniki badań.

- Wiesz, co mówimy na ten temat my, ludzie wiary? Takie zdarzenia są próbą dla wszystkich. Próbą, z której wychodzimy silniejsi. - Korona pianki na jego piwie była idealnie równa. Upił łyk, otarł usta i dodał w zamyśleniu: - Tak mówimy, co nie znaczy, że zawsze tak myślimy.

- Ta próba nie uczyniła mnie silniejszym. Wróciłem do whisky.

- Nikt nie może cię potępić.

- Potem przyjaciel przekonał mnie, że to najłatwiejsze, tchórzliwe wyjście.

- Niech ktoś powie, że nie miał racji! I jak się trzymasz, John?

- Sam nie wiem. - Rebus zamyślił się przez chwilę. - Nie sądzę, aby to był po prostu wypadek. Myślę, że stoi za tym pewien człowiek... Sammy nie jest pierwszą kobietą, którą usiłował zniszczyć. - Popatrzył prosto w oczy kapłana. - Chcę go zabić.

- Ale jeszcze tego nie zrobiłeś?

- Nawet z nim nie rozmawiałem.

- Bo lękasz się tego, co mógłbyś zrobić?

- Albo nie zrobić. - Odezwała się komórka Rebusa. Uśmiechnął się przepraszająco do księdza i wcisnął klawisz.

- John, tu Bill.

- Tak?

- Zielony rover 600. Mamy go.

Samochód był zaparkowany w miejscu niedozwolonym, na ulicy przylegającej do cmentarza Piershill. Za wycieraczką miał bilet parkingowy, datowany na popołudnie poprzedniego dnia. Drzwi od strony kierowcy były otwarte. Samochód był pusty - żadnych drobniaków, map czy kaset. Z radiomagnetofonu zdjęto panel sterujący. W stacyjce nie było kluczyków. Auto odtransportowano na podnośniku.

- Dzwoniłem do Howdenhall - mówił Bill. - Obiecali, że jak najszybciej zdejmą odciski palców.

Rebus uważnie oglądał przód i bok zielonego rovera. Żadnych wgnieceń, nic, co wskazywałoby, że samochód został użyty jako taran przeciwko jego córce.

– Chyba będziemy potrzebowali twojego pozwolenia, John.

– Na co?

– Ktoś powinien iść do szpitala i wziąć odciski Sammy.

Rebus jeszcze raz obejrzał przód wozu i wyjął szkic. Tak, wystawiła rękę. Na karoserii mogły być niewidoczne odciski.

– Jasne – powiedział. – Nie ma problemu. Myślicie, że chodzi o ten samochód?

– Powiemy ci, jak sprawdzą odciski.

– Kradniesz samochód – dywagował Rebus – potem potrącasz nim kogoś i porzucasz auto o parę mil dalej. – Rozejrzał się wokół. – Znacie tę ulicę? – Pryde pokręcił głową. – Ja też jestem tu pierwszy raz.

– Ktoś miejscowy?

– Zastanawiam się, dlaczego tak naprawdę go ukradł?

– Założyć lewe tablice i sprzedać – zasugerował Pryde. – Albo po prostu po to, żeby się przejechać.

– Nie porzuca się takiej bryki.

– Nie, jeśli wszystko jest w porządku. Ale jeśli potrącił kogoś, mógł się wystraszyć i zostawić wóz.

– To po co by jechał tak daleko?

– Może to była nadana kradzież i odprowadzał wóz do dziupli na przedmieściu. Gdyby nie Sammy, jechałby dalej.

– Albo Sammy była celem.

Pryde położył Rebusowi dłoń na ramieniu.

– Poczekaj, co wyniuchają chłopaki, dobrze?

– Nie pasuje ci ta wersja, co?

– Stary, nie dziwię się twoim podejrzeniom, ale opierasz się wyłącznie na zdaniu tego studenta. A przecież byli inni świadkowie, John. Odpytałem ich jeszcze raz i powtórzyli swoje zeznania. Wynika z nich, że kierowca stracił panowanie nad kierownicą, i tyle.

W głosie Pryde'a pobrzmiewała nuta irytacji. Rebus wiedział dlaczego – praca po godzinach.

– Howdenhall da znać jeszcze dzisiaj?

– Obiecali. I zaraz do ciebie zadzwonię, dobra?

– Na komórkę – zaznaczył Rebus. – Będę w terenie. – Jeszcze raz zlustrował wzrokiem otoczenie. – Coś się tu działo ostatnio?

– Nic, tylko dzieciaki. Poprzewracały parę nagrobków.

Rebus przypomniał sobie raporty.

– Żydowskich?

– Najprawdopodobniej.

Dopiero teraz zobaczył na cmentarnej ścianie, w pobliżu bramy, graffiti, które już znał: „Czy nikt nie pomoże?"

Był późny wieczór. Rebus jechał, tym razem nie autostradą M90 do Fife, tylko M8, na zachód, w stronę Glasgow. Wpadł na pół godziny do szpitala, a przedtem spędził półtorej godziny w towarzystwie Rhony i Platta, zaproszony przez nich na kolację w Sheratonie. Z tej okazji ubrał się w świeży garnitur i koszulę. Nie palił i nie pił, jeśli nie liczyć butelki wody mineralnej.

Lekarze zaplanowali dla Sammy nowe badania. Neurolog poprosił oboje rodziców do swojego gabinetu i zrobił im mały wykład. W zależności od wyników, może będą konieczne operacje. Rebus pamiętał słowa doktora piąte przez dziesiąte. Rhona zadała kilka pytań, ale wyjaśnienia tylko zaciemniły im i tak mętny obraz sytuacji.

Spotkanie przy kolacji było bardzo męczące. Okazało się, że Jackie Platt handluje używanymi samochodami. Rebus, pogrążony w swoich ponurych myślach, ledwie słuchał jego wywodów.

– Posłuchaj mojej rady, John, naprawdę warto kupować tylko z ogłoszeń. Wystarczy, że przejrzysz gazetę i zawsze wytypujesz coś ciekawego. Zwłaszcza jak komuś zależy na szybkiej sprzedaży. Można trafić na świetną okazję.

– Szkoda, ale Sammy nie potrzebuje samochodu – powiedział Rebus, chcąc po prostu jak najszybciej przerwać potok wymowy Platta. Nagle zdał sobie sprawę, jak to mogło zabrzmieć, i wtedy usłyszał brzęk widelca, który wypadł z palców Rhony i uderzył o talerz.

Po kolacji odprowadziła go do samochodu i mocno ścisnęła mu dłoń na pożegnanie.

– Znajdź tego drania, John. Chcę spojrzeć mu w twarz. Złap tego, kto nam to zrobił. – Oczy jej płonęły.

Skinął głową. Stonesi. *Just Wanna See His Face*. On też chciał spojrzeć w tę twarz.

Droga M8, koszmar kierowców w godzinach szczytu, z nadejściem wieczoru pustoszała niemal zupełnie. Rebus jechał szybko, słuchając Wishbone Ash. Lada chwila zza horyzontu miały się wyłonić zarysy apartamentowców Easterhouse. Kiedy zadzwoniła komórka, nie od razu usłyszał dzwonek.

– Słucham.

– John? Tu Bill.

– Co dla mnie masz?

– Odciski palców jak złoto, wewnątrz i na zewnątrz. Kilka kompletów. – Zamilkł i Rebus już myślał, że przerwało się połączenie. – Jeden dobry ślad dłoni i palca na przednim błotniku...

– Sammy?

– Tak.

– Więc mamy wóz.

– Zdjęliśmy odciski palców właściciela, więc mogliśmy go wyeliminować. Kiedy to zrobiliśmy...

– I tak nie będziemy mieli czystej sytuacji, Bill. Wóz stał otwarty przy cmentarzu i pewnie ktoś go dokładnie spruł.

– Właściciel mówi, że w wozie było radio. Poza tym sześć kaset, pudełko paracetamolu, kwity za benzynę i atlas drogowy. Więc ktoś spruł ten wóz – nie wiadomo, czy nasz skurwiel, czy inny.

– Ale przynajmniej wiemy, że to ten rover.

– Zadzwonię jutro jeszcze raz do Howdenhall i poproszę o sprawdzenie wszystkich innych odcisków. Poza tym popytam w Piershill, może ktoś coś widział.

– A może między jednym a drugim jednak się prześpisz.

– Dobra, dobra, sam nie jesteś lepszy.

– Ja? Obiecuję ci, że jeszcze dzisiaj przyłożę głowę do poduszki, Bill. Pogadamy jutro.

Przedmieścia Glasgow; kierunek – więzienie Barlinnie.

Zadzwonił z drogi, aby upewnić się, że będą na niego czekali. Dawno minął czas widzeń, ale Rebus poczęstował ich historyjką o pilnym śledztwie w sprawie morderstwa. „Pytania uzupełniające" – tak to nazwał.

– O tej porze?

– Policja okręgu Lothian i Borders. Nasze motto: „Sprawiedliwość nigdy nie śpi", jasne?

Morris Gerald Cafferty pewnie też mało sypiał. Rebus wyobrażał go sobie, jak spędza bezsenne noce na więziennej pryczy, z rękami pod głową, gapiąc się w ciemność. I kombinując, jak zapobiec upadkowi swego imperium, jak zwalczać zagrożenia w osobie Tommy'ego Telforda. Rebus wiedział, że Cafferty zatrudniał prawnika – starego wyjadacza w średnim wieku, z niezłej kancelarii w New Town. Pomyślał o Charlesie Groalu, prawniku Telforda. Groal był młodym pistoletem, tak jak i jego chlebodawca.

Gruby Ger czekał w pokoju widzeń, rozparty swobodnie przy stole.

– Jak miło, dwie wizyty w jednym tygodniu – zagail. – Tylko mi nie mów, że mamy kolejną wiadomość od Polaczka?

Rebus usadowił się naprzeciwko.

– Tarawicz nie jest Polakiem. – Zerknął na strażnika, stojącego u wejścia, i zniżył głos. – Kolejny z chłopaków Telforda dostał manto.

– To przykre.

– Prawie go oskalpowano. Szukasz wojny?

Cafferty przysunął się do stołu i pochylił ku Rebusowi.

– Nie zwykłem odpuszczać pola, kiedy mnie prowokują.

– Moja córka jest w ciężkim stanie. Zabawne, ale miała wypadek niedługo po naszej pogawędce.

– Jak to się stało?

– Potrącił ją i uciekł.

Cafferty spoważniał.

– Nie ruszam niewinnych ludzi.

Owszem, pomyślał Rebus, ale ona nie była zwykłym, Bogu ducha winnym człowiekiem. Własny ojciec ściągnął ją na pole bitwy.

– Przekonaj mnie, że tak jest – powiedział Rebus.

– Czemu miałbym to robić?

– Rozmawialiśmy... Prosiłeś mnie o coś.

– Telford? – Cafferty potrzebował chwili do namysłu. Kiedy znów zwrócił się do Rebusa, niemal wwiercił się w niego wzrokiem. – Zapomniałeś o czymś – powiedział w końcu. – Straciłem syna, pamiętasz? Czy myślisz, że zrobiłbym coś takiego innemu ojcu? Mam wiele na sumieniu, Rebus, ale nie to, wierz mi.

Rebus wytrzymał wzrokowy pojedynek.

– W porządku – powiedział.

– Chcesz, żebym dowiedział się, kto to zrobił?

Rebus powoli skinął głową.

– Taka jest twoja cena?

Słowa Rhony: „Chcę spojrzeć mu w twarz".

– Chcę, żeby mi go dostarczono. Chcę, żebyś zrobił to ty, za wszelką cenę.

Cafferty spokojnym gestem położył dłonie na kolana i wychylił się ku Rebusowi.

– Wiesz, że najprawdopodobniej chodzi o Telforda?

– Tak, jeśli nie ty to zrobiłeś.

– Będziesz go ścigał?

– Znajdę sposób, żeby go dopaść.

Cafferty uśmiechnął się.

– Tylko że twoje sposoby nie są moimi sposobami.

– Możesz dopaść go pierwszy. Ja tylko chcę go mieć żywcem.

– A dopóki go nie dostaniesz, pracujesz dla mnie?

Rebus popatrzył na Cafferty'ego.

– Pracuję dla ciebie – potwierdził.

15

Rano zadzwonili do Rebusa z komisariatu w Leith, zawiadamiając o śmierci Josepha Lintza. Wyglądało to na zabójstwo; denat wisiał na linie, na jednym z drzew cmentarza.

Kiedy Rebus tam dojechał, miejsce zdarzenia było odgrodzone taśmą, a lekarz sądowy zdążył wyrazić opinię, że mało który samobójca czynności mające pozbawić go życia rozpoczyna od zadania sobie silnego ciosu w głowę.

Ciało Josepha Lintza włożono już w plastikowy worek. Zanim zaciągnięto suwak, Rebus zerknął na twarz. Widywał wcześniej martwych starszych ludzi i nie mógł wyjść z podziwu, że ich rysy się wygładzały, młodniały i wyglądali na pogrążonych w spokojnym śnie. Ale Joseph Lintz wyglądał tak, jakby nadal cierpiał i nawet po śmierci nie znalazł wiecznego spokoju.

– Pewnie przyszedłeś nam podziękować – rzucił mężczyzna w granatowym policyjnym płaszczu, zbliżywszy się do Rebusa. Stanął z pochyloną głową, rękami w kieszeniach, kuląc ramiona. Jego szpakowate włosy były gęste, twarde i poskręcane jak druty. Cerę miał niemal żółtą – tyle zostało z intensywnej letniej opalenizny.

– Hej, Bobby – powitał go Rebus.

Bobby Hogan pracował w Leith.

– Wracając do mojej początkowej kwestii, John, chcę...

– Za co miałbym wam dziękować?

Hogan skinął w kierunku ciała.

– Że zabieramy sprawę pana Lintza. Teraz to nasza broszka. Chyba mi nie powiesz, że cieszyło cię grzebanie w tym bagnie?

– Faktycznie, niezbyt.

– Domyślasz się, komu mogło zależeć na jego śmierci?

Rebus wydął policzki, ze świstem wypuszczając powietrze.

– Od czego mam zacząć?

– Na początku wykluczmy to, co zwykle się sądzi. – Hogan przygotował trzy palce do liczenia. – Nie było to samobójstwo i nie wypadek.

– Musiał być jeszcze ktoś.

– Ale kto i dlaczego?

Ekipa śledcza krzątała się intensywnie na miejscu zdarzenia, zabezpieczając ślady. Rebus gestem zaprosił Hogana, aby odszedł z nim na bok. Zapuścili się głębiej w cmentarne alejki, w części, którą Lintz lubił najbardziej, dzikiej i zaniedbanej.

– Byłem z nim tu wczoraj rano – powiedział Rebus. – Nie wiem, czy miał taki stały zwyczaj, ale przychodził tu bardzo często.

– Znaleźliśmy torbę z narzędziami ogrodniczymi.

– Sadził tu rośliny.

– Zatem, jeśli ktoś wiedział, że bywa tu regularnie, mógł zasadzić się na niego?

Rebus przytaknął.

– Dlaczego powieszenie?

– Tak było w Villefranche. Wieszali mężczyzn na rynku.

– Jezu, John – Hogan przystanął. – Wiem, że uwzględniasz jeszcze inne wątki, ale przestań się ich tak uporczywie czepiać!

– Spróbuję.

– Na początek przydałaby się lista podejrzanych.

– Co powiesz na starą kobietę z Francji i żydowskiego historyka, który chodzi o lasce?

– Więcej nie masz?

– Jeszcze ja – skrzywił się Rebus. – Nie dalej jak wczoraj podejrzewałem go o zaaranżowanie zabójstwa mojej córki. – Hogan rzucił mu badawcze spojrzenie. – Nie sądzę, aby to zrobił. – Urwał, myśląc o Sammy. Nadal była nieprzytomna, lecz doktorzy jeszcze nie użyli słowa „śpiączka". – I jeszcze jedno – Sekcja Specjalna, gość o nazwisku Abernethy. On też niedawno rozmawiał z Lintzem.

– Z jakiego tytułu?

– Abernethy koordynuje rozmaite śledztwa w sprawach wojennych. Łebski typ, nie znosi prowadzenia śledztwa zza biurka.

– Tak czy inaczej, trudno uznać go za podejrzanego.

– Robię co mogę, Bobby. Możemy przeczesać dom Lintza i zobaczyć, jakie to pogróżki otrzymywał, pocztą czy mailem. Masz już hipotezę, co się tu właściwie stało?

– Z tego, co nam powiedziałeś, wynika, że przyszedł tutaj jak zwykle, żeby grzebać w swoich rabatkach. Był zresztą ubrany jak ogrodnik. Ktoś już na niego czekał. Ogłuszono go uderzeniem w głowę, pętla na szyję i podciągnięcie na gałąź. Drugi koniec liny uwiązano wokół nagrobka.

– Czy to powieszenie spowodowało śmierć?

– Patolog mówi, że tak. Wylewy w gałkach ocznych, wiesz. Uderzenie w głowę miało go tylko ogłuszyć. A, i jeszcze coś – zadrapania i otarcia na twarzy. Wygląda, jakby ktoś kopał go, kiedy już leżał.

– Ogłuszony, kopnięty w twarz, powieszony.

– Skomplikowane.

Rebus rozejrzał się wokół.

– Czas?

– Ósma, ósma trzydzieści. Wcześnie, bo sądzę, że pan Lintz chciał skopać swoje rabatki za dnia.

– Może jeszcze wcześniej? – zasugerował Rebus. – Umówione spotkanie.

– W takim razie, po co by brał ze sobą narzędzia?

– Po to samo – aby kopać. Szkoda mu było dnia, więc umówił się wcześniej.

Hogan nie wyglądał na przekonanego.

– Jeżeli się z kimś umówił, powinien mieć to zapisane w notesie, w domu – dodał Rebus.

Hogan skinął głową.

– Mój wóz, czy twój?

– Nie zapomnij wziąć jego klucze od domu.

Zaczęli schodzić ze wzgórza ku wyjściu.

– Przeszukiwanie kieszeni denata – mruknął do siebie Hogan. – Dlaczego nie wspominają o tej przyjemności w czasie rekrutacji?

– Byłem tu wczoraj – powiedział Rebus. – Zaprosił mnie na herbatę.

– Miał rodzinę?

– Żadnej.

Hogan rozejrzał się po domu.

– Niezła chałupa. Co stanie się z pieniędzmi, kiedy zostanie sprzedana?

Rebus zerknął na niego spod oka.

– Możemy się podzielić.

– Albo wprowadzić się tu. Dół dla mnie, góra dla ciebie.

Hogan uśmiechnął się, otworzył jedne z drzwi w holu. Za nimi znajdował się gabinet.

– Tu miałbym sypialnię – oznajmił.

– Kiedy tu bywałem, zawsze prowadził mnie na górę. – Rebus wszedł na schody. Przejechał dłonią po lakierowanej poręczy; nie było na niej śladu kurzu. Sprzątaczki są niezastąpionym źródłem informacji.

– Jeśli znajdziesz rachunki – zawołał z góry do Billa – zwróć uwagę na wypłaty dla pani Mopowej.

Na piętrze znajdowało się czworo drzwi. Dwie sypialnie, łazienka. Ostatnie prowadziły do dużego pokoju-pracowni, gdzie Rebus zadawał pytania i wysłuchiwał filozoficznych dywagacji Lintza.

– Czy sądzi pan, inspektorze, że poczucie winy jest w nas zakodowane genetycznie? – zapytał któregoś razu. – A może tylko kulturowo wyuczone?

– Dopóki je mamy, nie ma sensu się zastanawiać – odparł Rebus, a Lintz uśmiechnął się i skinął głową, jakby chwalił prawidłową odpowiedź ucznia.

Pokój był duży, raczej skąpo umeblowany. Wysokie okna ze skrzydłami okiennic, świeżo umyte, wychodziły na ulicę. Ściany zdobiły obrazy i grafiki. Rebus nie potrafił ocenić, czy to cenne oryginały, czy kopie. Nie znał się na sztuce. Jeden obraz mu się spodobał. Przedstawiał siwowłosego starca w łachmanach siedzącego na skale, sterczącej samotnie z jałowej równiny. Starzec trzymał na kolanach księgę, ale spoglądał w niebo, z którego spływała ku niemu jasność, zdjęty podziwem i grozą. Obraz nawiązywał do *Biblii*, lecz Rebus nie potrafił określić, kogo przedstawia. Ale znał ten wyraz twarzy. Widział go u podejrzanych, kiedy w ogniu krzyżowych pytań starannie wypracowane alibi nagle rozsypywało się jak domek z kart.

Nad marmurowym kominkiem królowało wielkie lustro w złoconych ramach. Rebus zobaczył swoje odbicie na tle salonu. Nie pasował tu.

Jedna sypialnia była przeznaczona dla gości, druga – dla Lintza. Lekka woń maści, pół tuzina pojemników z lekarstwami na nocnym stoliku. I książki, całe stosy. Łóżko było starannie zasłane, na kapie leżał szlafrok. Właściciel musiał mieć swoje niespieszne rytuały. Tak było i tego ranka.

Na drugim piętrze Rebus trafił na dwie następne sypialnie i toaletę. W jednym z pokoi unosił się zapach stęchlizny, a sufit miał ciemne plamy. Nie wyglądało na to, aby Lintz miał wielu gości, toteż nie remontował piętra. Dopiero schodząc, Rebus zauważył, że na najwyższym podeście brakuje odcinka barierki. Kawałek, który odpadł, odstawiono pod ścianę. Tak to jest w starym domu, zawsze coś się sypie.

Hogan był na parterze. Drzwi kuchni wychodziły na podwórko z tyłu domu – kamienne patio, trawnik zasypany gnijącymi liśćmi i pokryty bluszczem mur chroniący prywatność.

– Zobacz, co znalazłem – powiedział Hogan. Trzymał w ręku długi odcinek liny, wystrzępiony na końcu tam, gdzie została ucięta.

– Myślisz, że to ta sama, na której został powieszony? Czyżby morderca albo mordercy zabrali ją z domu?

– To by mogło znaczyć, że ich znał.

– Co w gabinecie?

– Sprawdzenie go trochę potrwa. Jest notes z adresami, mnóstwo wpisów, ale głównie stare, wyglądające już na nieaktualne.

– Komputer?

– Nawet nie miał maszyny do pisania! Pisał ręcznie, z kalką. Sporo listów do adwokata.

– Próby uciszenia mediów?

– To też. A na górze?

– Sam zobacz. Ja przejrzę gabinet.

Rebus wszedł do pomieszczenia i zasiadł za biurkiem, usiłując sobie wyobrazić, że gabinet należy do niego. Co miałby robić? Załatwiać codzienną porcję spraw. Obok biurka stały dwie szafki na akta, ale aby do nich sięgnąć, trzeba było wstać. A on jest przecież starym człowiekiem. Zatem w szafkach trzymał jakieś archiwa. Papiery dotyczące bieżących spraw powinien mieć w zasięgu ręki.

Sięgnął do szuflad. Znalazł notes z adresami, o którym wspominał Hogan. Kilka listów. Mała tabakierka, której zawartość zbiła się w twardą masę. Lintz odmawiał sobie nawet tego drobnego nałogu. W dolnej szufladzie ułożono teczki z rachunkami opłat dotyczących nieruchomości. I dużą, brązową kopertę, oznaczoną literami BT. Zawierała rachunki telefoniczne, ułożone kolejno, od początku roku, najświeższe na wierzchu. Rebus z rozczarowaniem stwierdził, że w kilku brakowało strony z wykazem połączeń. Sprawdził, okazało się, że wcześniejsze są kompletne. Lintz był skrupulatny, dopisywał nazwiska do numerów, sprawdzał obliczenia British Telcom, sumując pozycje na marginesie arkusza. Robił tak niemal przez cały rok... aż do ostatniego miesiąca rozliczeniowego. Rebus zmarszczył brwi. Czy Lintz zgubił część wykazów, czy usunął ją rozmyślnie? Nie, ten typ człowieka nie zwykł niczego gubić. Jakikolwiek brak zaburzyłby jego uporządkowany świat. Te papiery musiały gdzieś być.

Ba, tylko gdzie?

Korespondencja Lintza dotyczyła głównie spraw oficjalnych –

kontaktów z prawnikiem, z miejscowymi komitetami i organizacjami dobroczynnymi. Rebus zastanawiał się, czy wywierano presję na tego zamożnego darczyńcę. Możliwe. Edynburg znany był z zimnej bezwzględności w tych sprawach.

– I co? – W drzwiach ukazała się głowa Hogana.

– Zastanawiam się...

– Nad czym?

– Czy szukać jeszcze w kuchni i w zimowym ogrodzie.

– Można. – Hogan wszedł do gabinetu i stanął nad Rebusem, opierając się o biurko. – Coś jeszcze?

– W ostatnich rachunkach telefonicznych nie ma wykazu połączeń.

– Hm, trzeba będzie go zamówić. Ja z kolei znalazłem w sypialni książeczkę czekową. Płacił 60 funtów miesięcznie jakiemuś E. Forganowi.

– Gdzie w sypialni?

– W książce, w roli zakładki. – Hogan nachylił się nad biurkiem, sięgając po notes z adresami.

Rebus wstał.

– Zamożni ludzie zatrudniają różnych pracowników, w domu czy ogrodzie.

Hogan kartkował notes.

– Nie ma tu E. Forgana. Może sąsiedzi będą coś wiedzieć.

– Sąsiedzi w Edynburgu wiedzą wszystko. Tylko przeważnie zachowują tę wiedzę dla siebie.

16

Sąsiedzi Josepha Lintza: z jednej strony artystka i jej mąż, z drugiej – emerytowany adwokat z żoną. Artystka zatrudniała sprzątaczkę, Ellę Forgan. Pani Forgan mieszkała przy East Clermont Street. Dostali jej numer telefonu.

Wnioski z dwóch wywiadów: szok na wieść o śmierci Lintza; wspomnienie spokojnego, miłego sąsiada. Co roku kartka na Boże Narodzenie, tradycyjnie w jedną niedzielę lipca zaproszenie na drinki w ogrodzie. Trudno powiedzieć, kiedy bywał, a kiedy nie bywał w domu. Wyjeżdżał na wakacje, nie mówiąc nic nikomu, poza panią Forgan. Rzadko miewał gości albo niewielu zauważono, co wychodzi na to samo.

– Mężczyźni? Kobiety? – pytał Rebus. – Czy towarzystwo mieszane.

– Raczej mieszane – stwierdziła artystka. – Naprawdę, panie inspektorze, mało o nim wiemy, choć byliśmy sąsiadami od dwudziestu paru lat.

Tak to bywa w Edynburgu, przynajmniej z ludźmi powyżej pewnego poziomu dochodów. Bogactwo jest w tym mieście sprawą absolutnie prywatną. Nie jest demonstracyjne i barwne. Chowa się za szarymi, grubymi murami.

Rebus i Hogan przeprowadzili szybką naradę na ulicy.

– Zadzwonię do tej sprzątaczki i spróbuję z nią porozmawiać, najlepiej tutaj – wskazał gestem dom Lintza.

– Ciekaw jestem, skąd wziął pieniądze na tę posiadłość – powiedział Rebus.

– Trzeba będzie się dowiedzieć, ale to potrwa.

– Zaczynając od jego radcy prawnego. A notes? Warto wyłuskać paru jego najbliższych przyjaciół.

– Tak myślę. – W głosie Hogana nie było entuzjazmu.

– Zajmę się rachunkami telefonicznymi – stwierdził Rebus. – Może coś z tego wyniknie.

– Dobra. I pamiętaj, żebyś na bieżąco przekazywał mi swoje wyniki. Masz coś jeszcze na warsztacie?

– Bobby, jeśli czas to pieniądz, zapożyczę się w całym mieście.

Mae Crumley zadzwoniła na komórkę Rebusa.

– Już myślałam, że pani o mnie zapomniała – powiedział szefowej Sammy.

– Nie, inspektorze. Po prostu pracuję metodycznie. Byłam u Sammy. Co mówią lekarze?

– Na razie nic nowego. Rozmawiała pani z jej podopiecznymi?

– Tak, i wszyscy bez wyjątku byli zaskoczeni, i bardzo zmartwieni wieścią o wypadku. Przykro, że musiałam pana rozczarować.

– Dlaczego rozczarować?

– Sammy ma bardzo dobre kontakty z tymi ludźmi. Żadnemu z nich nie przyszłoby do głowy, żeby jej szkodzić.

– Co z tymi, którzy nie chcieli być pod jej opieką?

Crumley zawahała się.

– Był taki jeden... Kiedy dowiedział się, że ojciec Sammy jest w policji kryminalnej, powiedział, że nie chce mieć z nią nic wspólnego.

– Jak się nazywał?

– Ale on odpada.

– Czemu?

– Ponieważ popełnił samobójstwo. Nazywał się Gavin Tay, zwany panem Taystee. Jeździł furgonetką z lodami.

Rebus podziękował i wyłączył się. Jeśli ktoś usiłował z premedytacją zabić Sammy, pozostało pytanie, dlaczego? Rebus prowadził śledztwo w sprawie Lintza; chodził też za nim Ned Farlowe. Rebus wziął na warsztat Telforda; Ned pisał książkę o zorganizowanej przestępczości. I Candice... Czy mogła coś powiedzieć Sammy – coś, co zagrażałoby interesom Telforda albo nawet Tarawicza?

Nie wiadomo. W każdym razie Tommy Telford mógł stanowić największe zagrożenie. Zapamiętał ich pierwsze spotkanie i słowa, które powiedział do niego młody gangster: „Na tym polega piękno gry. Zawsze można po wypadku zacząć od nowa. W życiu nie bywa już tak prosto". Wtedy to zabrzmiało raczej jak przechwałka, pokaz dla chłopaków. Ale teraz wydało się Rebusowi jawną groźbą.

I najnowszy trop, łączący Sammy z Telfordem – pan Taystee. Pracował dla klubów Telforda i odmówił współpracy z Sammy. Rebus wiedział, że nie obejdzie się bez rozmowy z wdową po panu Taystee.

Jeszcze jeden problem – Tarawicz dał mu do zrozumienia, że jeśli nie zostawi się Telforda w spokoju, Candice może ucierpieć. Fala myśli o Candice: brutalnie wyrwana z domu i z rodzinnej ziemi, rozłączona z synkiem, wykorzystywana i poniżana, żyjąca w strachu przed swoimi panami... Przypomniał sobie słowa Levy'ego: „Czy upływ czasu zwalnia od odpowiedzialności?" Wymierzać sprawiedliwość to rzecz dobra i szlachetna, lecz zemsta... zemsta karmi się o wiele silniejszymi emocjami. Zastanawiał się, czy jego córka pragnęłaby zemsty. Prawdopodobnie nie. Przecież chciała, aby pomógł Candice, wiedząc, że rzuca tym samym wyzwanie Telfordowi. Wątpił, czy postąpiłby tak samo.

A teraz jeszcze śmierć Lintza, nie powiązana bezpośrednio ze sprawą, ale pełna niepokojących znaczeń.

– Myśląc o przeszłości, nigdy nie czuję się szczęśliwy ani choćby spokojny, inspektorze – powiedział pewnego razu Lintz. Zabawne. Rebus miał identyczne odczucie w odniesieniu do teraźniejszości.

Joanne Tay mieszkała w Colinton, w nowiutkim bliźniaku z trzema sypialniami. Na podjeździe stał zaparkowany mercedes.

– Jest dla mnie za duży – wyjaśniła inspektorowi. – Będę musiała go sprzedać.

Nie był pewien, czy chodzi jej o dom, czy o samochód. Podziękował za herbatę i usiadł w przeładowanym ozdobami salonie. Joanne Tay ciągle jeszcze nosiła żałobę – cienie pod oczami pasowały do czarnej spódnicy i bluzki. Rebus zaczął stawiać pytania.

– Nadal nie wiem, czemu to zrobił – powiedziała, najwyraźniej obstając przy samobójczej wersji śmierci męża, choć policyjne raporty stwierdzały coś zupełnie innego.

– Czy słyszała pani kiedykolwiek o Tommym Telfordzie?

– To ten, co prowadzi nocny klub? Gavin raz mnie tam zabrał.

– Więc Gavin znał go?

– Na to wygląda.

Jasne, musiał znać Telforda i mieć jego zgodę; inaczej jego furgonetka z nie postałaby przed klubem nawet minuty. Zaś zgoda Telforda oznaczała taki czy inny haracz. Może procent od utargu, a może... inne przysługi.

– W tygodniu, w którym zmarł... mówiła pani, że mąż był bardzo zajęty?

– Tak, pracował na dwie zmiany.

– Dniem i nocą? Przecież była wtedy fatalna pogoda.

– Wiem, i mówiłam mu, że nikt nie kupi od niego lodów w taki dzień. Ale on i tak tam jeździł.

Rebus poprawił się w krześle.

– Pani Tay, czy mąż wspominał kiedykolwiek o organizacji zajmującej się między innymi resocjalizacją?

– Tak... przychodziła do niego stamtąd jedna kobieta...ruda.

– Mae Crumley?

Przytaknęła, uciekając wzrokiem w stronę kominka ze sztucznym ogniem. Ponownie zaproponowała mu herbatę. Rebus podziękował i zaczął zbierać się do wyjścia.

W szpitalu panowała cisza i spokój. Kiedy otworzył drzwi do pokoju Sammy, zobaczył, że dostawiono drugie łóżko. Leżała na nim kobieta w średnim wieku. Spała, z rękami ułożonymi równo na kocu. Była także podłączona do aparatury i miała obandażowaną głowę.

U wezgłowia Sammy siedziały Rhona i Patience Aitken. Na jego widok przerwały prowadzoną szeptem rozmowę. Przysunął sobie krzesło. Patience pochyliła się ku niemu i ścisnęła go za rękę.

– Cześć, John.

Odpowiedział uśmiechem i zwrócił się do Rhony.

– Jak z nią?

– Specjalista neurolog powiedział, że testy wypadły bardzo dobrze.

– Co to znaczy?

– Że nie zanikła aktywność mózgu i Sammy nie jest w głębokiej śpiączce.

– I co będzie dalej, według niego?

– Uważa, że Sammy wyjdzie z tego, John. – Oczy miała przekrwione z niewyspania. Zauważył, że w dłoni ściska chusteczkę.

– To dobrze. – Teraz, gdy obawa o Sammy zmalała, poczuł się straszliwie zmęczony.

– Na mnie już pora – stwierdziła Patience, zerkając na zegarek. – Wy macie sobie na pewno...

– Zostań, jeśli możesz – poprosił.

– Nie, jestem już spóźniona na spotkanie. – Wstała i sięgnęła po torebkę. – Miło było cię poznać, Rhono.

– Mnie również, Patience. – Dwie kobiety nieco sztywno uścisnęły sobie dłonie, lecz w następnej chwili Rhona wstała, objęły się i dystans zniknął.

- Dzięki, że przyszłaś.

Patience odwróciła się do Rebusa. Pomyślał sobie, że promienieje blaskiem, który zdawał się prześwietlać ją całą. Wyczuł jej ulubione perfumy. Zmieniła fryzurę.

- Dzięki, że wpadłaś.

- Wszystko dobrze się skończy, John. - Ujęła jego dłonie w swoje, pochyliła się ku niemu. Pocałunek w policzek, przyjacielski. Rebus zobaczył, że Rhona ich obserwuje.

- John... odprowadź Patience do wyjścia, dobrze?

- Nie trzeba...

- Tak, oczywiście - przytaknął skwapliwie.

Wyszli z pokoju i pierwsze kilkanaście kroków przebyli w milczeniu. Patience odezwała się pierwsza.

- Jest wspaniała, prawda?

- Rhona?

- Tak.

- Jest niezwykła - powiedział w zamyśleniu. - Widziałaś jej adoratora?

- Wrócił do Londynu. Pytałam... zapytałam Rhonę, czy nie chciałaby pomieszkać u mnie. Wiesz, samotnie, w hotelu...

Rebus posłał jej zmęczony uśmiech.

- Dobry pomysł. Wystarczy, żebyś jeszcze zaprosiła do siebie mojego brata, a będziesz miała rodzinkę w komplecie.

Z zakłopotaniem przygryzła wargi.

- Rzeczywiście wygląda to tak, jakbym chciała zagarnąć was wszystkich.

- Pocieszycielka Rozpaczających Rodzin.

Zastąpiła mu drogę. Stali przy głównym wyjściu ze szpitala. Dotknęła jego ramienia.

- John, naprawdę bardzo ci współczuję z powodu Sammy. Zrobię wszystko, o co poprosisz.

- Dzięki, Patience.

- Tylko że proszenie o cokolwiek nigdy nie było twoją mocną stroną, John. Ty po prostu nic nie mówisz i czekasz, czy coś się wydarzy. - Westchnęła. - Sama nie mogę uwierzyć, że mówię takie rzeczy, ale brak mi ciebie. Chyba dlatego przyszłam do Sammy. Skoro nie mogę być blisko ciebie, chcę być z kimś, kto jest ci bliski. Powiedz, czy to ma sens? A ty mówisz, że nie zasługujesz na mnie.

– Bardzo dobrze to oddałaś. – Odsunął ją nieco od siebie, żeby spojrzeć jej w oczy, a potem przytulił. – Mnie też ciebie brakuje, Patience.

Te wszystkie noce, kiedy kiwał się nad stolikiem w barze albo siedział w domu, w fotelu, gapiąc się w okno; nocne jazdy samochodem przed siebie, którymi karmił swój wieczny niepokój. Włączał i aparaturę hi-fi, i telewizor, a mimo wszystko mieszkanie straszyło go pustką. Próbował czytać książki, ale łapał się na tym, że po kilkunastu stronach i tak nie wie, o co chodzi. Zerkał przez okno na drugą stronę ulicy, na oświetlone albo uśpione okna mieszkań, i zastanawiał się, jak to jest żyć w spokoju.

Przez chwilę trwali, objęci.

– Spóźnisz się – powiedział wreszcie.

– John, zróbmy coś z tym!

– Spotkajmy się?

– Dobre na początek.

– Dzisiaj? U Mario, o ósmej?

Potwierdziła ruchem głowy i pocałowali się. Uścisnął jej dłoń. Wyszła przez obrotowe drzwi, oglądając się na niego.

Emerson, Lake and Palmer: *Still... You Turn Me On*.

Rebus czuł lekki zawrót głowy, wracając do pokoju Sammy. Tylko że nie był to już pokój Sammy. Dzieliła go z inną pacjentką. Uprzedzano ich, że może zaistnieć taka sytuacja – wiadomo, cięcia w służbie zdrowia, brak łóżek, brak personelu... Kobieta nadal spała albo leżała nieprzytomna, oddychając głośno. Rebus zajął miejsce Patience.

– Mam wiadomość dla ciebie – oznajmiła Rhona. – Od doktora Morrisona. Pytał, czy możesz mu oddać koszulkę.

Płomiennooki demon... Rebus wziął z łóżka Pa Broona, obrócił misia w dłoniach. Siedzieli w milczeniu.

– Patience jest naprawdę urocza – odezwała się Rhona.

– Dobrze wam się gadało? – Przytaknęła. – Opowiedziałaś jej, jakim idealnym mężem byłem?

– Chyba nie jesteś tak szalony, żeby bronić się przed związkiem z nią?

– Zdrowie psychiczne nigdy nie było moją mocną stroną.

– Może i nie, ale zwykle umiesz się poznać na tym, co dobre i prawdziwe.

- Owszem. Problem w tym, że nigdy czegoś takiego nie widzę, gdy patrzę na siebie w lustrze.
- A co widzisz?
Popatrzył na nią.
- Czasami nie widzę nic.

Posiedzieli jeszcze trochę przy Sammy, a potem poszli napić się kawy. W korytarzu stał automat.
- Straciłam ją, wiesz? - powiedziała Rhona.
- Kogo?
- Sammy. Straciłam. Jeśli wróci, wróci do ciebie.
- Rzadko się z nią widywałem, nie miałem czasu.
- Ale jej miejsce jest tutaj. Nie rozumiesz? Ona chce ciebie, nie mnie.
Odwróciła się od niego, mnąc w dłoni chusteczkę. Stał za nią, niezdolny powiedzieć słowa. Jakiekolwiek pocieszenie brzmiałoby pusto i schematycznie w tej sytuacji. Dotknął jej karku i zaczął delikatnie masować. Nie protestowała, pochyliła lekko głowę. Uspokajający, kojący dotyk. Na początku ich znajomości wiele było takiego czułego dotyku. Pod koniec nawet nie podawali sobie ręki.
- Nie wiem, Rhono, dlaczego ona wróciła - powiedział wreszcie. - Ale nie sądzę, aby uciekała od ciebie. Nie uważam też, aby miało to coś wspólnego ze mną.
Wyminęły ich dwie pielęgniarki. Ruchy miały szybkie, celowe.
- Pójdę już do niej - Rhona przesunęła dłoń po twarzy, jakby chciała przywrócić ją do normalnego stanu.
Kiedy wrócili do Sammy, pochylił się nad córką i delikatnie ją pocałował. Poczuł na policzku jej leciutki oddech.
- Obudź się, Sammy - powiedział miękko. - Przecież nie będziesz leżała w tym łóżku przez całe życie. Czas wstawać!
Żadnej reakcji, najmniejszego ruchu. Odwrócił się na pięcie i wyszedł z pokoju.

17

Davida Levy'ego nie było już w Edynburgu. A przynajmniej nie było go w hotelu Roxburghe. Rebus uznał, że może się z nim skontaktować tylko w jeden sposób. Sięgnął po telefon, zadzwonił do Tel Awiwu, do Solomona Mayerlinka. Mayerlinka nie było, ale Rebus przedstawił się i prosił o pilny kontakt. Podał swój domowy numer.

– Czy są jakieś nowe informacje w sprawie Linzsteka, inspektorze? – głos Mayerlinka był ostry i chrypliwy.

– Owszem, są. Nie żyje.

Cisza po drugiej stronie linii, powoli wypuszczany oddech.

– Szkoda.

– Tak?

– Ludzie umierają, a z nimi umiera jakiś fragment historii. Wolelibyśmy widzieć go w sądzie, inspektorze. Zmarły jest dla nas bezwartościowy. Jak rozumiem, jego śmierć kończy pańskie śledztwo, inspektorze? – zapytał po chwili milczenia.

– Zmienia jego charakter. Lintz został zamordowany.

Cisza, trzaski na linii.

– Jak?

– Powieszony, na drzewie.

Tym razem cisza trwała dłużej.

– Rozumiem – powiedział wreszcie Mayerlink. Pogłos towarzyszył jego słowom. – Myśli pan, że to postawione mu zarzuty doprowadziły do zabójstwa?

– A pan jak sądzi?

– Nie jestem detektywem.

Kłamiesz, pomyślał Rebus. Właśnie taką rolę sobie wybrałeś w życiu – detektywa historii.

- Muszę porozmawiać z Davidem Levy. Czy wie pan, gdzie on w tej chwili jest?

- Spotkał się z panem?

- Tak.

- Sprawa z Davidem nie jest prosta. Nie pracuje dla naszego biura, tylko działa na własną rękę. Od czasu do czasu proszę go o pomoc. Czasami pomaga, czasem nie.

- Ale musi pan mieć z nim jakiś stały kontakt.

Mayerlink potrzebował całej minuty, aby odnaleźć, co trzeba. Adres w Sussex, numer telefonu.

- Czy Levy jest pana głównym podejrzanym, inspektorze?

- Dlaczego pan pyta?

- Inspektorze, czy naprawdę uważa pan, że David Levy mógłby być mordercą?

Ubranie typu safari, laska.

- Każdy może być mordercą - powiedział Rebus, odkładając słuchawkę.

Wykręcił numer Levy'ego. Nikt nie podnosił słuchawki. Zrobił sobie kawę. Spróbował jeszcze raz. Nic. Zadzwonił do British Telcom, wytłumaczył, o co chodzi i połączono go z właściwym pracownikiem.

- Nazywam się Justine Graham, inspektorze. W czym mogę pomóc?

Rebus podał dane Lintza, wyjaśnił, o co mu chodzi.

- Czy zamówił rachunki z wykazem połączeń, a potem zrezygnował?

Zastukała klawiatura komputera.

- Zgadza się. Klient poprosił o wycofanie tej formy usługi.

- Czy wyjaśnił, dlaczego?

- Klient nie ma obowiązku uzasadniać swojej decyzji.

- Kiedy to było?

- Prawie trzy miesiące temu. Ten typ rachunku prowadziliśmy dla niego od wielu lat.

Trzy miesiące... mniej więcej we wrześniu media ujawniły historię Lintza/Linzsteka i rozhulała się nagonka. I nagle Lintz stwierdził, że nie potrzebuje już wykazu połączeń.

- Czy mogę w takim razie otrzymać billingi pana Lintza, łącznie z najnowszymi połączeniami, aż do dzisiejszego ranka?

- Ten pan zmarł dzisiaj rano?

– Tak.

Namyślała się.

– Cóż, będę musiała sprawdzić.

– Byłbym zobowiązany. Tylko proszę pamiętać, pani Graham, że chodzi o śledztwo w sprawie morderstwa.

– Tak, naturalnie.

– I że pani informacje mogą się okazać rozstrzygające. Czy jest możliwe, abym otrzymał te dane jeszcze dzisiaj?

– Nie obiecuję, ale spróbuję.

– Jeszcze jedno. Zaginął rachunek wrześniowy, chciałbym dostać jego kopię. Podam pani numer mojego faksu, w ten sposób będzie szybciej.

Rebus nagrodził się za postępy w śledztwie kolejną kawą i papierosem, wypalonym na parkingu. Nie wątpił, że pani Graham uczyni co tylko w jej mocy, aby jeszcze dziś otrzymał, o co prosił. Czyż nie oczekujemy takiego poświęcenia od wszystkich?

Kolejny telefon: Wydział Specjalny w Londynie. Poprosił o połączenie z Abernethym.

– Już łączę.

Ktoś podniósł słuchawkę. Mruknięcie w formie potwierdzenia.

– Abernethy? – upewniał się Rebus. Usłyszał odgłos przełykania i głos przemówił wyraźniej.

– Nie ma go tu. W czym mogę pomóc?

– Muszę porozmawiać z nim osobiście.

– Zadzwonię na jego pager, jeśli to pilne.

– Detektyw inspektor Rebus, z okręgu Lothian i Border.

– A, rozumiem. Zgubiłeś go, człowieku, czy co?

– Nie znasz Abernethy'ego? – Rebus starał się, by w jego głosie zabrzmiał ton koleżeńskiego porozumienia.

Prychnięcie.

– Mowa!

– Więc rozumiesz.

– Dobra, daj mi swój numer. Przekażę mu, żeby oddzwonił.

„Zgubiłeś go, czy co?" – to znaczy, że znów tu przyjechał, pomyślał Rebus.

– Założę się, że w biurze jest bez niego spokojniej – rzucił porozumiewawczo.

Śmiech, odgłos zapalanego papierosa.

– Żebyś wiedział, spokój jak na urlopie. Jak go dorwiesz, trzymaj u siebie, jak długo się da.

– To ile czasu obywacie się już bez niego?

Pauza. Cisza gęstniała i Rebus wyczuł zmianę atmosfery.

– Jeszcze raz – jak się nazywasz?

– Detektyw inspektor Rebus. Pytam tylko, kiedy wyjechał z Londynu.

– Dziś rano, podobno wcześnie. Jaką nagrodę dostanę? Brykę czy wieczór z hostessą?

Przyszła kolej Rebusa. Zachichotał.

– Sorry, jeśli byłem wścibski.

– Powiem mu o tym. – Stukot odkładanej słuchawki, ciągły sygnał.

Po południu Rebus wydzwaniał do urzędu telekomunikacji, a potem znów do Levy'ego. Tym razem odezwał się damski głos.

– Halo, czy pani Levy? Nazywam się John Rebus. Czy mógłbym zamienić parę słów z pani mężem?

– Chodzi panu o mojego ojca?

– Przepraszam. Czy ojciec jest w domu?

– Nie, nie ma go.

– Czy wie pani może, kiedy...?

– Nic nie wiem – odparła sztywno. – Ja mu tylko sprzątam i piorę, jakbym nie miała nic lepszego do roboty. – Urwała, nagle zmieszana. – Przepraszam, panie...

– Rebus.

– On po prostu nigdy mi nie mówi, kiedy wróci.

– Teraz też go dłużej nie ma?

– Tak, już prawie dwa tygodnie. Dzwoni tylko kilka razy w tygodniu, żeby zapytać, czy były jakieś telefony i czy przyszła poczta. Jeśli ma dobry dzień, potrafi nawet zapytać, jak się miewam.

– Jak się pani miewa?

Czuł, że się uśmiechnęła.

– Wiem, wiem, marudzę jak własna mamuśka...

– Cóż, ojcowie tacy są... – Rebus zapatrzył się w przestrzeń. – Jeśli mówi im się, że wszystko jest w porządku, są szczęśliwi, że nie muszą się martwić i dalej idą swoją drogą.

– Pan to mówi z doświadczenia?

– Mam go aż nadto.

– Hm... Czy sprawa jest ważna?

– Bardzo.

– W takim razie proszę mi podać swoje namiary; kiedy zadzwoni, powiem mu, żeby się do pana odezwał.

– Dzięki. – Rebus podał jej numery: domowy i komórki.

– Czy mam mu przekazać coś jeszcze?

– Nie, tylko żeby jak najszybciej do mnie zadzwonił. Zaraz... – myślał przez chwilę. – Czy były inne telefony?

– Chodzi panu o to, ilu ludzi jeszcze go szukało? Czemu pan pyta?

– Właściwie... tak sobie zapytałem, bez powodu – bąknął. Nie chciał ujawnić, że jest policjantem, z obawy że ona niepotrzebnie się zdenerwuje. – Nic takiego.

Kiedy odwrócił się od aparatu, ktoś z kolegów podał mu kolejną kawę.

– Słuchawka chyba parzy.

Odruchowo dotknął jej dłonią. Była ciepła. Telefon rozdzwonił mu się pod ręką.

– Tu detektyw Rebus.

– John, to ja, Siobhan.

– O, hej, jak sprawy?

– John, pamiętasz tamtego faceta? – W jej głosie brzmiał ton niepokoju i ostrzeżenia.

– Którego? – Rebus momentalnie stracił humor.

– Danny'ego Simpsona. Tego, którego nieomal oskalpowali; człowiek Telforda.

– Co z nim?

– Dowiedziałam się właśnie, że ma HIV.

Krew Simpsona w oczach Rebusa, w uszach, spływająca mu po szyi...

– Biedak – powiedział spokojnie.

– Powinien powiedzieć o tym wcześniej.

– Kiedy?

– Kiedy wieźliśmy go do szpitala.

– Chyba co innego miał wtedy na głowie.

– John, spoważniej wreszcie! – Mówiła tak głośno, że ludzie z sąsiednich biurek zaczęli nadstawiać ucha. – Musisz zrobić sobie testy.

– Okay, nie ma sprawy. A przy okazji, jak się miewa Danny?

– Jest już w domu, ale ma się kiepsko. I obstaje przy swojej wersji.

– Widzę w tym rękę Telfordowego adwokata.

– Groala? Wyjątkowo śliska kreatura.

– Oszczędzisz sobie na walentynkach dla niego.

– Posłuchaj, dzwoniłam już do szpitala i rozmawiałam z doktor Jones. W każdej chwili możesz zgłosić się na test. I pamiętaj, że wynik będzie dopiero po trzech miesiącach.

– Dzięki, Siobhan.

Rebus odłożył słuchawkę i zabębnił w nią palcami. To byłaby nawet niezła ironia losu! Miał zamiar dorwać Telforda, ale odegrał rolę dobrego Samarytanina wobec jednego z jego ludzi, złapał HIV-a i zejdzie z tego świata. Koniec gry.

Telefon znów zadzwonił. Rebus chwycił słuchawkę.

– Słucham.

– To ty, John? – Patience Aitken.

– Ja i nikt inny.

– Chcę tylko potwierdzić, że dzisiaj jesteśmy umówieni.

– Szczerze mówiąc, Patience, nie jestem w zbyt szampańskim nastroju.

– Chcesz to odwołać?

– Absolutnie nie. Ale mam coś do załatwienia. W szpitalu.

– No tak, oczywiście.

– Nie, nie rozumiesz. Tym razem nie chodzi o Sammy, tylko o mnie.

– Co się stało?

Powiedział jej.

Pojechała z nim do szpitala. Tego samego, w którym leżała Sammy, tylko na inny oddział. Ostatnią osobą, na jaką chciałby się w tym momencie natknąć, była Rhona. Musiałby się jakoś wytłumaczyć, a usłyszawszy o zagrożeniu AIDS, natychmiast zabroniłaby mu dostępu do Sammy.

Poczekalnia była biała i czysta. Na ścianach plakaty, na stoliku ulotki, a we wszystkich wirus w technikolorze.

– Muszę powiedzieć, że całkiem tu przyjemnie, jak na przedsionek kolonii trędowatych.

Patience zbyła to milczeniem. Byli sami w pomieszczeniu.

Wcześniej Rebus zarejestrował się i wpadła na chwilę pielęgniarka, aby uzupełnić dane. Teraz otworzyły się kolejne drzwi.

– Pan Rebus?

Wyglądała z nich wysoka kobieta w białym kitlu, zapewne doktor Jones. Patience położyła dłoń na jego ramieniu. Wstał i zaczął iść w kierunku gabinetu. W połowie drogi nagle zawrócił i szybkim krokiem wyszedł z poczekalni.

Dogoniła go przy wyjściu.

– Co się stało?!

– Nie chcę wiedzieć.

– Ależ John...

– Chodźmy stąd, Patience. Byłem tylko trochę pochlapany krwią, nic takiego.

Nie wyglądała na przekonaną.

– Powinieneś zrobić test.

Obejrzał się za siebie, na szpitalny budynek.

– Dobrze, zrobię – przyspieszył kroku. – Ale nie dziś, dobrze?

Była pierwsza w nocy, gdy wjechał w Ardent Street. Nie był na kolacji z Patience. Zamiast tego poszli do Sammy i siedzieli przy niej razem z Rhoną. Nadal była nieprzytomna, żadnych zmian. Rebus patrzył w przestrzeń, powtarzając w duchu: przywróć ją do życia, a ja nie tknę już alkoholu, tylko przywróć ją do życia...

Zawiózł Patience do domu. Pożegnała go słowami: „Zrób ten test. Im szybciej będziesz miał go z głowy, tym lepiej".

Kiedy zamykał samochód, obok pojawiła się nagle jakaś postać.

– Pan Rebus, kopę lat.

Rozpoznał tę twarz. Szpiczasty podbródek, krzywe zęby, astmatyczny oddech. Łasica – jeden z ludzi Cafferty'ego. Ubrany jak lump; idealny kamuflaż dla jego prawdziwej pozycji. Był oczami i uszami Grubego Gera w mieście.

– Musimy porozmawiać, panie Rebus. – Łasica wbił ręce głęboko w kieszenie za dużego, tweedowego płaszcza i zerknął z nadzieją na drzwi wejściowe.

– Nie u mnie – powiedział stanowczo Rebus. Pewne rzeczy były święte.

– Zimno tutaj.

Rebus pokręcił głową i Łasica z żalem pociągnął nosem.

– Myśli pan, że chciał ją stuknąć? – zaczął.

– Tak myślę.

– Miała zginąć?

– Nie wiem.

– Zawodowiec nie chrzani roboty.

– W takim razie, to miało być ostrzeżenie.

– Przydałyby się nam materiały ze śledztwa.

– Tego nie mogę wam dać.

Łasica wzruszył ramionami.

– Chce pan pomocy od pana Cafferty'ego, czy nie?

– Nie mogę udostępnić protokołów, ale mogę je streścić. Wystarczy.

– Na początek powinno.

– Rover 600, ukradziony tamtego popołudnia z George Street, porzucony przy cmentarzu Piershill. Radio i kasety zabrane, niekoniecznie przez sprawcę.

– Ktoś zwęszył okazję

– Możliwe.

Gangster zastanawiał się chwilę.

– Ostrzeżenie... to by oznaczało zawodowego drajwera.

– Tak – zgodził się Rebus.

– I nie był to żaden z naszych... Rover 600, powiada pan... Jaki kolor?

– Nazywają to zieleń Sherwoodu.

– Zaparkowany przy George Street?

Rebus skinął głową.

– Dzięki za to – odchodząc, Łasica odwrócił się na moment. – Miło znów być z panem w układach, inspektorze.

Rebus pomyślał o ripoście, lecz w porę przypomniał sobie, że potrzebuje Łasicy bardziej niż on jego. Zastanawiał się, ile jeszcze takiego gówna będzie musiał przełknąć... jak długo będzie skazany na układy z Caffertym i jego bandą. Całe życie? Czy zawarł pakt z diabłem?

Dla Sammy zrobiłby jeszcze gorsze rzeczy...

W domu wsunął w kieszeń aparatury *Rock 'n' Roll Circus*, wybierając Stonesów. Na automatycznej sekretarce miał trzy nagrania. Pierwsze: Hogan.

– Halo, John. Chciałem tylko sprawdzić, czy są już informacje z telekomunikacji.

Żadnych, przynajmniej do czasu, kiedy Rebus opuścił komisariat.

Nagranie drugie: Abernethy.

– To znowu ja, cholerny automat pożarł mi monetę. Słyszałem, że mnie szukałeś. Zadzwonię jutro. Cześć.

Rebus wpatrywał się w aparat, zły, że Anglik nie powiedział przynajmniej tego, gdzie go szukać. Trzecie: Pryde.

– John, próbowałem łapać cię w komisariacie, zostawiłem wiadomość. Mamy wreszcie ostateczną ekspertyzę w sprawie odcisków palców. Wiem, że to dla ciebie ważne, więc jak przyjdziesz, zadzwoń do mnie do domu, będę...

Rebus wystukał numer. Druga w nocy, ale liczył na wyrozumiałość.

Po długiej chwili odebrała zaspana kobieta.

– Przepraszam, że panią obudziłem. Czy mogę rozmawiać z Billem?

– Zaraz go poproszę.

Szmer głosów, przekazywanie słuchawki.

– Powiedz, co z tymi odciskami? – zapytał bez wstępów.

– Rany, John, prosiłem żebyś zadzwonił, ale nie o takiej dzikiej porze!

– To ważne, Bill.

– Wiem, wiem. Jak się czuje Sammy?

– Bez zmian.

Pryde stłumił ziewnięcie.

– W każdym razie większość odcisków była wewnątrz i należała do właściciela oraz jego żony. Znaleźliśmy też inne. Problem w tym, że wyglądają, jakby zostawił je jakiś małolat.

– Skąd ta pewność?

– Wielkość.

– Niejeden dorosły ma drobne dłonie.

– Owszem, ale jednak...

– Jesteś sceptyczny.

– Najbardziej prawdopodobne są dwa scenariusze. Pierwszy: jakiś szczyl porwał samochód, żeby się przejechać i przypadkiem potrącił Sammy. Wiem, co myślisz, ale takie rzeczy się zdarzają. Drugi: małe odciski należą do tego, kto przeczesywał porzucony wóz.

– Dzieciak, który zabrał radio i kasety?

183

- Tak.

- Żadnych innych śladów? Nawet zamazanych?

- Powtarzam, wóz był czysty, John.

- Karoseria?

- Trzy komplety na drzwiach plus Sammy na błotniku. - Pryde ziewnął głośno. - Jak z twoją teorią odwetu czy ostrzeżenia?

- Nadal obowiązuje. To musiał być zawodowiec. Tacy zakładają rękawiczki.

- Też o tym pomyślałem. Można sprawdzić. Nie ma ich znowu w tym mieście aż tak wielu.

- Nie ma. - Rebus pomyślał o rozmowie z Łasicą. Aby sprawiedliwości stało się zadość, znów musiał grzebać się w gównie... Niby żadna nowość, ale nigdy dotąd nie musiał tego robić z powodów osobistych.

I nie przypuszczał, że zostanie poddany aż takiej próbie.

18

Śniadanie było w stylu Hogana - kanapki z bekonem w brązowej, papierowej torbie. Zjedli je w pokoju Wydziału Kryminalnego, w komisariacie przy St Leonard's. Hogan potrzebował materiałów od Rebusa, a wiedział, że jeśli sam nie pofatyguje się po nie, nigdy ich nie zobaczy.

- Pomyślałem, że oszczędzę ci kłopotu - powiedział uprzejmie.

- Jesteś prawdziwym dżentelmenem - odparł Rebus, starannie egzaminując wnętrze swojej bułki. - Powiedz mi, czy świnie są gatunkiem ginącym?

- Poczęstowałem się jednym plastrem - Hogan wyciągnął z ust żyłkę tłuszczu i cisnął ją do kosza. - W sumie, wyrządziłem ci przysługę; rozumiesz, cholesterol i te sprawy.

Rebus odłożył kanapkę i pociągnął łyk Irn-Bru, które według Hogana świetnie się nadawało na poranny napój.

– Czego dowiedziałeś się od sprzątaczki?

– Rozpacz w kratkę. Jak tylko usłyszała, że jej pracodawca nie żyje, otworzyły się krany. – Hogan strzepnął mąkę z palców. – Nigdy nie widziała nikogo z jego przyjaciół, nie odbierała telefonów, nie zauważyła, aby się zmienił w ostatnim okresie i do głowy jej nie przyszło, że mógłby być zbrodniarzem wojennym. Cytuję: „Gdyby zabił aż tylu ludzi, na pewno bym o tym wiedziała".

– Co z nią? Może jest psychiczna?

Hogan wzruszył ramionami.

– Cholera wie. Dowiedziałem się tylko, że ma olśniewające referencje. I usłyszałem, że ponieważ pan zapłacił z góry, powinna jeszcze posprzątać.

– No i masz motyw...

Hogan uśmiechnął się.

– Skoro mowa o motywach...

– Masz coś?

– Prawnik Lintza przyniósł nam wyciągi bankowe – wręczył Rebusowi kopię. – Nasz profesor tydzień temu wyjął z konta pięć tysięcy.

– Gotówką?

– Przy nim znaleźliśmy pięć funtów, w domu jeszcze trzydzieści i ani śladu tych pięciu patyków. Coś mi to pachnie szantażem.

Rebus przytaknął ruchem głowy.

– A jego kalendarz?

– Powoli nam idzie. Kupa starych, nieaktualnych numerów ludzi, którzy albo już nie żyją, albo się przeprowadzili. Do tego parę fundacji dobroczynnych, muzea... jedna czy dwie galerie sztuki. – Hogan machnął ręką. – A co u ciebie?

Rebus otworzył szufladę i wyjął faks.

– Dostałem to rano. Billingi, których Linz nie chciał już mieć w domu.

Hogan zerknął na listę.

– Łączył się z jakimiś numerami szczególnie często?

– Wiesz, dopiero zacząłem się w to wgryzać. Na pewno znajdą się osoby, z którymi kontaktował się regularnie. Ale my szukamy także spraw nietypowych.

- Słusznie. – Hogan zerknął na zegarek. – Coś jeszcze, co powinienem wiedzieć?

- Dwie rzeczy. Pamiętasz, jak mówiłem ci o zainteresowaniu Wydziału Specjalnego ta sprawą?

- Abernethy?

Rebus skinął głową.

- Próbowałem się do niego wczoraj dodzwonić.

- Uhm...

- Powiedziano mi, że jedzie do nas. Już usłyszał wieści.

- Ach, więc Abernethy węszy, a ty mu nie ufasz? No, ładnie. A druga sprawa?

- David Levy. Rozmawiałem z jego córką. Nie wie, gdzie jest ojciec. Facet może być wszędzie.

- I żywił urazę do Lintza?

- Możliwe.

- Masz jego numer?

Rebus postukał palcem w teczkę, wieńczącą stertę innych na jego biurku.

- To wszystko jest dla ciebie.

Hogan z ponurą miną popatrzył na stos papierów.

- Zostawiłem tylko to, co najistotniejsze – wyjaśnił uprzejmie Rebus.

- Będę miał na miesiąc czytania!

Rebus rozłożył ręce.

- Moje materiały są twoimi materiałami, Bobby.

Po wyjściu Hogana Rebus wrócił do szczegółowego wykazu połączeń. Wiele razy Lintz dzwonił do prawnika, parę razy zamawiał taksówkę. Rebus wybrał parę numerów na chybił-trafił i dodzwonił się do instytucji charytatywnych: Lintz skontaktował się z nimi, aby z przykrością zawiadomić, że nie będzie ich dłużej wspierał. Kilka połączeń wyróżniało się spośród reszty: Roxburghe Hotel – rozmowa czterominutowa, Uniwersytet Edynburski – dwadzieścia sześć minut. Roxburghe mógł oznaczać Levy'ego. Rebus wiedział, że rozmawiali ze sobą, gdyż powiedział mu to sam Lintz. Jednak bezpośrednia rozmowa, nawet konfrontacja, to jednak coś innego niż telefon do hotelu.

Numer uniwersytetu należał do centrali. Rebus poprosił

o połączenie z wydziałem, na którym kiedyś pracował Lintz. Sekretarka bardzo się starała mu pomóc. Pracowała na uczelni od dwudziestu lat i niedługo miała przejść na emeryturę. Tak, naturalnie pamięta profesora Lintza, lecz od dawna nie kontaktował się z wydziałem.

– W każdym razie, gdyby tu dzwonił, wiedziałabym o tym.

– Mógł dzwonić do kogoś z pracowników na numer bezpośredni – zasugerował Rebus.

– Nikt nie wspominał, aby się odzywał. Zresztą już nie pracuje tu nikt z jego pokolenia.

– I nie utrzymywał żadnych kontaktów z wydziałem?

– Nie rozmawiałam z nim od lat, inspektorze. Nie pamiętam, kiedy był tu ostatni raz.

– W takim razie z kim, do diabła, rozmawiał przez ponad dwadzieścia minut? – mruknął do siebie Rebus, odkładając słuchawkę. Spróbował innych numerów – kilka restauracji, sklep winiarski i lokalna stacja radiowa. Rebus wyjaśnił operatorce w centrali, o co mu chodzi. Obiecała, że zrobi co się da. Jeśli dodzwaniał się do restauracji, prosił o sprawdzenie, czy Lintz dokonywał rezerwacji.

W ciągu pół godziny zaczęto oddzwaniać. Najpierw jeden z lokali: była rezerwacja, kolacja na jedną osobę. Radio: prosili profesora o wzięcie udziału w programie; odpowiedział, że się zastanowi, a potem żadzwonił i odmówił. Drugi lokal: lunch, dwie osoby.

– Dwie?

– Tak, pan Lintz i ktoś jeszcze.

– Czy wiadomo, kto był tą drugą osobą?

– Myślę, że drugi, starszy dżentelmen... ale proszę wybaczyć, nie pamiętam, o tej porze mamy okropny młyn.

– Ale pana Lintza pamięta pan?

– Pan Lintz jest... był naszym stałym klientem.

– Zwykle bywał sam, czy w towarzystwie?

– Przeważnie sam. I raczej mu to nie przeszkadzało. Przynosił ze sobą książkę.

– Czy może przypadkiem pamięta pan kogoś z jego gości?

– Pamiętam młodą kobietę, być może córkę... albo wnuczkę?

– W tym wypadku „młoda" znaczy...?

– Młodsza od niego. – Chwila milczenia. – Nawet dużo młodsza.

– Kiedy to było?

– Naprawdę nie pamiętam – w głosie zabrzmiało zniecierpliwienie.

– Bardzo mi pan już pomógł. Zajmę panu jeszcze tylko chwilkę. Chodzi o tę kobietę... czy był z nią tylko raz?

– Bardzo przepraszam, inspektorze, ale wołają mnie z kuchni.

– Gdyby jednak pan sobie coś przypomniał...

– Tak, oczywiście. Do widzenia.

Rebus odłożył słuchawkę i zrobił parę notatek. Został mu jeszcze tylko jeden numer. Czekał.

– No? – burknął ktoś.

– Z kim mam przyjemność?

– Malky. A ty, kurna, kto?

Z szumiącego tła wybił się głos: „Tommy mówi, że ten nowy fliper jest spieprzony". Rebus powoli odłożył słuchawkę, starając się opanować drżenie dłoni. Nowy fliper... Tommy Telford i jego salon gier automatycznych. I chłopaki. Malky Jordan, nos jak guzik, oczy jak szparki, pyzata gęba. Joseph Lintz dzwoniący do ludzi Telforda? Do biura Telforda? Rebus szybko wybrał numer komórki Hogana.

– Bobby? Jeśli prowadzisz, lepiej zwolnij...

Uwaga Hogana: pięć patoli w gotówce, to podobne do Telforda. Szantaż? Możliwe, ale gdzie hak? Może jeszcze coś innego?

Pomysł Hogana: porozmawiałby z Telfordem.

Uwaga Rebusa: piątka to za dużo, nawet jak za brudną robotę. Z drugiej strony, czy Lintz dałby tyle Telfordowi, żeby zorganizował „wypadek"? Motyw: zagrozić Rebusowi, przestraszyć go? Tak czy inaczej, Lintz został powiązany z Telfordem.

Rebus umówił się na kolejne spotkanie, o którym nikt postronny nie powinien wiedzieć. Stacja Haymarket jest przyjemna i sprzyja anonimowości. Ławka na peronie pierwszym. Ned Farlowe już czekał. Źle wyglądał; martwił się o Sammy. Rozmawiali o niej przez chwilę, a potem Rebus przeszedł do konkretów.

– Wiesz, że Lintz został zamordowany?

– Raczej nie na społeczne żądanie.

– Rozpatrujemy hipotezę szantażu.

Farlowe ożywił się.

– I co, nie zapłacił?

Zapłacił, a jakże, pomyślał Rebus. Zapłacił, a mimo to ktoś wyeliminował go z gry.

– Posłuchaj, Ned, rozmawiamy nieoficjalnie. Właściwie, powinienem cię przesłuchać.

– Bo przez dwa dni go śledziłem?

– Tak.

– I z tego powodu stałem się podejrzanym?

– Stałeś się ewentualnym świadkiem.

Farlowe rozważał to przez chwilę.

– Pewnego popołudnia Lintz wyszedł z domu, udał się do najbliższej budki telefonicznej, zadzwonił gdzieś i wrócił z powrotem.

Nie chciał dzwonić z telefonu domowego... z obawy przed podsłuchem? Bał się namierzenia numeru? Podsłuch telefoniczny – ukochana zabawa Wydziału Specjalnego.

– I jeszcze coś – dodał Farlowe. – Przed swoimi drzwiami spotkał kobietę. Jakby czekała tam na niego. Zamienili parę słów. Wydaje mi się, że płakała, odchodząc.

– Jak wyglądała?

– Wysoka, ciemnowłosa, dobrze ubrana. Z teczką.

– Jak ubrana?

Farlowe wzruszył ramionami.

– Spódnica i marynarka, dobrane... to znaczy kostium. W czarno-białą pepitkę. Po prostu elegancka babka.

Opisywał Kirstin Mede. Jej nagranie na sekretarce telefonu Rebusa: „Więcej tego nie zrobię..."

– Chciałbym o coś zapytać – do Rebusa dotarł głos Farlowe'a. – O tę dziewczynę, Candice.

– Tak?

– Pytał mnie pan, czy przed wypadkiem Sammy zdarzyło się coś niezwykłego.

– Owszem, i co?

– No więc zdarzyło się właśnie to – pojawiła się ta dziewczyna. Kim ona właściwie jest?

– Jedną z dziewczyn pracujących dla Telforda.

Farlowe zerwał się z ławki i zaczął chodzić wielkimi krokami po peronie. Rebus czekał, nic nie mówiąc. Wreszcie Ned usiadł, ale w oczach miał furię.

- Więc ukryłeś dziwkę od Telforda u swojej własnej córki! - Był tak wzburzony, że zapomniał o grzecznościowym „pan".

- Nie miałem wyboru. Telford wie, gdzie mieszkam, i...

- Cynicznie nas wykorzystałeś i... - Farlowe przerwał, uderzony jakąś myślą. - To robota Telforda, tak?

- Nie wiem - odparł szczerze Rebus. Młody człowiek znów zerwał się z ławki. - Posłuchaj, Ned - zaczął uspokajającym tonem - nie chcę, żebyś...

- Szczerze, panie inspektorze, to uważam, że nie ma pan żadnego prawa do udzielania rad - Farlowe odwrócił się i poszedł do wyjścia. I choć Rebus wołał go, ani razu się nie obejrzał.

Kiedy Rebus otworzył drzwi, papierowy samolot śmignął mu koło ucha i wpadł na ścianę. Ormiston siedział przy biurku, opierając nogi o blat, a na kolanach trzymał jakąś teczkę. Ze stojącego na parapecie magnetofonu sączyła się muzyka country. Siobhan Clarke przysunęła krzesło do biurka Claverhouse'a i razem ślęczeli nad jakimś raportem.

- Tylko w serialach policyjnych dużo się dzieje, co, chłopcy? - Rebus podniósł samolocik, wyprostował zdefasonowany dziób i puścił do Ormistona, który zainteresował się w końcu, po co tutaj przyszedł.

- Łącznik, choć nie francuski - wyjaśnił Rebus. - Mój szef chce raportu o postępach dochodzenia.

Ormiston zerknął w stronę Claverhouse'a, który odchylił się na oparcie kręconego fotela, zakładając ręce za głowę.

- Może zgadniesz, jak daleko się posunęliśmy?

Rebus usiadł naprzeciwko Claverhouse'a i skinął głową Siobhan.

- Jak tam Sammy? - zapytała.

- Bez zmian - odparł. Claverhouse sprawiał wrażenie zakłopotanego i Rebus nagle uświadomił sobie, że może „użyć" Sammy, aby coś uzyskać, może grać na ludzkim współczuciu Czemu nie? Czyż już się nią nie posłużył, jak mu to niedawno wypomniał Farlowe?

- Zrezygnowaliśmy z inwigilacji - poinformował go Claverhouse.

- Dlaczego?

Ormiston nabrał powietrza, ale odpowiedział Claverhouse.

– Duże ryzyko, mały zysk.

– Polecenie z góry?

– Nie zapowiadało się na to, że szybko uzyskamy jakieś rezultaty.

– Więc teraz Telford może robić co chce?

Claverhouse wzruszył ramionami. Rebus zastanawiał się, czy wieści dotarły już do Newcastle. Jake Tarawicz będzie zadowolony. Pomyśli, że Rebus dopełnił zobowiązania. Candice będzie bezpieczna. Oby tak się stało.

– Co nowego w sprawie morderstwa w nocnym klubie?

– Nic, co można by powiązać z twoim kumplem Caffertym.

– On nie jest moim kumplem.

– Jak go zwał, tak zwał. Ormie, idź zrobić herbatę.

Ormiston zerknął na Siobhan Clarke, po czym podniósł się ociężale. Rebus pomyślał, że pewne napięcie, wyczuwalne w tym zespole, ma w gruncie rzeczy niewiele wspólnego z Telfordem. Oto obrazek: Claverhouse i Clarke pracują razem, mocno zaangażowani w śledztwo. Ormiston trochę z boku, dziecko, puszczające papierowe samolociki, pragnące zwrócić uwagę starszych. Stary Status Quo i piosenka *Paper Plane*. Tu dotychczasowe status quo zostało naruszone: Clarke zdominowała Ormistona. Młody dostał zadanie parzenia herbatki.

– Słyszałem, że Herr Lintz trochę sobie potańczył – rzucił Claverhouse.

– Przedni dowcip, naprawdę. Długo go wymyślałeś?

Zadźwięczał pager Rebusa. Wyświetlił się numer. Oddzwonił. To musiała być budka przy ruchliwej ulicy. Jednostajny szum, dźwięki klaksonów, nawet sygnał karetki.

– Inspektor Rebus? – Od razu poznał głos: Łasica.

– O co chodzi?

– Mam kilka pytań. Radiomagnetofon z tego wozu... jakiej był marki?

– Sony.

– Zdejmowalny panel przedni?

– Tak.

– A kasety? Te, które skradziono.

- Opera – *Wesele Figara* Mozarta i *Makbet* Verdiego. – Rebus zacisnął powieki, usiłując sobie przypomnieć. – I jeszcze kaseta z muzyką filmową, same słynne tematy oraz *Greatest Hits* Roya Orbisona.

Rebus domyślał się, co chodzi po głowie Łasicy. Ktokolwiek ukradł radio i kasety, będzie próbował je spylić w pubach albo na sąsiedzkich wyprzedażach. Te weekendowe handelki, które ludzie uprawiali na podjazdach garaży albo na wyznaczonych placach, sprzedając graty prosto z bagażnika samochodu, były świetną okazją, aby pozbyć się lewych fantów pod pozorem domowych porządków. Z drugiej strony, namierzenie złodziejaszka wcale nie oznaczało, że złapie się kierowcę. Chyba że dzieciak – ten, który kradł, którego odciski znaleziono w wozie – zobaczył przedtem człowieka, który prowadził.

Naoczny świadek, bezcenny świadek; ktoś, kto potrafiłby opisać kierowcę.

– Jedyne odciski, które znaleźliśmy, były małe, jakby dziecka.

– Interesujące.

– Dzwoń, jeśli będziesz czegoś potrzebował.

Łasica rozłączył się.

– Sony to dobra marka – zauważył Claverhouse.

– Chodzi o sprzęt ukradziony z wozu, który potrącił Sammy – wyjaśnił Rebus.

Ormiston przyniósł herbatę. Rebus wyszedł z pokoju, żeby znaleźć gdzieś wolne krzesło, i zobaczył na korytarzu sylwetkę mężczyzny zmierzającego do wyjścia. Dopadł go i chwycił za ramię.

Abernethy obrócił się gwałtownie, gotów do obrony, ale odprężył się, zobaczywszy Rebusa.

– Niezły masz chwyt, synu. Pewnie będę miał siniaki. – Żuł gumę, rytmicznie poruszając szczęką.

– Co ty tu robisz?

– Byłem z wizytą. A ty?

– Pracuję.

Abernethy spojrzał na napis nad drzwiami pokoju, jakby widział go pierwszy raz. „Brygada Kryminalna" przeczytał. Kiedy wszedł tam za Rebusem, sprawiał wrażenie rozbawionego.

– Abernethy, Wydział Specjalny – przedstawił się. – Muzyka

to całkiem dobry pomysł; należy puszczać ją w trakcie przesłuchań, aby zatrzymany wiedział, co traci – skomentował z uśmiechem. Upił łyk herbaty z kubka Rebusa, odstawionego na biurko, i wrócił do żucia gumy. Trójka oficerów zastygła na jego widok jak żywy obraz.

– Nad czym pracujecie? Nikt mi nie odpowie? Czyżby ktoś pomylił tabliczki? To raczej Brygada Mimów.

– W czym możemy panu pomóc, inspektorze? – zapytał Claverhouse niskim, wrogim głosem.

– Właściwie nie wiem. John mnie tutaj wciągnął.

– I już cię wyciągam – powiedział Rebus, znów ujmując go za ramię. Abernethy wysunął się spod jego dłoni. – Tylko słówko na korytarzu... proszę.

Anglik uśmiechnął się.

– Maniery czynią człowieka, John.

– A ciebie co?

Abernethy zwolna obrócił się ku Siobhan, która wypowiedziała te słowa.

– Jestem normalnym facetem o złotym sercu i możliwościach mierzących dobre dwadzieścia dziewięć centymetrów – wyjaśnił, szczerząc się do niej w uśmiechu.

– Co, jak się domyślam, odpowiada dwudziestu dziewięciu punktom twojego IQ – podsumowała, ponownie wsadzając nos w papiery. Ormiston i Claverhouse nawet nie próbowali tłumić szatańskiego chichotu, gdy as Wydziału Specjalnego wybiegł z pokoju. Rebus odczekał sekundę i wyszedł za nim.

– Co za dziwka! – warknął Abernethy, wielkimi krokami zmierzając do wyjścia.

– Przyjaźnimy się.

– Moi przyjaciele świadczą o mnie...

– Czemu tu wróciłeś?

– Musisz pytać?

– Lintz nie żyje. Dla ciebie sprawa powinna być zamknięta.

Wyszli na ulicę.

– I co?

– Dlaczego wróciłeś? – naciskał Rebus. – Nie można było tego załatwić z pomocą telefonu czy faksu?

Abernethy zatrzymał się i obrócił ku niemu.

– Niezamknięte wątki.

- Jakie wątki?

- Nieważne, nie ma żadnych. - Anglik powiedział to bez uśmiechu, wyjmując z kieszeni kluczyki. Pisnął pilot i szczęknęła blokada alarmu.

- Co jest grane, Abernethy?

- Nic, nad czym musiałaby się trudzić twoja piękna główka.

- Jesteś zadowolony, że on nie żyje?

- Co takiego?

- Lintz. Co poczułeś, kiedy go zamordowano?

- Nic. Nie żyje, co dla mnie znaczy, że mogę go skreślić z mojej listy. I tyle.

- Poprzednim razem przyjechałeś tu, żeby z nim porozmawiać i ostrzegałeś go.

- Nieprawda.

- Czy jego telefon był na podsłuchu? Wiedziałeś, co mu grozi?

Abernethy z irytacją popatrzył na Rebusa.

- Co cię napadło? Powiedziałem ci: nic nie jest grane. Kryminalni z Leith prowadzą sprawę tego zabójstwa i nic ci do niego. Koniec, kropka.

- Czy chodzi o Rat Line? Ujawnienie tego oznaczałoby poważne kłopoty?

- Chryste, chłopie, odbiło ci? Daj sobie wreszcie spokój z tą sprawą. - Abernethy wsiadł, zatrzasnął drzwi i uruchomił silnik. Rebus stał blisko samochodu, bez ruchu. Anglik opuścił szybę. Rebus tylko na to czekał.

- Kazali ci jechać tyle kilometrów z Londynu tylko po to, żebyś sprawdził, czy są jeszcze jakieś niezamknięte wątki.

- Więc?

- Więc nadal pozostał całkiem poważny niezamknięty wątek, prawda? Chyba że... - Rebus zawiesił głos - ...wiesz, kto jest zabójcą Lintza.

- To zostawiam już waszym chłopcom.

- Jedziesz do Leith?

- Muszę pogadać z Hoganem. - Abernethy popatrzył przeciągle na Rebusa. - Twardy z ciebie drań, nie ma co. A do tego egoistyczny.

- Nie rozumiem...

- Gdybym miał córkę w szpitalu, policyjna robota byłaby ostatnią rzeczą, o jakiej bym myślał.

Abernethy zwiększył obroty i ruszył w samą porę, inaczej Rebus dosięgnąłby go przez okno. Z tyłu rozległy się kroki: Siobhan.

– Krzyżyk na drogę! – zachichotała. Z okna samochodu wychyliła się dłoń z prowokacyjnie odstawionym palcem. Odpowiedziała równie nieprzyzwoitym gestem. – W pokoju nie chciałam o tym mówić, ale czy... – zaczęła.

– Wczoraj zrobiłem test – skłamał.

– Będzie negatywny.

– Ty jesteś pozytywna?

Jej uśmiech trwał nieco dłużej, niż zasługiwał na to dowcip.

– Ormiston wylał twoją herbatę i powiedział, że musi wyparzyć kubek.

– Abernethy tak działa na ludzi – Rebus frasobliwie pokiwał głową. – Ormiston i Claverhouse od razu zwarli szereg.

– Wiem. À propos, myślę, że Claverhouse ma coś do mnie. Może mu przejdzie, ale na razie...

– W takim razie uważaj. – Zawrócili w stronę budynku. – Nie pozwól mu się zwabić do schowka na szczotki.

19

Rebus wrócił na St Leonard's, stwierdził, że świetnie sobie radzą bez niego, więc pojechał do szpitala, zabierając z sobą reklamówkę z koszulką doktora Morrisona. W sali Sammy postawiono trzecie łóżko. Leżała na nim starsza kobieta, przytomna, lecz wpatrzona nieruchomym spojrzeniem w sufit. Rhona siedziała u wezgłowia córki, czytając książkę.

Rebus pogładził Sammy po policzku.

– Jak z nią?

– Bez zmian.

– Będą robić jeszcze jakieś badania?

- O ile wiem, na razie nie.

Przysunął sobie krzesło i usiadł. Czuwanie przy łóżku stało się już rytuałem, z którym czuł się niemal... by to określić, najchętniej użyłby słowa „wygodnie". Lekko ścisnął dłoń Rhony, posiedział jakieś pół godziny, odzywając się tylko sporadycznie, po czym wyszedł. Zamierzał spotkać się z Kirstin Mede.

Zastał ją przy poprawianiu tekstów. Siedziała pod oknem, za wielkim biurkiem, lecz kiedy wszedł, poprosiła go do stolika dla gości.

- Dostałem twoją wiadomość - zaczął.
- To już nie ma znaczenia. On nie żyje.
- Wiem, że rozmawiałaś z nim, Kirstin.
- Nie rozumiem - popatrzyła na niego.
- Czekałaś na niego przed domem. Miło wam się rozmawiało?

Rumieniec wypłynął na jej policzki.

- Tak - powiedziała po chwili. - Poszłam do jego domu.
- Po co?
- Bo chciałam go zobaczyć z bliska. - Teraz patrzyła mu w oczy, wyzywająco. - Pomyślałam, że odgadnę coś z jego twarzy... z wyrazu oczu, może z tonu głosu.
- Udało się?

Pokręciła głową.

- Nic, żadnego cholernego przebłysku. Żadnego okna duszy.
- Co mu powiedziałaś?
- Że wiem, kim był.
- Żadnej reakcji?
- Tylko jedna. Powiedział, cytuję: „Droga pani, niech się pani łaskawie ode mnie odpieprzy".
- A ty?
- Zrobiłam, o co prosił. Bo patrząc na niego, wiedziałam jedno. Nie to, czy naprawdę jest Linzstekiem. Coś innego.
- Co?
- Że znajduje się na granicy wytrzymałości psychicznej. Po prostu jest w punkcie krytycznym. - Znów popatrzyła Rebusowi w oczy. - Zdolny do wszystkiego.

Problem z obstawieniem Fleet Street polegał na tym, że nie było gdzie się skryć. Rebus postanowił przyjrzeć się polu działania.

Budynek mieszkalny, stojący naprzeciwko salonu gier Telforda, miał tylko jedno wejście. Było zamknięte, więc Rebus nacisnął guzik domofonu na chybił-trafił, tam gdzie widniało nazwisko Hetherington.

– Słucham, kto tam?

– Pani Hetherington? Tu detektyw inspektor Rebus, oficer z pani komisariatu rejonowego. Czy możemy porozmawiać o zabezpieczeniu mieszkań? W okolicy było ostatnio szereg włamań, zwłaszcza do starszych ludzi.

– Dzięki za troskę, panie inspektorze, proszę wejść. Pierwsze piętro.

Rozległ się brzęczyk i Rebus pchnął drzwi.

Pani Hetherington czekała na niego w progu. Drobna i krucha, ale ruchy miała żywe, a oczy patrzyły bystro. Mieszkanie było niewielkie, porządnie utrzymane. W salonie żarzyła się podwójna spirala piecyka elektrycznego. Rebus podszedł do okna i popatrzył prosto na wejście do salonu gier. Idealne miejsce do inwigilacji. Pomacał framugę.

– Wygląda solidnie. Zawsze trzyma pani okna zamknięte?

– Uchylam trochę w lecie i oczywiście wtedy, kiedy trzeba je umyć. Ale zawsze pamiętam, żeby zamykać, kiedy wychodzę z domu.

– Bardzo dobrze, lecz pragnę zwrócić pani uwagę na jedną sprawę. Różni ludzie proszą o wpuszczenie do domu, mówiąc, że pełnią oficjalne funkcje i na przykład chcą sprawdzić, czy nie ulatnia się gaz. Proszę zawsze najpierw prosić o legitymację czy inny dowód, a dopiero potem, kiedy pani sprawdzi dokument, otwierać.

– Ale jak go obejrzę, nie otwierając drzwi?

– Niech pani poprosi tego kogoś, aby wsunął legitymację w szparę na listy.

– Czy ja już oglądałam pana legitymację?

Rebus nagrodził starszą panią uśmiechem.

– Nie. Proszę – podsunął jej identyfikator. – Czasami fałszywka potrafi wyglądać bardzo wiarygodnie. Jeśli ma pani podejrzenia, nie należy otwierać i trzeba zadzwonić na policję. – Ma pani telefon?

– W sypialni.

– Tam też jest okno, prawda?

– Tak.

– Czy mogę rzucić okiem?

Okno sypialni także wychodziło na Flint Street. Rebus zauważył leżące na stoliku prospekty z biura podróży i niewielką walizkę stojącą obok drzwi.

– Wczasy? – zapytał domyślnie. Nieobecność właścicielki mieszkania byłaby mu bardzo na rękę.

– Tylko przedłużony weekend – odparła.

– W jakiejś miłej okolicy?

– Holandia. Co prawda o tej porze ominą mnie widoki pól tulipanów, ale zawsze chciałam tam pojechać. Trochę męczące, że muszę jechać aż na lotnisko w Inverness, no, ale tak jest dużo taniej. Od czasu, kiedy umarł mój mąż... po prostu dużo podróżuję.

– Nie zabrałaby mnie pani ze sobą? – uśmiechnął się. – To okno również jest w porządku. Jeszcze tylko sprawdzę drzwi i nie będę zabierał pani więcej czasu. – Przeszli do ciasnego przedpokoju.

– Muszę panu powiedzieć – wyznała – że jakoś przez te wszystkie lata mieszkania tutaj miałam szczęście. Nie było żadnych włamań, ani nic takiego.

Trudno się dziwić, biorąc pod uwagę, że właścicielem nieruchomości był Tommy Telford, naczelny gangster.

– A w razie czego mam przycisk alarmowy...

Rebus zerknął na ścianę przy drzwiach i zobaczył duży czerwony przycisk. Zastanawiał się, czy włącza alarm, czy tylko dodatkowe oświetlenie na klatce schodowej.

– Powiedziano mi, że mam naciskać ten guzik zawsze wtedy, kiedy ktoś do mnie zadzwoni.

Rebus obrócił klamkę i pchnął drzwi.

– A pani...?

Za drzwiami stało dwóch potężnie zbudowanych mężczyzn.

– Och, tak – potwierdziła pani Hetherington. – Zawsze naciskam.

Jak na oprychów, byli nadzwyczaj mili. Rebus pokazał im swoją odznakę i wyjaśnił charakter wizyty. Kiedy z kolei zapytał ich, z kim ma przyjemność, wyjaśnili, że są „przedstawicielami właściciela budynku". Znał ich: Kenny Houston i Andy Cornwell. Houston – ten brzydki, był odźwiernym, „odsie-wającym" niepożądanych gości Telforda. Cornwell, zbudowa-ny jak zapaśnik – jego głównym gorylem. Całe zajście zostało przez obie strony potraktowane z humorem. Panowie odpro-wadzili inspektora na dół. Po drugiej stronie ulicy Rebus zo-baczył Tommy'ego Telforda, stojącego w drzwiach lokalu i grożącego mu palcem. Jakiś przechodzień pojawił się w po-lu widzenia. Zbyt późno zobaczył, kto to jest. Zdążył otwo-rzyć usta, by krzyknąć, gdy Telford zgiął się w pół, z przeraźli-wym krzykiem zakrywając twarz dłońmi.

Rebus przebiegł przez jezdnię i rzucił się na napastnika. Ned Farlowe. Butelka wypadła mu z ręki. Otoczyli ich ludzie Telforda. Rebus przyciągnął Neda do siebie.

– Aresztuję tego człowieka – oznajmił stanowczo. – On jest mój, zrozumiano?

Kilkanaście par oczu wpiło w niego zabójcze spojrzenia. Tommy Telford klęczał na chodniku.

– Zawieźcie szefa do szpitala – rzucił Rebus. – Ja zabieram tego faceta na komisariat.

Ned Farlowe siedział w celi na pryczy. Ściany pomalowa-no na niebiesko, tylko w kącie z sedesem przewidująco zmie-niono kolor na brązowy. Młody człowiek sprawiał wrażenie zadowolonego z siebie.

– Kwas? – Rebus chodził wielkimi krokami od ściany do ściany celi. – Kwas! Jak Boga kocham, nie miałeś już czego wy-myślić!

– Ma, na co zasłużył.

Rebus spiorunował go wzrokiem.

– Nie zdajesz sobie sprawy, co zrobiłeś.

– Dokładnie wiem, co zrobiłem.

– On cię zabije.

Młody człowiek wzruszył ramionami.

– Czy jestem aresztowany?

– To by było najlepsze wyjście, synu. Nie chcę, żeby coś ci się stało. Gdybym przypadkiem się tam nie znalazł... – Urwał. Wolał nawet o tym nie myśleć. Popatrzył na Farlowe'a. Na chłopaka Sammy, który odważył się sam zaatakować kogoś ta-kiego jak Telford. Teraz on będzie musiał zdwoić wysiłki, jeśli nie chce, aby Ned pożegnał się z życiem. Nie wyobrażał sobie, co miałby powiedzieć córce, gdy ocknie się wreszcie i spyta o swojego ukochanego.

Dojechał w pobliże Flint Street, zaparkował w pewnej odległości od ulicy i dalej poszedł na piechotę. Teraz już był pewien, że Telford obstawił całą okolicę. Wynajmowanie mieszkań starszym ludziom po przystępnej cenie tylko z pozoru było działaniem charytatywnym. Rebus zastanawiał się, czy w podobnej sytuacji Cafferty wpadłby na pomysł z guzikami alarmowymi. Podejrzewał, że nie. Cafferty nie był tępy, ale przeważnie kierował się instynktem. Rebus wątpił, aby Tommy Telford choć raz w życiu nie zadziałał z premedytacją.

Ciągnęło go na tę ulicę, gdyż potrzebował punktu zaczepienia; czegoś, co pozwoliłoby mu znaleźć słabe ogniwo w łańcuchu wokół Telforda. Po dziesięciu minutach spacerowania w lodowatym wietrze wpadł na lepszy pomysł. Zadzwonił z komórki do jednej z korporacji taksówkarskich, przedstawił się i zapytał, czy Henry Wilson ma dyżur. Miał. Rebus poprosił, aby przyjechał.

Po dziesięciu minutach zatrzymała się przy nim taksówka. Raz jej właściciel wypił za dużo w barze Ox, wsiadł za kółko i miał potem spory problem. Na szczęście Rebus zjawił się w samą porę i sprawę załatwiono polubownie. Od tej pory Wilson czuł się niezmiennie, głęboko zobowiązany. Taksiarz był wysokim, potężnie zbudowanym mężczyzną o krótko ostrzyżonych, ciemnych włosach i długiej brodzie. Cerę miał czerstwą i zawsze nosił koszule w kratkę. Rebus w myślach nazywał go Drwalem.

– Gdzie cię podwieźć? – zagadnął Wilson, kiedy inspektor usadowił się na przednim siedzeniu.

– Po pierwsze, włącz ogrzewanie na ful. – Wilson przesunął pokrętło. – Po drugie, potrzebuję twojego wozu do śledzenia.

– Chcesz w nim siedzieć?

– O to właśnie chodzi.

– Z włączonym taksometrem?

– Zadzwoń do centrali, że nawaliło ci coś w silniku, Henry. Naprawa zajmie całe popołudnie.

– Zarabiam na święta – Wilson nie ukrywał niezadowolenia. Rebus skarcił go spojrzeniem. Potężny mężczyzna z westchnieniem wyjął gazetę z bocznej kieszeni. - W takim razie, pomóż mi wybrać typy - powiedział, otwierając magazyn na stronie wyścigów konnych.

Przesiedzieli godzinę w aucie zaparkowanym na końcu Flint Street. Rebus pozostał z przodu. Uważał, że taksówka, stojąca tak długi czas z pasażerem z tyłu, może być podejrzana. Dwaj faceci z przodu mogli być po prostu taksiarzami; powiedzmy, że jeden zszedł ze zmiany, a drugi zrobił sobie przerwę, więc gadają, popijając herbatkę z termosu.

Wreszcie Rebus zobaczył dwa potężne range rovery skręcające w Flint Street. W pierwszym za kółkiem siedział Sean Haddow - księgowy Telforda. Zatrzymał się przed salonem gier i wszedł do środka. Na siedzeniu pasażera Rebus zobaczył wielkiego, żółtego pluszowego misia. Haddow wrócił po chwili, prowadząc ze sobą Telforda. Widać było, że boss jest świeżo po opatrunku. Z daleka rzucała się w oczy biel bandaża na dłoniach oraz płaty gazy na policzkach - jakby wyjątkowo niezdarnie się golił. Najwyraźniej jednak nie dopuszczał myśli, że taki drobiazg, jak oblanie kwasem, mógłby wyłączyć go z interesów. Haddow otworzył przed szefem drzwi. Telford wsiadł.

- Do roboty, Henry - powiedział Rebus. - Jedź za tymi range roverami. Nie musisz siedzieć im na ogonie. Są tak wysokie, że nic mniejszego od autobusu nie może ich zasłonić.

Terenówki wyjechały z Flint Street, jedna za drugą. W drugiej siedziało trzech „żołnierzy" Telforda. Rebus rozpoznał Pretty-Boya. Pozostali dwaj byli jakimś nowszym nabytkiem. Dobrze ubrani, nienagannie ostrzyżeni - stuprocentowy biznesowy styl.

Mały konwój zmierzał w stronę centrum i zatrzymał się przed hotelem. Telford rozmawiał przez chwilę ze swoimi ludźmi, lecz do budynku wszedł sam. Samochody zostały na ulicy.

- Wchodzisz tam? - zapytał Wilson.

- Nie, zauważyliby mnie. - Kierowcy obu range roverów wysiedli, żeby zapalić, lecz nie spuszczali czujnego wzroku z hotelowego wejścia. Paru przechodniów zerknęło w kierunku taksówki, lecz Wilson odmownie kręcił głową.

- Byłby niezły kurs - burknął. Rebus na pociechę poczęstował go batonikiem.

- O, fajnie - ucieszył się, zerknąwszy na hotelowy podjazd. Do Haddowa i Pretty-Boya podeszła strażniczka miejska. Wyciągnęła bloczek mandatowy, oni zaś wymownie postukali w zegarki, z uśmiechem dając do zrozumienia, że zatrzymali się dosłownie na moment. Na próżno, kobieta pozostała nieprzejednana. Podwójna żółta linia na chodniku, całkowity zakaz parkowania.

Haddow i Pretty-Boy rozłożyli ramiona w geście rezygnacji, jeszcze raz zagadali szybko do strażniczki i wrócili do samochodów. Pretty-Boy pokazał gestem swoim pasażerom, że będą musieli krążyć wokół hotelu, dopóki nie zwolni się jakieś miejsce, gdzie można parkować. Strażniczka nie ruszyła się z chodnika, dopóki nie odjechali. Haddow wyciągnął komórkę. Zapewne po to, aby zawiadomić szefa o sytuacji.

Interesujące - nie próbowali zastraszyć tej kobiety, ani jej przekupić. Praworządni obywatele. Pragmatyczny styl Telforda, nie ma wątpliwości. Znów mimowolnie pomyślał o ludziach Cafferty'ego. Ci nie poddaliby się tak szybko.

- Wchodzisz, czy nie? - dopytywał się Wilson.

- Nie ma sensu, Henry. Telford jest już w apartamencie, w swoim albo w czyimś. Jeśli załatwia interesy, nie robi tego w holu.

- A więc to był Tommy Telford?

- Słyszałeś o nim?

- Jak się jeździ na taksówce, to się słyszy różne rzeczy. On ma ochotę na taksówkarski interes Grubego Gera. - Zamilkł na moment. - Znaczy, wiesz, Cafferty formalnie nie jest właścicielem tego biznesu.

- A jak Telford miałby odebrać działkę Cafferty'emu?

- Metodą wystraszenia kierowców albo przeciągnięcia ich do siebie.

- A twoja korporacja, Henry?

- Przyzwoita i legalna, drogi inspektorze Rebus.

- Żadnych podejść ze strony Telforda?

- Dotąd nie było.

- O, są. - Patrzyli jak range rovery znów zajeżdżają przed hotel. Strażniczki nigdzie nie było widać. Minęło kilka minut i Telford wyłonił się z hotelu w towarzystwie Japończyka o włosach najeżonych jak kolce, ubranego w błyszczący garnitur koloru akwamaryny. Gość ze Wschodu niósł teczkę, ale nie wyglądał jak biznesmen. Może sprawiły to okulary przeciwsłoneczne, które założył mimo późnej pory, a może papieros, sterczący niedbale z kącika jego ust. Obaj mężczyźni usadowili się na tylnym siedzeniu drugiego wozu. Japończyk potarmosił za uszy siedzącego z przodu misia, mówiąc coś ze śmiechem. Jeśli to był żart, nie rozśmieszył Telforda.

– Jedziemy za nimi? – zapytał Wilson. Zerknął na Rebusa i natychmiast przekręcił kluczyk w stacyjce.

Skierowali się ku zachodniemu krańcowi miasta. Rebus domyślał się już, dokąd jadą, ale chciał sprawdzić, jaką drogą. Okazało się, że tą samą, którą pokazała mu Candice. Na Slateford Road samochód jadący z tyłu włączył migacz i zaczął zwalniać.

– Co mam robić?

– Jedź dalej. Skręć w pierwszą przecznicę, zawróć i ustaw się przodem. Poczekamy, aż nas miną.

Haddow wszedł do salonu z prasą. Dziwne, że jadąc załatwić interes, Telford pozwalał sobie na przystanki po drodze. O tym samym mówiła Candice. Właśnie, a gmach, którym według niej interesował się wtedy? Tak, był: anonimowa, surowa budowla z szarej cegły, mur z bramą. Może jakiś skład, magazyn? Rebus zastanawiał się, czemu Telford miałby interesować się magazynami. Haddow spędził w sklepie trzy minuty – Rebus mierzył czas. Nikt poza nim nie wyszedł, co znaczyło, że raczej nie stał w kolejce. Wsiadł do wozu i konwój Telforda znów ruszył, kierując się ku Juniper Green, i dalej do klubu Poyntinghame. Nie było sensu śledzić ich dalej. Na przedmieściach, przy luźniejszej zabudowie, miejska taksówka bardziej zwracała uwagę, budząc podejrzenia. Rebus powiedział Henry'emu, żeby zawrócił. I kazał wysadzić się przy Ox. Wilson opuścił szybę.

– Rachunek wyrównany? – zawołał.

– Do następnego spotkania, Henry – odkrzyknął Rebus i pchnął drzwi do pubu.

Tam zasiadł na stołku, mając za towarzystwo telewizor nadający południowe programy i barmankę Margaret. Zamówił dużą kawę i wołowinę z buraczkami. Myślał o japońskim biznesmenie, który nie wyglądał jak biznesmen. Rysy twarzy miał wyraziste i ostre, jak u rzeźby. Rebus zjadł i wzmocniony posiłkiem wyszedł z pubu, kierując się do hotelu. Strategicznie usadził się w barze naprzeciwko wejścia, tym razem skandalicznie drogim, i przez dwie godziny pobił rekord powolnego sączenia dwóch puszek coli. Na szczęście nikt nie zwracał na niego uwagi. Czas skracał sobie rozmowami ze służbowej komórki. Zanim wysiadła bateria, zdążył pogadać z Hoganem, z Billem Prydem, z Siobhan Clarke, z Rhoną i z Patience. Nie zdążył zadzwonić do Torphichen, aby zapytać, czy ktoś mógłby zidentyfikować budynek przy Slateford Road. Płyta z muzyką z *Psycho Killera* włączyła się trzeci raz i właśnie wybierał numer, kiedy dwa range rovery zatrzymały się pod hotelem. Telford i Japończyk wymienili pożegnalny uścisk dłoni, skłoniwszy się sobie lekko, po czym Tommy odjechał razem ze swoimi ludźmi.

Rebus opuścił bar, przeciął ulicę i wszedł do hotelu w chwili, kiedy drzwi windy zamknęły się za Panem Akwamaryną. Rebus podszedł do recepcji i pokazał odznakę.

– Pan Matsumoto – powiedziała kobieta, sprawdziwszy w rejestrze.

– Imię?

– Takeshi.

– Kiedy przyjechał?

– Wczoraj.

– Jak długo się zatrzyma?

– Jeszcze trzy dni. Chwileczkę, może poproszę szefa...

Rebus pokręcił głową.

– Dziękuję, nie trzeba. Posiedzę jeszcze chwilę w holu, jeśli to pani nie przeszkadza.

Odpowiedziała uśmiechem, więc usadowił się na kanapie, skąd miał idealny widok przez podwójne, szklane drzwi. Podniósł do oczu gazetę. Matsumoto przyjechał do miasta w sprawie kupna klubu Poyntinghame, to było pewne, lecz Rebus podskórnie wyczuwał, że chodzi o coś jeszcze. Hugh Malahide mówił, że korporacja chciała kupić klub, lecz Matsumoto nie wyglądał na kogoś, kto załatwia legalne interesy. Kiedy w końcu wyłonił się z korytarza, miał na sobie biały garnitur, czarną koszulę z otwartym kołnierzykiem, płaszcz burberry i wełniany szalik w tartanową kratkę. Z kącika ust sterczał mu jak zwykle papieros – lecz tym razem zapalił go dopiero na ulicy. Postawił kołnierz płaszcza i zaczął iść. Rebus podążał za nim, sprawdzając dyskretnie, czy z kolei nikt nie idzie za nim. Mogło się przecież zdarzyć, że Telford na wszelki wypadek pośle cień za Matsumoto. Jeśli taki cień był, musiał się doskonale maskować. Japończyk nie odgrywał turysty z Kraju Kwitnącej Wiśni. Szedł szybko, z pochyloną głową, osłaniając twarz kołnierzem przed porywami wiatru i zmierzając prosto do celu.

Kiedy zniknął w budynku, Rebus przystanął, wpatrując się w szklane drzwi, za którymi widać było pokryte czerwonym dywanem schody. Wiedział, co to za miejsce, choć nie miało szyldu. Morvena Casino. Przez całe lata jego właścicielem był lokalny gangster, Topper Hamilton, a prowadził je niejaki Mandelson. Jednak Hamilton przeszedł na emeryturę, a Mandelsona wyrzucił nowy właściciel. Nic o nim nie było wiadomo... aż do tego dnia. Rebus nie sądził, aby teza, że ma coś wspólnego z Tommym Telfordem i jego japońskimi przyjaciółmi, była zbyt śmiała. Na wszelki wypadek rozejrzał się wokół, lustrując zaparkowane samochody. Nie było widać range roverów.

Gdy znalazł się w foyer na piętrze, poczuł na sobie wzrok ochroniarzy. Dwóch sprawiało wrażenie ludzi, którzy czują się bardzo niewygodnie w czarnych garniturach, muszkach i białych koszulach. Jeden, szczupły i żylasty, najwyraźniej specjalizował się w szybkich atakach i manewrach; drugi był klasycznym mięśniakiem wagi ciężkiej, zapewniającym pierwszemu solidne wsparcie. Jakiekolwiek kryteria zastosowali oceniając Rebusa, musiał je spełnić, gdyż przepuścili go bez słowa. Kupił sztony za dwadzieścia funtów i wszedł do sali gier.

Kiedyś musiał to być główny salon starego domu z epoki króla Jerzego. Zdobiły go dwa wysokie, wykuszowe okna i bogate sztukaterie, oddzielające ściany o kremowym odcieniu od jasnoróżowego sufitu. Teraz miejsce strojnych dam i dżentelmenów zajęli hazardziści wszelkiej maści, tłoczący się przy stołach do black jacka, kości i ruletki. Między nimi przeciskały się roznoszące drinki hostessy. Słychać było szmer ściszonych głosów. Grający bardzo serio traktowali swoje poczynania. Klientela o różnych odcieniach skóry przypominała prawdziwe Zgromadzenie Narodów Zjednoczonych. Płaszcz pana Matsumoto zawisł w szatni, a jego właściciel zasiadł do ruletki. Rebus zainstalował się tuż obok, przy stoliku do black jacka, pozdrowiwszy skinieniem głowy graczy. Krupier – młody, ale pewny siebie i sprawny – z uśmiechem zaprosił go do gry. Rebus wygrał w pierwszym rozdaniu, przegrał w drugim i w trzecim, po czym znów wygrał w czwartym. Kobiecy głos rozległ się tuż nad jego głową.

– Czy napije się pan czegoś?

Hostessa pochylała się ku niemu nisko, hojnie szafując widokiem głębokiego dekoltu.

– Poproszę colę z lodem i z cytryną.

Udawał, że patrzy za nią, gdy odeszła, aby zrealizować zamówienie. W rzeczywistości lustrował czujnym okiem salę. Pozostał przy grze, gdyż chodzenie między stolikami mogło zwrócić uwagę innych, a nie był pewien, czy ktoś przypadkiem go nie rozpozna. Jedyną osobą, którą sam znał, był Matsumoto, który zacierał ręce, kiedy krupier podsuwał mu kolejne sztony. Rebus zatrzymał się na osiemnastu. Krupier miał dwadzieścia. Rebus nie był zbyt dobrym graczem. Próbował już w swojej karierze totalizatora sportowego, wyścigów i ostatnio totolotka. Nie interesowali go natomiast jednoręcy bandyci, ani pokerowe rozgrywki organizowane w pracy. Znał inne sposoby trwonienia pieniędzy.

Matsumoto przegrał, a przekleństwo, jakim skomentował przegraną, zabrzmiało zbyt głośno jak na gusty graczy. Szczupły ochroniarz zajrzał przez drzwi. Matsumoto zignorował go, kiedy zaś pan Chudzielec zorientował się, kto robi zamieszanie, natychmiast znikł. Japończyk zaśmiał się – nie musiał dobrze znać angielskiego, i tak był tu królem. Zagadał coś szybko do zebranych w swoim rodzinnym języku, patrząc im prosto w oczy. Kelnerka przyniosła mu dużą porcję whisky z lodem. Jako napiwek dał jej garść sztonów. Krupier wezwał do obstawiania. Matsumoto skupił się na grze.

Po chwili także Rebus otrzymał zamówiony napój – cola bez alkoholu była w tym otoczeniu niemal nie na miejscu. Wygrał w paru rozdaniach i poczuł się lepiej. Kiedy podeszła kelnerka, wstał i wziął od niej szklankę, dając znak towarzystwu przy stole, że na razie pauzuje.

– Skąd jesteś? – zagadnął dziewczynę. – Nie rozpoznaję twojego akcentu.

– Jestem z Ukrainy.

– Dobrze mówisz po angielsku.

– Dziękuję – powiedziała i skinąwszy mu głową, odeszła. Konwersacje z pracownikami były raczej niechętnie widziane w tej firmie, gdyż odciągały graczy od stołów. Ukraina. Rebus zastanawiał się, czy dziewczyna jest kolejnym importem Tarawicza. Jak Candice... Kilka spraw było już dla niego jasnych. Matsumoto czuł się tutaj swobodnie, a obsługa uważała na każdy jego ruch. Jakże mogło być inaczej, skoro stał za nim Telford i Telford życzył sobie, aby gość był zadowolony. Trudno było uznać te stwierdzenia za rewelacje, za wielki postęp w śledztwie, ale zawsze miał coś.

Ktoś wszedł na salę. Ktoś, kogo znał. Doktor Colquhoun. Od razu spostrzegł inspektora i na jego twarzy pojawił się strach. Colquhoun, z niejasnym naukowym statusem, z dziwnym zdrowotnym urlopem, bez stałego adresu. Człowiek, który wiedział, że inspektor umieścił Candice u państwa Drinić. A teraz to...

Rebus obserwował, jak doktor, nie spuszczając z niego oczu, wycofuje się przez drzwi, odwraca się i ucieka.

Decyzja: gonić za nim, czy zostać z Matsumoto? Kto był w tym momencie dla niego ważniejszy – Candice czy Telford? Postanowił zostać. Skoro Colquhoun jest w mieście, odnajdzie go później.

Znajdzie i już nie puści.

Po godzinie i kwadransie gry uznał, że musi wypisać czek na nowe sztony. Dwadzieścia jeden funtów do tyłu w ciągu godziny i myśli o Candice, przebijające się przez natłok innych w jego głowie. Zrobił przerwę w grze, przeszedł do automatów, ale migające światełka i guziki jeszcze bardziej mu nie sprzyjały. Przegrał trzy razy z rzędu i stracił dwa funty w ciągu kilku minut. Nic dziwnego, że tyle klubów i pubów chciało mieć u siebie jednorękich bandytów. Tommy Telford zainstalował się we właściwym biznesie. Znów zjawiła się kelnerka i Rebus zamówił kolejnego bezalkoholowego drinka.

– Wszystko w porządku – powiedział tonem usprawiedliwienia. – Wyszedłem, bo nic się nie dzieje.

– Jest jeszcze wcześnie – powiedziała. – Proszę poczekać do północy.

Nie miał zamiaru sterczeć w kasynie tak długo. W pewnej chwili Matsumoto wzniósł ramiona w górę i wybuchnął potokiem gardłowej, japońskiej mowy. Potem zebrał sztony, oddał krupierowi, poczekał na pieniądze, ubrał się i wyszedł. Rebus odczekał pół minuty i ruszył za nim. Ciepło pożegnał ochronę i zszedł po schodach do wyjścia, przez cały czas czując na plecach ich wzrok.

Japończyk przystanął na chodniku, aby zapiąć płaszcz i ciasno owinąć szyję szalikiem, po czym zawrócił w stronę hotelu. Rebus miał zamiar ruszyć za nim, ale poczuł nagle ciężar ogromnego zmęczenia. Myślał o Sammy, o Lintzu i o Łasicy; myślał o czasie, który wydawał się stracony.

Ten Years After: *Goin' Home*.

Zawrócił na pięcie i poszedł w stronę Flint Street, gdzie zostawił samochód. Dwadzieścia minut marszu, pod górkę i pod wiatr, który nikogo nie oszczędzał. Miasto było spokojne: ludzie zbijali się w ciasne grupki na przystankach, studenci pochłaniali frytki z torebek. Kilka dusz wracało z pubów skupionym krokiem ludzi, którzy wypili parę głębszych. Rebus zatrzymał się i rozejrzał, marszcząc brwi. Gdzieś tutaj powinien stać jego saab. Tak, był tego pewien, zaparkował tu, gdzie teraz stoi czarny ford sierra, za minimorrisem. Ale auta nigdzie nie było widać.

– Niech to szlag trafi! – wybuchnął. Nie było szkła na jezdni, więc nie wybili szyby kamieniem. Ale będą sobie teraz na nim używali w komisariacie, obojętnie, czy wóz się znajdzie, czy nie. Zamachał na przejeżdżającą taksówkę, przypomniał sobie, że nie ma ani grosza i odprawił kierowcę zanim ten zdążył się zatrzymać.

Jego mieszkanie przy Arden Street nie było daleko, ale czuł, że jeśli po drodze coś mu się jeszcze przydarzy, zadziała jak przysłowiowa kropla, która przepełnia czarę.

20

Spał w fotelu stojącym pod oknem, przykryty pledem po brodę, kiedy rozległ się dzwonek. Na wpół obudzony, uświadomił sobie, że chodzi o dzwonek u drzwi. Nie pamiętał, czy włączył alarm. Wstał chwiejnie, znalazł spodnie i założył je.

– Już idę, idę! – zawołał, człapiąc do korytarza.

Otworzył i zobaczył Billa Pryde'a.

– Jezu, Bill, czy to twoja cholerna zemsta? – zawołał zerknąwszy na zegarek. Było piętnaście po drugiej.

– Niestety, nie, John – powiedział Pryde. Z jego miny i tonu Rebus domyślił się, że stało się coś złego.

Coś bardzo złego.

– Nie piję od tygodni!

– Na pewno?

– Absolutnie. – Rebus miażdżył spojrzeniem komisarz Gill Templer. Znajdowali się w jej biurze na St Leonard's. Pryde również tam był. Zdjął marynarkę i podwinął rękawy koszuli. Gill wyglądała na osobę nagle wyrwaną ze snu, co zresztą było prawdą. Rebus chodził nerwowo od ściany do ściany, niezdolny usiedzieć spokojnie.

– Przez cały dzień piłem tylko colę i kawę.

– Naprawdę?

Rebus nerwowo przeczesał palcami czuprynę. Czuł się fatalnie; głowa pulsowała bólem. Nie śmiał jednak prosić o proszek przeciwbólowy i wodę do popicia, aby nie pomyśleli, że jednak ma kaca.

– Gill, przecież wiesz, że zostałem wrobiony – powiedział zmęczonym tonem.

- Kto zatwierdzał twoją inwigilację?
- Nikt. Śledziłem go na własną rękę.
- Miałeś czas na to?
- Szef powiedział, że daje mi parę godzin wolnego.
- Dał ci wolne, żebyś posiedział u córki. Ten... - urwała i przez chwilę sprawdzała notatki - ...Matsumoto był związany z Thomasem Telfordem. Według twojej hipotezy za napad na twoją córkę odpowiedzialny jest właśnie Telford, tak?

Rebus walnął zaciśniętymi pięściami w ścianę.

- Wrobili mnie, sposobem starym jak świat. Teraz widzę to wyraźnie. Tam musi być coś grane za kulisami... coś śmierdzącego. - Odwrócił się ku nim gwałtownie. - Dajcie mi tam wrócić, rozejrzeć się jeszcze raz.

Templer popatrzyła na Pryde'a. Bill tylko wzruszył ramionami, dając tym do zrozumienia, że nie ma obiekcji. Lecz ostateczna decyzja należała do Gill. Przez chwilę stukała czubkiem długopisu o zęby, a potem rzuciła go na biurko.

- Zgodzisz się na badanie krwi?

Rebus przełknął głośno ślinę.

- Dlaczego nie? - powiedział wreszcie.
- W takim razie chodźmy - zakomenderowała, podnosząc się zza biurka.

Oto co się wydarzyło: Matsumoto wracał piechotą do hotelu. Kiedy przechodził przez ulicę, śmiertelnie potrącił go samochód, jadący z dużą szybkością. Kierowca nie zatrzymał się, ale też nie odjechał daleko. Pusty wóz znaleziono dwieście metrów od miejsca wypadku, zaparkowany przednimi kołami na chodniku. Drzwi od strony kierowcy były otwarte.

Saab 900, znany chyba wszystkim policjantom okręgu Lothian i Borders.

W środku cuchnęło whisky, a korek od butelki leżał na przednim siedzeniu. Ani śladu butelki, tak jak i kierowcy. Tylko auto i dwieście metrów dalej ciało japońskiego biznesmena stygnące przy krawężniku.

Nikt nic nie widział, nikt nic nie słyszał. Rebus wcale się nie dziwił; ulica, choć w centrum, nie należała do ruchliwych, a o późnej porze była zupełnie pusta.

- Kiedy śledziłem go od hotelu, nie szedł tą drogą - powie-

dział Rebus do Templer. Stała milcząc, z rękami wbitymi
w kieszenie, kuląc się na lodowatym wietrze.

– I?

– Długa droga jak na skrót.

– Może chciał podziwiać widoki – zasugerował Pryde.

– Kiedy to się przypuszczalnie stało? – zapytał Rebus.

Templer się zawahała.

– Istnieje margines błędu.

– Gill, wiem, że sytuacja jest nietypowa. Nie powinnaś mnie
tutaj sprowadzać, nie powinnaś odpowiadać na moje pytania.
Jestem w końcu podejrzanym numer jeden. – Dobrze wiedział,
ile Gill ryzykuje. Ponad dwustu głównych inspektorów mężczyzn w całej Szkocji i tylko pięć kobiet na tym stanowisku.
Wielu czekało tylko na jakieś jej potknięcie. – Zastanów się,
czy gdybym był pijany i przejechał kogoś, zostawiłbym samochód niemal w miejscu wypadku? – zapytał z naciskiem.

– W takim stanie mógłbyś w ogóle nie zauważyć, że kogoś
potrąciłeś. Usłyszałeś huk, straciłeś panowanie nad kierownicą, wjechałeś na krawężnik, a instynkt samozachowawczy nakazał ci uciekać stamtąd jak najszybciej.

– Owszem, lecz ja byłem absolutnie trzeźwy. Zostawiłem
wóz w pobliżu Flint Street i stamtąd go zabrali. Stwierdzono
ślady włamania?

Nie odpowiedziała.

– Niech zgadnę, pewnie żadnych. – Profesjonaliści nie zo-
stawiają śladów. Kiedy jednak otworzą wóz, muszą uruchomić zapłon. Trzeba szukać śladów przy kolumnie kierownicy.

– Twój wóz został odholowany. Rano specjaliści wezmą się
za niego.

Rebus potrząsnął głową, śmiejąc się z goryczą.

– Ładne, co? Najpierw chcieli, abyśmy uwierzyli, że Sammy
potrącił przypadkowy kierowca i uciekł. Teraz zrobili to samo
z Japończykiem, tyle że tym razem ja mam być sprawcą.

– Jacy „oni"?

– Telford i jego ludzie.

– O ile dobrze pamiętam, twierdziłeś, że robili z Matsumoto interesy.

– Oni wszyscy są gangsterami, Gill. A u gangsterów układy
szybko się zmieniają.

- A co z Caffertym?

Rebus zmarszczył brwi.

- A co ma być?

- Ma do ciebie zadawnione urazy. Wrabia ciebie i przy okazji trafia w Telforda.

- Czyli jednak dopuszczasz możliwość, że zostałem wrobiony?

- Jaki interesy miał Matsumoto z Telfordem?

- Chodziło o klub golfowy, przynajmniej oficjalnie. Jacyś Japończycy chcieli go kupić, a Telford przecierał im drogę. - Przeszedł go dreszcz. Nie powinien wychodzić z domu w samej marynarce. Potarł ramię, gdzie swędział jeszcze ślad po ukłuciu igły, którą pobierano mu krew do testu alkoholowego. - Przeszukanie pokoju hotelowego denata mogłoby coś dać.

- Już tam byliśmy - powiedział Pryde. - Nie znaleźliśmy nic ciekawego.

- Jakich partaczy tam posłałeś?

- Ja tam poszłam - powiedziała Gill Templer głosem lodowatym jak edynburski wiatr. Rebus przepraszająco pochylił głowę. Przecież dopiero teraz dowiedziała się, że Matsumoto i Telford robili razem interesy. Nic w ich pożegnaniu nie sugerowało nieporozumień, a Japończyk w kasynie sprawiał wrażenie odprężonego i zadowolonego. Co Telford zyskiwał, wyłączając go z gry?

Chyba że chciał wyłączyć Rebusa.

Templer wspomniała o Caffertym... Czy Gruby Ger byłby zdolny do takiego ruchu? I co miałby na tym zyskać? Wyrównanie rachunków z Rebusem, wkurzenie Telforda i być może przechwycenie japońskiej transakcji, czyli zyskanie Poyntinghame dla siebie. To całkiem sporo.

Cafferty na jednej szali, Telford na drugiej. Szala Cafferty'ego opadła, bardzo szybko i bardzo nisko.

- Wracajmy do komendy - powiedziała Templer. - Zaraz odmrożę sobie twarz.

- Mogę iść do domu?

- Jeszcze nie skończyliśmy z tobą, John - powiedziała, wsiadając do samochodu.

W końcu jednak puścili go. Nie został formalnie oskarżony. Siedział w samym środku sprawy i miał jeszcze sporo do zrobienia. Wiedział, że gdyby tylko chcieli, przedstawiliby mu nakaz zatrzymania; wiedział aż za dobrze. Przecież to on wyszedł za Matsumoto z klubu. To on miał porachunki z Telfordem. I wreszcie to on teoretycznie mógłby wymyślić, że przejechanie na śmierć wspólnika Telforda byłoby interesującym sposobem wyrównania rachunków.

Tak, Johnie Rebus, zostałeś wrobiony po uszy, szybko, sprawnie, a nawet, jeśli tak można powiedzieć, elegancko. Szale wagi drgnęły nagle i teraz opadała szala Telforda, tyle że wolniej.

Telford.

Rebus poszedł odwiedzić Farlowe'a w celi. Młody reporter nie spał.

– Jak długo jeszcze mam tutaj zostać? – zapytał.

– Tak długo, jak się da.

– Co z Telfordem?

– Drobne poparzenia. Nie oczekuj, że cię oskarży. Wyrówna z tobą rachunki po cichu.

– W takim razie będziecie musieli mnie wypuścić.

– Nie upieraj się, Ned. My możemy cię oskarżyć. Nie potrzebujemy do tego Telforda.

Farlowe popatrzył na niego.

– Zamierzacie mnie skazać?

– Byłem świadkiem zajścia. Zaatakowanie niewinnego człowieka bez ostrzeżenia.

Farlowe skrzywił się, a potem uśmiechnął.

– Co za ironia losu. Skazać mnie dla mojego własnego dobra! Nie będę mógł zobaczyć Sammy? – zapytał po chwili.

Rebus odmownie pokręcił głową.

– Nie myślałem o tym. Prawdę mówiąc, w ogóle nie myślałem. – Westchnął. – Po prostu to zrobiłem. A w chwili, gdy się stało... czułem się fantastycznie.

– A potem?

Młody mężczyzna wzruszył ramionami.

– Nieważne, co potem. To tylko reszta mojego życia.

Rebus nie wrócił do domu, gdyż wiedział, że i tak nie zaśnie. Nie miał samochodu, więc nie mógł sobie pojeździć, co zawsze go uspokajało. Zamiast tego poszedł do szpitala i usiadł przy łóżku Sammy. Ujął dłoń córki i przyłożył sobie do policzka.

Kiedy zjawiła się pielęgniarka i spytała, czy czegoś sobie życzy, on z kolei zapytał, czy byłoby problemem znalezienie jakiegoś proszka przeciwbólowego.

– W szpitalu? – zaśmiała się. – Zobaczę, co się da zrobić.

21

Rebus miał się stawić na dalsze przesłuchanie o dziesiątej rano i kiedy jego pager zabrzęczał kwadrans po ósmej, uznał ten niemiły fakt za przypomnienie. Jednak numer, który się wyświetlił, był numerem kostnicy w Cowgate. Rebus zadzwonił ze szpitalnego telefonu i połączył się z doktorem Curtem.

– Cóż, padło na mnie – usprawiedliwił się Curt.

– Zaczynasz kroić Matsumoto?

– Tak. John... doszły mnie słuchy... mam nadzieję, że nie ma w nich ani krztyny prawdy?

– Nie zabiłem go.

– Miło mi to słyszeć... – Curt najwyraźniej chciał mu coś powiedzieć. – Wiem, że ludzie różnie reagują, więc... nie chciałbym namawiać cię na siłę, żebyś przyszedł...

– Uważasz, że jest coś, co powinienem zobaczyć?

– Tego nie powiedziałem – Curt odchrząknął. – Ale jeśli przypadkiem znalazłbyś się w tej okolicy... a rano jest tu bardzo miło i spokojnie...

– Już jadę.

Spacer szybkim krokiem: dziesięć minut. Curt już na niego czekał i niezwłocznie zaprowadził do ciała.

Sala lśniła bielą kafelków, połyskiwały elementy z nierdzewnej sali, skąpane w jaskrawym blasku lamp. Dwa stoły sekcyjne były puste. Na trzecim leżało nagie ciało Matsumoto. Rebus obszedł je wokoło, zdumiony tym, co zobaczył.

Tatuaże.

Nie chodziło o syrenę na ramieniu marynarza. To były prawdziwe dzieła sztuki, zajmujące prawie całą powierzchnię ciała. Smok o zielonych łuskach, ziejący różowym i czerwonym ogniem zajmował cały bark, a jego ogon oplatał ramię aż do nadgarstka. Były też pomniejsze smoki oraz krajobraz – święta góra Fudżijama, odbijająca się w wodzie, oraz japońskie symbole i zasłonięta maską twarz szermierza kendo. Curt założył gumowe rękawice i podał drugie Rebusowi. Wspólnym wysiłkiem odwrócili bezwładne ciało, ujawniając dalszy ciąg galerii na plecach Japończyka. Zamaskowany aktor z teatru No i samurajski wojownik w pełnym rynsztunku. Subtelne kwiaty. Widok był fascynujący.

– Niesamowite, co? – odezwał się Curt.

– Niezwykła sztuka – przyznał Rebus. – Szkoda, że pójdzie do grobu.

– Byłem parę razy w Japonii, na różnych konferencjach.

– Rozpoznajesz niektóre z tych motywów?

– Kilka, owszem. Rzecz w tym, że podobne tatuaże – zwłaszcza tak rozległe – zwykle wskazują na członka mafii.

– Takiej jak chińska Triada?

– Japońska nazywa się Yakuza. Popatrz tu – patolog uniósł w górę lewą rękę trupa. Mały palec został odcięty do pierwszego stawu. Po cięciu została nierówna blizna.

– Tak się karze nieposłuszeństwo, prawda? – zagadnął Rebus. Słowo „Yakuza" telepało mu się w głowie. – Za każdym razem obcina się kolejny kawałek palca.

– Zgadza się. Dlatego pomyślałem, że pewnie chciałbyś o tym wiedzieć.

Rebus skinął głową, nie odrywając wzroku od ciała.

– Coś jeszcze?

– Dopiero zacząłem robotę. Sprawa wygląda raczej na typową: dowody zderzenia z rozpędzonym pojazdem. Zmiażdżone żebra, złamania nóg i rąk. – Rebus zauważył kość, wystającą z łydki, obscenicznie nagą i różową na tle bladej skóry. – Na pewno ciężkie obrażenia wewnętrzne, lecz zabił go szok. – W głosie Curta zabrzmiało zastanowienie. – Muszę zawiadomić profesora Gatesa. – Wątpię, czy kiedykolwiek widział coś takiego.

– Czy mogę skorzystać z twojego telefonu? – zapytał Rebus.

Znał tylko jedną osobę, która mogła coś wiedzieć o Yakuzie – a nawet, jak się wydawało – o wszystkich innych narodowych mafiach. Zadzwonił do Miriam Kenworthy w Newcastle.

– Tatuaże i obcięte palce? – upewniła się.

– Tak.

– Yakuza.

– Konkretnie brak jest pierwszego członu małego palca. Tak robi się z tymi, którzy nie chcieli słuchać?

– Niezupełnie. Czasem robią to sobie sami, traktując jako formę przeprosin, pokajania się. Obawiam się, że więcej na ten temat ci nie powiem. – W słuchawce rozległ się szelest przekładanych papierów. – Czekaj, przeglądam jeszcze notatki.

– Jakie notatki?

– Zbieram materiały na temat grup przestępczych w różnych kulturach. Ale chyba nie znajdę już nic ponadto, co ci powiedziałam... Wiesz co? Zadzwoń do mnie za jakieś pięć minut.

Rebus podał Miriam numer Curta, usiadł w jego pokoju i czekał na odzew, wpatrując się w zamyśleniu w sterty teczek piętrzące się na biurku. Na wierzchu leżał dyktafon i kilka nierozpieczętowanych kaset. Małe pomieszczenie śmierdziało papierosowym dymem i kiepską, dawno nieczyszczoną klimatyzacją. Ściany zdobiły grafiki zajęć ze studentami, kartki pocztowe i kilka oprawionych reprodukcji. Widać było, że miejsce jest tylko rodzajem roboczej pakamery, gdyż doktor Curt większość czasu spędzał gdzie indziej.

Rebus wyjął z portfela wizytówkę Colquhouna i spróbował zadzwonić na oba podane numery. Odezwało się biuro. Sekretarka poinformowała go, że doktor Colquhoun nadal przebywa na zwolnieniu lekarskim.

Możliwe, lecz choroba okazała się na tyle lekka, że mógł odwiedzić kasyno. A konkretnie jedno z kasyn Telforda. Z pewnością nieprzypadkowo.

Na Miriam Kenworthy można było polegać.

– Yakuza – zaczęła tonem wykładu. – Dziewięćdziesiąt tysięcy członków, podzielonych na coś w rodzaju siatki dwóch i pół tysiąca grup. Wyjątkowo bezwzględni, ale również wysoce inteligentni, o wyrafinowanych metodach działania. Mocno zhierarchizowana struktura, praktycznie nieprzenikalna dla osób z zewnątrz, na podobieństwo tajnych stowarzyszeń. Posiadają nawet średni szczebel kierowniczy, zwany Sokaiya.

Rebus zapisywał wszystko pilnie.

– W Japonii prowadzą sieć *pachinko* – to tamtejszy rodzaj salonów gry – ciągnęła. – I maczają palce w większości nielegalnych interesów.

– Chyba że je sobie utną. Jak wygląda działalność poza Japonią?

– Znalazłam tylko wzmiankę, że szmuglują drogie, designerskie ciuchy i sprzedają na czarnym rynku, a także handlują kradzionymi dziełami sztuki, sprzedając je bogatym kolekcjonerom.

– Czekaj, czy to nie ty wspominałaś mi, że Jake Tarawicz przemycał z Rosji ikony?

– Chcesz powiedzieć, że Różowooki może mieć kontakty z Yakuzą?

– Tommy Telford służy im tu za przewodnika. Interesują się pewnym magazynem oraz klubem.

– Co jest w tym magazynie?

– Jeszcze nie wiem.

– Może powinieneś sprawdzić?

– Jest to na mojej liście. Powiedz mi jeszcze o tych *pachinko*. Czy to coś podobnego do naszych salonów gier?

– Tak.

– Kolejny związek z Telfordem, który wstawia automaty do gry do połowy pubów i klubów na wschodnim wybrzeżu.

– Sądzisz, że Yakuza upatrzyła sobie w nim partnera do interesów?

– Nie wiem. – Rebus usiłował stłumić ziewnięcie.

– Co, zbyt wczesny ranek jak na tak poważne pytania? Uśmiechnął się.

– Coś w tym stylu. Bardzo mi pomogłaś, Miriam. Dzięki.

– Nie ma sprawy. I polecam się na przyszłość.

– Jasne. Coś nowego na temat Tarawicza?

– Niestety, nic nie słyszałam. Ani o Candice.

– W takim razie, jeszcze raz dzięki, i cześć.

W drzwiach stanął Curt. Zdjął już chirurgiczne rękawiczki i okulary. Jego ręce pachniały mydłem.

– Więcej będę mógł zdziałać, kiedy przyjdą moi asystenci – powiedział, zerkając na zegarek. – Zjesz ze mną śniadanie?

– Zdaj sobie sprawę, jak to wygląda, John. Media nam nie popuszczą. Sam znam paru dziennikarzy, którzy z rozkoszą wywloką i rozgrzebią sprawę picia, żeby cię przygwoździć.

Komisarz „Farmer" Watson był w swoim żywiole. Siedział za biurkiem z ramionami skrzyżowanymi na piersiach, spokojny i nieodgadniony jak kamienny Budda. Kryzysy, które od czasu do czasu fundował mu Rebus, uodporniły Farmera na pomniejsze życiowe niedogodności i nauczyły go tolerancyjnego spokoju.

– Zamierza mnie pan zawiesić – stwierdził z przekonaniem Rebus. Wypił już kawę, którą poczęstował go szef, lecz wciąż obejmował dłońmi kubek, jakby chciał je ogrzać. – A potem rozpocząć śledztwo.

– To nie takie oczywiste, jak ci się wydaje. – Watson zaskoczył go. – Nade wszystko pragnę usłyszeć twoje zeznanie – chodzi mi o dokładne i szczere wyjaśnienie wszystkich twoich dotychczasowych posunięć, a zwłaszcza zainteresowania panem Matsumoto i Thomasem Telfordem, jak również przedstawienie wszelkich podejrzeń i hipotez, z zaznaczeniem ich przydatności dla śledztwa. Adwokat Telforda już zadaje nam kłopotliwe pytania o tragiczny koniec naszego japońskiego przyjaciela. Ten prawnik... – Watson zerknął na Gill Templer, siedzącą przy drzwiach z ustami zaciśniętymi w cienką linię.

– Charles Groal – podpowiedziała sztywno.

– Właśnie, Groal – podchwycił. – Otóż rozpytywał w kasynie i uzyskał opis mężczyzny, który wszedł tam zaraz po Matsumoto i wyszedł tuż za nim. Zdaje się uważać, że to byłeś ty.

– Został wyprowadzony z błędu? – zapytał Rebus.

– Nic mu nie powiedzieliśmy i nie powiemy, dopóki nie będzie wyników naszego śledztwa... znasz te teksty. Tym niemniej rozumiesz, że nie mogę zwodzić go w nieskończoność, John.

– Czy wiadomo, co tu robił Matsumoto?

– Pracował dla firmy konsultingowej. Przyjechał do nas na

zlecenie klienta, aby sfinalizować transakcję zakupu klubu golfowego.

– Z Tommym Telfordem w tle.

– John, proszę, nie zbaczajmy z...

– Matsumoto był członkiem Yakuzy. Dotąd widywałem takich ludzi tylko na ekranie telewizora. A teraz nagle znaleźli się w Edynburgu. – Urwał. – Czy to nie jest zastanawiające? Nie wiem, może mam inne pojęcie o priorytetach, ale wydaje mi się, że taplamy się w kałuży, kiedy nadchodzi przypływ!

Ścisnął kubek tak mocno, że naczynie pękło z chrzęstem. Odłamek upadł na podłogę. Rebus drgnął i schylił się po niego odruchowo. Ostra krawędź rozcięła mu palec i krew skapnęła na wykładzinę. Gill Templer pochyliła się błyskawicznie i chwyciła go za rękę.

– Daj, opatrzę.

Odwrócił się od niej gwałtownie.

– Zostaw! – Słowo wypowiedziane o wiele za głośno. Nerwowo poszukał w kieszeni chusteczki.

– Mam papierowe w torebce.

– Nie trzeba. – Krew kapała mu na buty. Watson mówił coś o kubku, który pewnie miał ukrytą wadę. Templer patrzyła, jak Rebus owija skaleczony palec białym płócienkiem.

– Pójdę to obmyć – powiedział. – Pozwoli pan, szefie?

– Ależ idź, John. Dobrze się czujesz?

– Tak, już dobrze.

Skaleczenie nie było głębokie. Zimna woda pomogła. Wysuszył palec papierowymi ręcznikami, po czym spuścił je w toalecie, patrząc, jak znikają w wodnym wirze. Dalej – apteczka pierwszej pomocy; pół tuzina różnych plastrów wystarczyło, aby porządnie opatrzyć rozcięcie. Zacisnął dłoń w pięść i z zadowoleniem skinął głową, widząc, że nic nie przesiąkło.

Wróciwszy na dywanik u szefa, zabrał się do szczerych zwierzeń, zgodnie z życzeniem Watsona. Gill Templer łaskawie postanowiła go wspierać.

– John, nikt z nas nie uważa, że ty to zrobiłeś. Ale nie jest nam łatwo... te pytania, zadawane przez japońskiego konsula... musiały zostać zaprotokołowane.

– Wszystko i tak kończy się na polityce, co? – Mówiąc to, myślał o Josephie Lintzu.

W porze lunchu wstąpił do Neda Farlowe'a, żeby spytać, czy czegoś nie potrzebuje. Farlowe zażyczył sobie kanapek, książek, prasy i towarzystwa. Wyglądał marnie, zmęczony zamknięciem. Zapewne niedługo zacznie żądać kontaktu z adwokatem. I adwokat – każdy adwokat – wyciągnie go stamtąd bez trudności.

Wręczył swój raport sekretarce Watsona i opuścił komisariat. Nie zdążył przejść stu metrów, kiedy zorientował się, że obok niego zwolnił jakiś samochód. Range rover. Pretty-Boy zaprosił go gestem, by wsiadł. Rebus zerknął na tył wozu.

Telford. Czerwone ślady po oparzeniu, lśniące od maści. Wyglądał jak pomniejszony Tarawicz...

Rebus zawahał się. Posterunek nie był daleko.

– Niech pan wsiada – powiedział Pretty-Boy. Rebus posłuchał. Na przednim siedzeniu, przypięty pasami, królował żółty pluszowy miś.

– Chyba nie warto pytać – powiedział Rebus – czy nie zechciałbyś zostawić w spokoju Neda Farlowe'a.

Myśli Telforda były wyraźnie skupione na innych sprawach.

– Chce wojny, to będzie ją miał.

– Kto?

– Twój boss.

– Nie pracuję dla Cafferty'ego.

– Nie wciskaj mi kitu.

– To ja go wsadziłem do więzienia.

– I od tej pory ciągle do niego chodzisz.

– Nie zabiłem Matsumoto.

Telford po raz pierwszy popatrzył na niego i Rebus zrozumiał, że marzy o jakimś gwałtownym czynie.

– Przecież wiesz, że nie – powtórzył.

– O co ci chodzi?

– Ty to zrobiłeś, żeby mnie...

Dłonie Telforda zacisnęły się na szyi Rebusa. Inspektor rozerwał chwyt, usiłując jednocześnie przygnieść przeciwnika i unieruchomić go, co nie było łatwe w ciasnocie tylnego siedzenia. Pretty-Boy zahamował, wyskoczył zza kierownicy, otworzył drzwi od strony Rebusa i wyciągnął go na chodnik. Telford w jednej chwili znalazł się obok nich. Oczy wychodziły mu z orbit w poczerwieniałej twarzy.

– Nie ubabracie mnie w tym gównie! – wrzasnął.

Mijający ich kierowcy zwalniali, przyglądając się awanturze. Piesi przezornie przechodzili na drugą stronę ulicy.

– W takim razie kto? – Rebus oddychał nierówno.

– Cafferty! – warknął Telford. – To ty i Cafferty usiłujecie mnie wykończyć!

– Powtarzam ci, że nie zrobiłem tego.

– Szefie – wtrącił Pretty-Boy – zmywajmy się stąd, dobra? – Rozglądał się nerwowo wokół, zaniepokojony powszechną uwagą, jaką na siebie ściągnęli. Telford zrozumiał, co im grozi, i wyprostował się, rozluźniając ramiona.

– Wracaj do wozu – powiedział do Rebusa. – Okay – dodał, widząc jego spojrzenie – wsiadaj spokojnie. Chcę ci pokazać parę rzeczy.

I Rebus, najbardziej szalony glina świata, bez słowa wsiadł z powrotem.

Przez kilka minut trwała cisza. Telford poprawił obluzowane bandaże na dłoniach.

– Nie sądzę, aby Cafferty pragnął wojny – stwierdził Rebus.

– Ciekawe, skąd ta pewność?

Bo zawarłem z nim układ i to ja chcę ciebie wykończyć, a nie on, pomyślał.

Kierowali się na zachód. Rebus usiłował nie myśleć o możliwych zakończeniach podróży.

– Byłeś w wojsku, nie? – zagadnął Telford po chwili milczenia. Rebus skinął głową.

– Spadochroniarze, potem SAS*...

– Nie przeszedłem końcowego szkolenia. – Myśl: jest dobrze poinformowany.

– I postanowiłeś zostać gliną. – Telford był już całkowicie spokojny. Wygładził poły garnituru i poprawił węzeł krawata. – Rzecz w tym, że kiedy się jest w układach takich jak te – armia czy gliny – trzeba słuchać rozkazów. Słyszałem, że z tym u ciebie kiepsko. U mnie długo byś nie posłużył. – Zerknął przez okienko. – Co planuje Cafferty?

– Nie mam pojęcia.

---

*SAS (*Special Air Service*) – brytyjska jednostka antyterrorystyczna (przyp. tłum.).

- Dlaczego chodziłeś za Matsumoto?
- Bo miał związki z tobą.
- Wydział Kryminalny z Leith prowadzi swoje śledztwo.
Rebus milczał.
- Ale tylko twoje posuwa się naprzód. - Telford odwrócił się ku niemu. - Dlaczego?
- Bo usiłowałeś zabić moją córkę.
Telfordowi nawet nie drgnęła powieka.
- I stąd to wszystko?
- Tak. Ned Farlowe próbował cię oślepić. To jej chłopak.
Telford zakrztusił się śmiechem.
- No nie, to już bzdury! Z jakiej racji miałbym mieć coś wspólnego z twoją córką?
- Pomagała mi w sprawie Candice. Przez nią uderzyłeś we mnie.
Telford spoważniał.
- Okay - powiedział w końcu, skinąwszy głową. - Teraz widzę twoją linię rozumowania. Nie sądzę, aby w tej sytuacji moje zaprzeczenie na coś się zdało, tym niemniej pragnę ci oświadczyć, że nie mam nic wspólnego z fatalnym wypadkiem twojej córki. - Zamilkł na moment i Rebus usłyszał wyjące w pobliżu syreny. - Czy to przyciągnęło cię do Cafferty'ego?
Rebus nie odpowiedział i Telford uznał, że jego podejrzenia się potwierdzają. Znów się uśmiechnął.
- Stań - nakazał. Pretty Boy nacisnął hamulec. Jezdnia przed nimi była zablokowana; policja kierowała cały ruch w boczne uliczki. Rebus dopiero teraz uświadomił sobie, że wszędzie śmierdzi dymem. Zza domów można było dostrzec języki ognia. Pożar szalał w garażu, gdzie Cafferty trzymał swoje taksówki. Kanciapa, dumnie zwąca się biurem, zmieniła się w kupę popiołu. Za nią zapadał się dach garażu. W środku wybuchały po kolei baki stojących tam wozów, podsycając potężne płomienie.
- Powinniśmy rozprowadzać bilety, szefie - skomentował Pretty-Boy. Telford oderwał wzrok od spektaklu i przeniósł spojrzenie na Rebusa.
- Jeśli strażacy myślą, że tyle na dzisiaj, to się mylą. Dwa z biur Cafferty'ego samoistnie zajmą się ogniem... - zerknął na zegarek - ...dokładnie w tym momencie, podobnie jak jego piękne domostwo. Nie martw się, zaczekaliśmy, aż żona wyjedzie na

zakupy. Każdy z jego ludzi otrzymał ultimatum – albo wynosi się z miasta, albo pakuje się w śmiertelną pułapkę, jak ta. – Wzruszył ramionami. – Innych wyjść nie przewiduję. A teraz idź i powiedz Grubemu Gerowi, że w Edynburgu jest skończony.

Rebus oblizał spierzchnięte wargi.

– Jeszcze niedawno twierdziłeś, że niesłusznie cię posądzam i nie masz nic wspólnego z wypadkiem mojej córki. Czy to samo dotyczy Cafferty'ego?

– Zacznij wreszcie myśleć, dobrze? Sztylet w więzieniu Megan, a potem Danny Simpson... Cafferty nie należy do subtelnych.

– Czy Danny powiedział, że zrobili to ludzie Cafferty'ego?

– On wie tyle, co i ja. – Telford trącił w ramię swojego kierowcę. – Wracamy do bazy. – Ponownie zwrócił się do Rebusa. – Kolejna wiadomość, którą powinieneś przekazać do celi w Barlinnie. Powiedziałem jego ludziom, że jeśli ktoś wyjedzie z tego miasta do północy, potraktuję go fair... ale nie będę brał jeńców. – Zadowolony, rozparł się na siedzeniu. – Nie obrazisz się, jeśli wyrzucę cię na Flint Street? Za kwadrans mam tam pilne spotkanie w sprawach interesów.

– Z szefami Matsumoto?

– Jeśli nadal chcą Poyntinghame, muszą układać się ze mną. – Zerknął na Rebusa. – Ty też powinieneś ułożyć się ze mną. Przemyśl to sobie – komu byłoby na rękę, żebyś ze mną zadarł? Trop prowadzi do Cafferty'ego: wypadek twojej córki, wyeliminowanie Matsumoto. Przemyśl, a potem może znowu będziemy mogli porozmawiać.

Zapadła cisza, którą przerwał Rebus.

– Znasz Josepha Lintza?

– Wspominał o nim inspektor Hogan.

– Dzwonił do twojego biura przy Flint Street.

Telford wzruszył ramionami.

– Mówię ci to, co powiedziałem Hoganowi – może gość pomylił numery. Zresztą gdyby nawet, z zasady nie zadaję się ze stetryczałymi naziolami.

– Nie tylko ty urzędujesz w biurze. – Rebus pochwycił spojrzenie Pretty-Boya, odbite w lusterku. – A ty?

– W życiu nie słyszałem o tym gościu.

Na Flint Street parkował samochód – rozłożysta, biała limu-

223

zyna z przesadnie przyciemnionymi szybami. Z tylnego błotnika sterczała potężna antena, a felgi były rozkosznie różowe.

– Chryste – zachichotał Telford, autentycznie ubawiony. – Podziwiajcie jego najnowszą zabawkę! – W jednej chwili zapomniał o Rebusie. Wyskoczył z wozu i sunął w lansadach w kierunku mężczyzny, który na jego widok wyłonił się z tylnych drzwiczek limuzyny. Wyglądał jak klasyczny gangster, w białym garniturze, w kapeluszu panama, z wielkim cygarem, zwisającym w kąciku ust i w czerwonej koszuli w klasyczny wzorek. Ale nawet ten nonszalancki strój nie był w stanie odciągnąć uwagi od paskudnej gęby i przenikliwego spojrzenia, ukrytego za ciemnoniebieskimi szkłami. Telford bez żenady komplementował wóz, wygląd i władczy styl Tarawicza, a Różowooki chłonął pochwały jak gąbka.

Za nim z auta wysiadła kobieta w krótkiej czarnej sukience, czarnych pończochach i w futrze. Tarawicz otoczył ją ramieniem, a Telford na powitanie musnął wargami jej szyję. Odpowiedziała uśmiechem. Wzrok miała lekko szklisty. Obaj mężczyźni odwrócili się jak na komendę w stronę range rovera i popatrzyli na Rebusa.

– Przejażdżka skończona, inspektorze – powiedział z naciskiem Pretty-Boy. Rebus wysiadł powoli, nie spuszczając wzroku z Candice. Nie patrzyła na niego. Tuliła się wiernopoddańczo do Tarawicza, uczepiona spojrzeniem jego twarzy. Sukienka poruszała się w górę i w dół, przesuwana ruchami dłoni gangstera. Rebus podszedł bliżej. Teraz zobaczyła go i zareagowała przestrachem.

– Witam, inspektorze – odezwał się Tarawicz – miło mi znów pana widzieć. Czy przybył pan, aby ratować tę damę?

Rebus zignorował go.

– Chodź, Candice. – Wyciągnął ku niej dłoń, nie całkiem pewnym gestem.

Popatrzyła na niego i pokręciła głową.

– Dlaczego mam iść? – zapytała. Tarawicz nagrodził ją pocałunkiem.

– Zostałaś uprowadzona. Możesz wnieść oskarżenie.

Tarawicz zaśmiał się i poprowadził ją do lokalu.

– Candice – Rebus chwycił ją za ramię, ale wyrwała mu się i ciaśniej przylgnęła do swego pana i władcy.

Dwóch ludzi Telforda blokowało drzwi. Pretty-Boy znalazł się tuż za Rebusem.

– Żadnego policyjnego bohaterstwa? – zagadnął, mijając inspektora.

Rebus wrócił na St Leonard's, zaniósł Farlowe'owi jedzenie i prasę, po czym zabrał się z wozem patrolowym do komisariatu Torphichen. Potrzebny mu był detektyw inspektor Shug Davidson. Shug miał zaaferowaną minę.

– Ktoś podpalił przedsiębiorstwo taksówkowe – poinformował Rebusa.

– Wiadomo, kto?

Davidson zmrużył powieki.

– Właścicielem jest Jack Scallow. Czy chcesz mi coś powiedzieć?

– Kto jest prawdziwym właścicielem, Shug?

– Cholernie dobrze wiesz, kto.

– A kto kopie dołki pod Caffertym?

– Coś słyszałem.

Rebus ciężko oparł się o biurko Davidsona.

– Tommy Telford pójdzie na wojnę, jeśli go nie powstrzymamy.

– My?

– Chcę, żebyś mnie gdzieś zawiózł – poprosił Rebus.

Shug Davidson ożenił się szczęśliwie z wyrozumiałą kobietą. Jego dzieci, również wyrozumiałe, nie widywały tatusia tak często, jakby pragnęły. Przed rokiem wygrał czterdzieści tysięcy funtów w grze losowej i postawił drinka całej komendzie. Reszta forsy rozeszła się w szybkim tempie.

Rebus pracował już z nim kiedyś. Shug nie był najgorszym gliną, choć brakowało mu wyobraźni.

– Co jest? – zapytał Davidson, kiedy stanęli przed dużym, ceglanym budynkiem, który tak interesował Tommy'ego Telforda.

– Właśnie chcę, żebyś mi powiedział, co to jest – Rebus wskazał budynek skinieniem głowy

– To przecież Maclean's – Davidson wzruszył ramionami.

– I co tam jest?

Shug zachichotał.

– Naprawdę nie wiesz? – Otworzył drzwiczki auta. – W takim razie chodź, pokażę ci.

Od razu przy wejściu zażądano, aby się wylegitymowali. Rebus stwierdził, że miejsce jest silnie, choć dyskretnie strzeżone. Liczne kamery śledziły wchodzących z różnych stron i pod różnymi kątami. Zadzwoniono gdzieś i człowiek w białym kitlu zszedł, aby ich zarejestrować. Przypięli sobie plakietki gości i zaczęło się zwiedzanie obiektu.

– Ja już tu byłem – szepnął Davidson. – Jeśli chcesz wiedzieć, to jest najlepiej strzeżone tajne miejsce w mieście.

Chodzili po piętrach i korytarzach. Wszędzie byli wartownicy, alarmy, zabezpieczenia. Każde drzwi otwierano kodem; kamery śledziły ich kroki. Rebus nie bardzo mógł zrozumieć, czemu ten skromny budynek był aż tak strzeżony, zwłaszcza że nic ciekawego się w nim nie działo.

– Co to jest, Fort Knox? – rzucił w końcu, lecz przewodnik w milczeniu wręczył im białe fartuchy. Dopiero kiedy weszli do laboratorium, zaczął rozumieć.

Królowała tu chemia. Ludzie sprawdzali retorty, robili notatki. Wszędzie stały dziwne i skomplikowane aparaty, choć istota chemicznego laboratorium, jakie każdy pamięta ze szkoły, pozostała niezmieniona.

– Witaj – oznajmił z namaszczeniem Davidson – w największej na świecie fabryce narkotyków.

Było to prawdziwe stwierdzenie, ale tylko w odniesieniu do przedsiębiorstw, które legalnie produkowały heroinę i kokainę – wśród nich Maclean's był największym, o czym nie omieszkał poinformować przewodnik.

– Działamy na zlecenie rządu. W 1961 roku zawarto międzynarodowe porozumienie: każdy kraj zezwala u siebie na działalność jednego, legalnego producenta. My produkujemy dla całego Zjednoczonego Królestwa.

– Co konkretnie robicie? – Rebus zerknął na rząd zamkniętych chłodziarek.

– Wszystko – metadon dla uzależnionych od heroiny, petedynę dla rodzących kobiet, diamorfinę, która łagodzi bóle w terminalnej fazie choroby nowotworowej, i kokainę do innych rodzajów leczenia i do badań. Początki kompanii sięgają czasów wiktoriańskich. Produkowano wówczas laudanum dla spazmujących dam i żołnierzy na frontach.

Rebus potarł czoło.

– Teraz rozumiem, skąd takie środki ostrożności.

Przewodnik uśmiechnął się.

– System bezpieczeństwa mamy tak dobry, że banki proszą nas o konsultacje.

– Były próby włamań?

– Parę razy, nic groźnego dla nas.

Jasne, pomyślał Rebus, bo nie mieliście dotąd do czynienia z Tommym Telfordem ani z Yakuzą...

– A ta pani? – zapytał, wskazując na kobietę, która nie wykonywała żadnej pracy.

– To nasza pielęgniarka. Jest na dyżurze.

Przewodnik ruchem głowy wskazał mężczyznę, obsługującego jeden z aparatów.

– Etorpina – powiedział. – Czterdzieści tysięcy funtów za kilogram, niezwykle mocna. Pielęgniarka ma antidotum, na wszelki wypadek.

– Do czego jest używana etorpina?

– Do usypiania nosorożców – odparł przewodnik takim tonem, jakby odpowiedź była oczywista.

Kokainę produkowano z liści koki sprowadzanych z Peru. Opium pochodziło z plantacji w Tasmanii i w Australii. Czystą heroinę i kokainę trzymano w specjalnej komorze pancernej, strzeżonej przez alarmy pracujące na podczerwieni i wykrywacze ruchu. Ponadto każde laboratorium miało swój system zamknięć. Po pięciu minutach pobytu w tym miejscu Rebus w pełni zrozumiał zarówno to, czemu Telford tak się nim zainteresował, jak i to, czemu sprowadził Yakuzę. Wiedział, że bez pomocy Japończyków nie poradzi sobie z tą fortecą. Mimo wszystko ta wersja brzmiała mało prawdopodobnie. Możliwe, że Telford pragnął po prostu pokazać, na co go stać. Takie prężenie mięśni na użytek konkurencji.

Kiedy znaleźli się z powrotem w wozie, Davidson zadał nieuniknione pytanie.

– Po co ci to było, John?

– Podejrzewam, że Telford planuje zamach na to miejsce.

Davidson prychnął lekceważąco.

- Nie ma szans. Jak sam powiedziałeś, jest paskudniejsze niż cholerny Fort Knox.

- Tu chodzi o prestiż, Shug. Jeśli Telford zdoła wyczyścić to miejsce z towaru, zdobędzie sławę. Cafferty nie podniesie się po takim ciosie. Ta sama zasada, co przy podpaleniach – pognębić Cafferty'ego i powitać Tarawicza, rozwijając „czerwony dywan" – witaj w Edynburgu i na dzień dobry popatrz, co potrafię.

- Mówię ci – powtórzył Davidson – że mysz się tu nie wciśnie. – O, kurde, ale tanio! – Uwaga odnosiła się do wywieszki na szybie narożnego sklepiku. Rebus też spojrzał. Superobniżka cen papierosów. Tanie sandwicze i hot-dogi. I poranna gazeta o pięć pensów mniej niż na mieście.

- Musi tu być mordercza konkurencja – zauważył Davidson. – Przekąsisz coś?

Rebus obserwował pracowników wychodzących z bram Maclean's. Zapewne popołudniowa przerwa. Patrzył, jak przechodzą przez ulicę, przebiegając między samochodami. Grzebali w kieszeniach w poszukiwaniu drobnych i wchodzili do sklepiku.

- Chętnie – powiedział. – Czemu nie?

Sklepik był zatłoczony. Davidson ustawił się w kolejce, a Rebus oglądał prasę na stojaku. Ludzie z Maclean's śmiali się i plotkowali. Za ladą uwijało się dwóch młodych mężczyzn, uprzejmych, lecz mało wprawnych.

- Na co masz ochotę, John? Kanapka z bekonem?

- Może być. Dwie – dodał, przypominając sobie, że nie jadł obiadu.

Dwie solidne kanapki za jednego funta. Wrócili do samochodu, żeby tam zjeść.

- Faktem jest, Shug, że często utrzymuje się takie sklepiki jak ten, żeby wykończyć konkurencję – powiedział Rebus. Davidson żwawo przytaknął, atakując kanapkę. – Ale to miejsce wygląda mi na coś więcej. – Rebus w zamyśleniu odsunął kanapkę od ust. – Mam prośbę – zrób mi przysługę i sprawdź historię tego sklepu. Wiesz, kto jest właścicielem, kim są ci dwaj za ladą, i tak dalej.

Szczęki Davidsona zwolniły tempo żucia.

- Myślisz, że...?

- Sprawdź, dobrze?

22

Kiedy wrócił na St Leonard's, nie zdążył nawet usiąść przy biurku, a już zadzwonił telefon. Rebus odkręcił termos z kawą. Nalał, upił dwa łyki i sięgnął po słuchawkę.

– Detektyw Rebus przy telefonie.

– Co miało znaczyć to pokazowe gówno? – warknął Cafferty.

– Skąd dzwonisz?

– A jak myślisz?

– Z komórki?

– Zdumiewające, ile rzeczy przesiąka za kratki Barlinnie, co? Powiedz mi lepiej, co to były za fajerwerki?

– Przecież wiesz.

– Sfajczył mi dom! Mój dom! Mam mu to puścić płazem?

– Spokojnie, myślę, że niedługo się do niego dobiorę.

Cafferty nieco się uspokoił.

– Powiesz mi?

– Jeszcze nie teraz. Najpierw...

– I moje taksówki! – Gniew Cafferty'ego rozgorzał na nowo. – Pieprzony skurwiel!

– Posłuchaj, on dokładnie na to liczył. Teraz czeka na twoją zemstę.

– I doczeka się!

– Jest na nią nastawiony. Czy nie lepiej zaatakować go z zaskoczenia?

– Ten sukinkot miał się na baczności już wtedy, kiedy nosił pieluchę w zębach!

– Mam ci powiedzieć, dlaczego to zrobił?

– Dlaczego?

– Bo twierdzi, że zabiłeś Matsumoto.

- Kogo?

- Japońskiego biznesmena. Ten, kto to zrobił, postarał się stworzyć pozory, jakbym to ja siedział za kółkiem.

- Nie zrobiłem tego!

- Powiedz to Telfordowi. On myśli, że działałem na twoje zlecenie.

- Wiemy, że tak nie jest.

- Racja. Wiemy również, że ktoś chce mnie wrobić, odsunąć od sprawy.

- Powiedz mi jeszcze raz, jak się nazywał ten truposz?

- Matsumoto.

- Japoniec?

Rebus żałował, że nie może widzieć miny Cafferty'ego. Ale nawet teraz trudno było osądzić, czy ten człowiek gra.

- Tak.

- Co, u licha, skośnooki miał wspólnego z Telfordem?

- Widzę, że twój wywiad zszedł na psy.

Po drugiej stronie linii zapadła cisza.

- A co do tego zielonego rovera...

- Macie coś?

- Komis w Porty. Znaczy w Portobello. Właściciel kupił towar od jednego człowieka. W tym kasety z operą i Roya Orbisona. Zapamiętał, bo normalnie takie rzeczy nie idą w parze.

Rebus zacisnął palce na słuchawce.

- Jaki sklep? Jak wygląda właściciel?

Chłodny śmiech.

- Spokojnie, pracujemy nad tym. Daj nam jeszcze trochę czasu. A jeśli chodzi o tego japońskiego gościa...

- Powiedziałem, że wyłączę Telforda z gry. Chyba mamy co do tego jasność.

- Jeszcze nie widziałem żadnej akcji.

- Pracuję nad tym!

- A jak się miewa Samantha? - zagadnął Cafferty. - Chyba tak ma na imię, prawda?

- Ehm...

- Bo widzisz, wygląda na to, że wypełniłem swoją część naszego układu. Ty tymczasem...

- Matsumoto należał do Yakuzy. Słyszałeś o nich?

Chwila ciszy w słuchawce.

– Słyszałem.

– Telford pomaga im przy kupnie klubu golfowego.

– A na co im ten klub?

– Prawdę mówiąc, nie wiem.

Znów milczenie. Tak długie, że Rebus przez chwilę myślał, że wyłączył mu się telefon. Ale Gruby Ger ponownie się odezwał.

– Ma gość rozmach, co? – W tonie starego gangstera słychać było autentyczny podziw.

– Obaj znamy takich, którzy celowali za wysoko i przeliczyli się. – Pewna myśl zaczęła się formować w głowie Rebusa; przebłysk intuicji, o co w tym wszystkim może chodzić.

– W każdym razie wygląda na to, że Tommy Telford nie powiedział jeszcze ostatniego słowa – stwierdził Cafferty. – A ja nawet w połowie nie pokazałem, co potrafię.

– Wiesz, co, Cafferty? Za każdym razem, kiedy masz głos zbitego psa, wiem, że gotujesz się z wściekłości.

– A ty wiesz, że muszę się zemścić, czy tego chcę, czy nie. Pospolity rytuał, taki sam jak uścisk dłoni.

– Ilu masz ludzi?

– Wystarczy aż nadto.

– Dobrze, i jeszcze jedna rzecz... – Rebus nie mógł uwierzyć, że mówi takie rzeczy swojemu arcywrogowi. – Jake Tarawicz zjawił się dziś w Edynburgu. Myślę, że fajerwerki miały zrobić na nim wrażenie.

– Twierdzisz, że Telford podpalił mój dom tylko po to, żeby zaimponować temu ruskiemu wypierdkowi?

Jak smarkacz, który chce zaimponować starszym kumplom, pomyślał Rebus. Który nie pomyśli...

– No jasne, że tak! – Cafferty od nowa wpadł we wściekłość. – Karty zostały rozdane. Tych dwóch chce zagrać nieczysto kontra Morrisowi Geraldowi Cafferty'emu. Ale ja im pokażę, co to znaczy nieczysto! Wpuszczę im takiego syfa, że kiedy skończę, będą myśleli, że zdychają na pierdolony, pełnoobjawowy AIDS!

Rozmowa stawała się nieznośna. Rebus odłożył słuchawkę, dopił zimną kawę i sprawdził wiadomości na sekretarce. Patience zastanawiała się, czy zdoła umówić się z nim na kolację. Rhona zawiadamiała, że odbyło się kolejne badanie córki. Bobby Hogan chciał zamienić z nim kilka słów.

Najpierw zadzwonił do szpitala. Rhona powiedziała coś o nowym rodzaju badania, które miałoby określić rozmiary uszkodzenia mózgu, jeśli takie nastąpiło.

– Dlaczego w takim razie od razu go nie zrobili?

– Nie wiem.

– Nie pytałaś?

– A może sam zjawiłbyś się tu i zapytał, tak jak ty to potrafisz? Bo mam wrażenie, że to nie ja, a ty spędzasz w szpitalu dnie i noce, śpiąc w fotelu przy łóżku Samanthy.

– Rhona, przepraszam, miałem ciężki dzień.

– Oczywiście tylko ty.

– Wiem, jestem egoistycznym draniem.

Reszta rozmowy była do przewidzenia. Z ulgą odłożył słuchawkę. Spróbował połączyć się z Patience; nagrał się na sekretarkę, mówiąc, że z przyjemnością przyjmuje zaproszenie. Wreszcie zadzwonił do Hogana.

– Hej, Bobby, co tam masz?

– Niewiele. Zamieniłem parę słów z Telfordem.

– Wiem, mówił mi.

– Rozmawiałeś z nim?

– Powiedział, że nie zna Lintza. A ty rozmawiałeś z Rodziną?

– Tylko z tymi, którzy przychodzą do biura. Trudno się przyczepić.

– Wspomniałeś o pięciu patykach?

– Myślisz, że jestem głupi? Myślałem, że będziesz mógł mi pomóc.

– Wal.

– Kalendarz Lintza. Znalazłem kilka adresów doktora Colquhouna. Z początku myślałem, że ma tam praktyki.

– Jest doktorem slawistyki.

– Chyba tylko Lintz za nim nadążał. Trzy zmiany adresów na przestrzeni dwudziestu lat. Przy pierwszych dwóch były zapisane telefony, ale stare. Sprawdziłem. Pod ostatnim podanym adresem mieszkał tylko trzy lata.

– Więc?

– Więc Lintz tak naprawdę nie miał jego telefonu. Jeśli więc chciał z nim pogadać...

... dzwonił na uniwerek – uzupełnił Rebus. Billing połączeń Lintza: dziwne dwadzieścia minut. Rebus pamiętał, co Colquhoun mówił o Lintzu: „Spotykałem go tylko przy oficjalnych okazjach... nasze wydziały miały niewiele kontaktów... Jak powiedziałem, i ja nie miałem z nim bliższych związków..."

– Nie byli na tym samym wydziale – powiedział głośno. – Colquhoun mówił mi, że rzadko się spotykali...

– Skąd w takim razie Lintz miał dokładne namiary Colquhouna?

– Poddaję się, Bobby. Zapytałeś go o to?

– Nie, ale miałem taki zamiar.

– I tak by ci skłamał. Przez cały tydzień usiłowałem wyciągnąć coś od niego. Ostatnio widziałem go w Morvenie. Czy Colquhoun łączy Telforda z Lintzem?

– Niedługo się dowiem.

– Co takiego?

– Mam się spotkać z nim w jego biurze.

– Zaproś tam i mnie – zaproponował Rebus.

Kiedy Rebus zaparkował przy Buccleuch Place – w astrze, którą przydzielono mu dzięki uprzejmości jego macierzystego komisariatu – zobaczył, że w sąsiedniej zatoczce auto szykuje się do odjazdu. Pomachał ręką, ale Kirstin Mede nie widziała go, a zanim włączył klakson, zdążyła odjechać. Zastanawiał się, jak dobrze zna Colquhouna. W końcu to ona podsunęła mu myśl, aby posłużył za tłumacza...

Hogan, stojący przy barierce, zauważył wysiłki Rebusa.

– Ktoś znajomy?

– Kirstin Mede.

Hogan zlokalizował nazwisko na mapie swojej pamięci.

– Tłumaczyła dla ciebie?

Rebus zerknął na gmach filologii słowiańskiej.

– Znalazłeś Davida Levy'ego?

– Córka nadal nie miała o nim wiadomości.

– Od jak dawna?

– Na tyle długo, abym nabrał podejrzeń, choć ona nie wydaje się zbyt zmartwiona.

– Jak masz zamiar rozegrać rozmowę? – zapytał Rebus.

– Zależy, jak on się zachowa.

– Ty zadajesz pytania. Ja tylko chcę być przy tym.

Hogan zerknął na niego, a potem wzruszył ramionami

i otworzył drzwi budynku. Weszli na wydeptane, kamienne stopnie.

– Mam nadzieję, że nie urzęduje na poddaszu – sapnął.

Nazwisko Colquhouna widniało na wizytówce przytwierdzonej na drzwiach drugiego piętra. Były otwarte. Za nimi ujrzeli perspektywę korytarza i kolejnych sześciu drzwi. Gabinet Colquhouna był pierwszy po prawej, a doktor już czekał w progu.

– Usłyszałem głosy panów. Miejsce jest bardzo akustyczne. Zapraszam do środka. – Nie spodziewał się, że Hogan przyjdzie w towarzystwie. Słowa uwięzły mu w gardle, kiedy zobaczył Rebusa. Wycofał się rakiem do pokoju, poprosił obu oficerów, aby usiedli i zaczął miotać się, przystawiając im krzesła do swojego biurka.

– Przepraszam za bałagan – rzucił, zgarniając na bok stertę książek.

– Proszę się nie przejmować – powiedział uprzejmie Hogan. Colquhoun zerknął w stronę Rebusa.

– Sekretarka mówiła mi, że był pan w bibliotece.

– Uzupełniałem wiadomości. – Rebus starał się mówić obojętnym tonem.

– Tak, Candice... – powiedział w zamyśleniu Colquhoun. – Czy ona...?

– Przepraszam pana, ale dzisiaj mamy mówić o Josephie Lintzu.

Mężczyzna usadowił się ciężko na drewnianym krześle z oparciami, które zatrzeszczało pod jego ciężarem; w następnej sekundzie zerwał się z niego.

– Kawki, herbatki? Jeszcze raz przepraszam za bałagan.

– Nie przeszkadza nam, proszę pana – powiedział Hogan. – Czy może pan usiąść?

– Tak, oczywiście, oczywiście. – Colquhoun znów opadł na krzesło.

– Joseph Lintz – poddał Hogan.

– Okropna tragedia... okropna. Wiedzą panowie... oni myślą, że to morderstwo.

– Tak, wiemy.

– Och, przepraszam, jasne.

Blat biurka był poplamiony i porysowany. Półki uginały się

pod ciężarem skoroszytów. Na ścianach wisiały stare repro-
dukcje, a na czarnej tablicy, stojącej w rogu, wypisano jedno
słowo: bohater. Sterta uniwersyteckich druków pod oknem
sięgała do wysokości obłażącego z farby parapetu. Okno było
brudne.

– Znaleźliśmy pańskie nazwisko w notesie pana Lintza –
kontynuował Hogan. – I rozmawialiśmy ze wszystkimi jego
przyjaciółmi.

– Przyjaciółmi? – Colquhoun uniósł głowę, zaskoczony. –
Nie nazwałbym nas „przyjaciółmi". Byliśmy kolegami, ale nie
pamiętam, aby spotkał się z nim towarzysko więcej niż trzy-
-cztery razy w ciągu ostatnich dwudziestu lat.

– To ciekawe, bo on zdawał bardzo interesować się panem. –
Hogan przerzucił kartki w swoim notesie. – Począwszy od pańskiego adresu w Warrender Park Terrace.

– Ostatni raz mieszkałem tam w latach siedemdziesiątych.

– Miał również ówczesny numer pańskiego telefonu. A dalej jest Currie.

– Pomyślałem, że dojrzałem do wiejskiego życia...

– W Currie? – Hogan był sceptyczny.

Colquhoun opuścił głowę.

– W końcu zrozumiałem swój błąd.

– I przeprowadziłem się do Duddingston.

– Nie od razu. Wynajmowałem jeszcze kilka mieszkań,
a w tym czasie szukałem domu do kupienia.

– Pan Lintz miał pański numer telefonu w Currie, ale nie
miał adresu w Duddingston.

– Rzeczywiście interesujące, bo po wyprowadzeniu zostawiłem na starym numerze automatyczną informację o zmianie.

– Jak by pan wytłumaczył ten fakt?

Colquhoun zaczął się gwałtownie wiercić.

– Wiem, to zabrzmi okropnie, ale...

– Niech pan nas nie oszczędza.

– Nie chciałem, żeby męczyli mnie studenci.

– A męczyli?

– O, tak, ciągle dzwonili i pytali o różne rzeczy – zaliczenia,
porady, przedłużenia urlopów.

– Pamięta pan, jak dawał adres panu Lintzowi?

– Nie pamiętam.

- A może jednak?

- Nie, ale gdybym nawet mu nie dał, bez trudności zdobył-
by go w sekretariacie uczelni.

Colquhoun zachowywał się teraz bardziej nadpobudliwie
niż zwykle. Stare krzesło trzeszczało alarmująco.

- Proszę pana - powiedział Hogan z poważną miną - czy
jest może coś, co chciałby pan nam powiedzieć na temat pana
Lintza?

Ale Colquhoun pokręcił tylko głową, nie odrywając wzroku od blatu biurka.

Rebus postanowił wyciągnąć asa z rękawa.

- Pan Lintz zadzwonił do tego gabinetu. Rozmawiał przez
ponad dwadzieścia minut.

- T-to jest... po prostu nieprawda. - Wykładowca otarł czoło chusteczką. - Naprawdę bardzo chciałbym wam pomóc, panowie, ale prawda jest taka, że bardzo słabo znałem Josepha
Lintza.

- I nie dzwonił do pana?

- Nie.

- Więc nie potrafi pan wytłumaczyć, z jakiego powodu ko-
lekcjonował pana edynburskie adresy z okresu ostatniego
dwudziestolecia.

- Nie.

Hogan westchnął z teatralną rezygnacją.

- W takim tracimy czas, i pan, i my. - Wstał. - Dziękujemy
za wyjaśnienia, panie Colquhoun.

Wyraz ogromnej ulgi na twarzy wykładowcy powiedział
obu inspektorom wszystko.

Nie rozmawiali, schodząc na dół, pamiętając o akustyce tego miejsca. Samochód Hogana stał bliżej. Usiedli na chwilę
w nim, żeby pogadać.

- Martwi się - powiedział Rebus.

- Coś ukrywa. Myślisz, że powinniśmy wrócić i przycisnąć
go?

Rebus pokręcił głową.

- Niech pomęczy się teraz przez parę dni. Potem go przy-
ciśniemy.

- Nie był zachwycony twoją obecnością.

- Zauważyłem.

- Restauracja... Lintz jadł tam obiad z jakimś starszym dżentelmenem.

- Moglibyśmy powiedzieć mu, że mamy rysopis od zmiany, która wtedy miała dyżur.

- Bez wchodzenia w szczegóły?

Rebus skinął głową.

- Zobaczymy, czy to go weźmie.

- A co z inną osobą, z którą też jadł obiad, z młodą kobietą?

- Nie mam pojęcia.

- Pmyśl, elegancka knajpa, starszy facet, młoda kobieta.

- Call girl?

Hogan uśmiechnął się.

- Chyba tak się do niej nie zwracał.

Rebus zmarszczył czoło.

- To mogłoby wyjaśnić telefony do Telforda. Choć z drugiej strony wątpię, czy Tommy byłby na tyle nieostrożny, aby załatwiać te interesy w swoim biurze. Zresztą jego agencja towarzyska działa pod innym adresem i telefonem.

- Fakt, Lintz dzwonił do biura Telforda.

- Poza tym branie dziewczyn do towarzystwa samo w sobie nie jest jeszcze przestępstwem. Facet nie chce jeść sam, więc zamawia sobie kogoś. Potem cmok w policzek, osobne taksówki, wiesz. - Hogan przygryzł wargę. - Trudno się przyczepić.

- Wiem, Bobby.

Popatrzyli na okna drugiego piętra i zobaczyli Colquhouna, spoglądającego w dół, z chustką przy twarzy.

- Zostawmy go z tym - powiedział Hogan, otwierając samochód,.

- Jeszcze jedno - jak ci poszło z Abernethym?

- Nie sprawił mi zbyt wiele kłopotu. - Hogan unikał wzroku Rebusa.

- Więc już pojechał?

Hogan mościł się na siedzeniu kierowcy.

- Pojechał. Cześć, John.

Odjechał z marsem na twarzy, zostawiając Rebusa stojącego na chodniku. Inspektor zaczekał, aż wóz zniknie za rogiem, a potem wszedł do budynku i po raz drugi ruszył po schodach na drugie piętro.

Drzwi do gabinetu były otwarte; starszy mężczyzna tkwił za biurkiem. Rebus przysunął sobie krzesło i usiadł, nic nie mówiąc.

– Byłem chory – powiedział Colquhoun.

– Ukrywał się pan. – Starszy mężczyzna uczynił przeczący ruch głową. – Powiedział im pan, gdzie znaleźć Candice – ciągnął nieubłaganie Rebus. – Znów przeczący ruch. – Potem zaczął się pan bać, więc ukryli pana, może w jakimś pokoju w kasynie. Proszę mnie poprawić, jeśli się mylę.

– Nie mam uwag.

– W takim razie mogę mówić dalej?

– Proszę, aby pan natychmiast wyszedł. Jeśli nie, zadzwonię do mojego adwokata.

– Charlesa Groala? – uśmiechnął się Rebus. – Może i pouczyli pana, co ma pan mówić i robić, ale nie mogli cofnąć tego, co już się stało. – Wstał. – Wysłał pan Candice z powrotem do nich. Tak, pan to zrobił! – Pochylił się nad biurkiem. – Od początku wiedział pan, kim ona jest, prawda? Dlatego był pan taki nerwowy. Co pan o niej wiedział, doktorze Colquhoun? Skąd wzięła się pańska komitywa z takim typem, jak Tommy Telford?

Colquhoun podniósł słuchawkę. Ręce drżały mu tak, że nie mógł trafić palcami w klawisze.

– Nie trudź się, człowieku – powiedział Rebus lodowatym tonem. – Już sobie idę. Ale to nie jest ostatnia nasza rozmowa, zapewniam cię. I będziesz mówił. Będziesz mówił, bo jesteś tchórzem, doktorze Colquhoun. A każdy tchórz w końcu zaczyna gadać...

23

Brygada Kryminalna w Fettes, centrum muzyki country. Ani śladu Ormistona i Clarke. I Claverhouse, który na widok Rebusa szybko odłożył słuchawkę.

– Pojechali na wezwanie – wyjaśnił.

– Coś wiadomo o tej nożowniczej robocie w więzieniu?

– A jak myślisz?

– Myślę, że jest coś, o czym powinieneś wiedzieć. – Rebus usiadł za biurkiem Siobhan Clarke, podziwiając panujący tam porządek. Otworzył szufladę: taki sam ład. Szufladkowanie, pomyślał. Clarke jest świetna, jeśli chodzi o dzielenie swojego życia na osobne przegródki i wkładanie do nich różnych treści. – Jake Tarawicz jest w mieście – oznajmił. – Jeździ białą superlimuzyną, trudno go przeoczyć. I przywiózł ze sobą Candice – dodał po chwili.

– Co on tu robi?

– Myślę, że przyjechał na pokazówkę.

– Jaką pokazówkę?

– Cafferty i Telford, piętnaście rund bez rękawic i bez arbitra. – Rebus wychylił się do przodu, splatając dłonie na biurku. – I domyślam się, o co w tym wszystkim może chodzić.

Kiedy wrócił do domu, zadzwonił do Patience i powiedział, że może się spóźnić.

– Bardzo? – zapytała.

– Na tyle, na ile nie grozi to naszym zerwaniem. Ile więc? Zastanawiała się chwilę.

– Wpół do dziewiątej.

– Będę.

Odsłuchał sekretarkę. David Levy zostawił informację, że już wrócił.

– Gdzie pan był, do licha? – zapytał Rebus, gdy córka poprosiła ojca do telefonu.

– Wyjechałem, robiłem interesy.

– Wie pan, że córka się o pana martwiła. Mógł pan do niej zadzwonić.

– Udziela pan telefonicznych porad za darmo?

– Za chwilę włączę licznik, jeśli nie odpowie pan na kilka pytań. Wie pan, że Lintz nie żyje?

– Słyszałem.

– Gdzie pan był, kiedy o tym usłyszał?

– Już mówiłem, wyjechałem w sprawie interesów... inspektorze. Czy jestem podejrzanym?

– Tak, i w dodatku jedynym, jakiego mamy.

W słuchawce rozległ się szorstki śmiech.

– Nonsens! Nie jestem... – Urwał. Pewnie bał się, że córka usłyszy. – Moment... – Musiał zakryć słuchawkę dłonią. Słychać było, jak prosi córkę, aby przeszła do drugiego pokoju. Kiedy znów się odezwał, mówił ciszej. – Inspektorze, chcę, żeby pan wiedział, jak wściekły byłem, kiedy usłyszałem tę wiadomość. Nie będę w tym momencie dyskutował, czy sprawiedliwości stało się zadość, czy nie, ale jestem absolutnie pewien, że komuś zależy, aby sprawie ukręcić łeb.

– Bez procesu?

– Oczywiście! Chodzi o Rat Line. Wraz ze śmiercią każdego kolejnego podejrzanego maleją szanse na udowodnienie, że organizacja w ogóle istniała. Bo wie pan, Lintz nie był pierwszy. Jednemu puściły hamulce w samochodzie, inny wypadł przez okno. Do tego dwa ewidentne samobójstwa i sześć innych przypadków, które wyglądają na zgony naturalne.

– Czy mam przyjąć teorię spiskową?

– To nie był żart, inspektorze!

– Czy słyszał pan, że się śmieję? A co w takim razie z panem, panie Levy? Kiedy wyjechał pan z Edynburga?

– Jeszcze przed śmiercią Lintza.

– Widział się pan z nim? – Rebus wiedział, że tak, ale chciał namierzyć kłamstwo.

Levy zastanowił się chwilę.

- Konfrontacja, to byłoby właściwsze określenie.

- Tylko raz?

- Trzy razy. Nie miał ochoty rozmawiać, ale przekazałem mu to, co chciałem przekazać.

- A telefon?

- Jaki telefon?

- Kiedy zadzwonił do pana do Roxburghe.

- Och, żałuję, że nie nagrałem tego dla potomności. Furia, inspektorze. Piana na ustach. Założę się, że miał atak szału.

- Szału?

- Nie słyszał go pan. Doskonale potrafił udawać osobę absolutnie normalną. Musiał to umieć, inaczej nie zdołałby tak długo uniknąć zdekonspirowania. Ale ten człowiek jest... był szalony. Naprawdę szalony.

Rebus przypomniał w sobie drobnego, zgarbionego człowieka na cmentarzu i jak nagle doprowadził go do pasji wałęsający się pies. Od spokoju do furii, i znów spokój.

- Historia, która mi opowiadał... - Levy westchnął.

- Czy poszliście do restauracji?

- Do jakiej restauracji?

- Przepraszam, myślałem, że panowie umówili się na lunch.

- Zapewniam, że nie.

- O jaką więc historię chodziło?

- Ci ludzie, inspektorze, zjawili się, aby spuścić zasłonę dymną na swoje działania albo raczej zastosować manewr przeniesienia.

- Czyli skierować podejrzenia na kogoś innego?

- Właśnie.

- I taka była opowieść Lintza?

- W większości mało prawdopodobna. Powiedział, że w sumie chodziło o pomyloną tożsamość.

- Jak pan myśli, z kim go pomylili?

- Z kolegą z uczelni... z doktorem Colquhounem.

Rebus zadzwonił do Hogana z wieściami.

- Powiedziałem Levy'emu, że chcesz z nim rozmawiać.

- Zaraz do niego zadzwonię.

- Co o tym myślisz?

- Colquhoun jako przestępca wojenny? - powątpiewał Hogan.

- Też wątpię - stwierdził Rebus.

- Dobrze, w każdym razie widzę, że musimy z nim porozmawiać. I to jeszcze dzisiaj.

- Mam inne plany na dzisiaj, Bobby.

- Fajnie, John. Dzięki za asystę.

- Dasz sobie radę sam?

- Wezmę kogoś ze sobą.

Rebus nie znosił, kiedy odstawiano go na boczny tor. Gdyby tak jeszcze opóźnić kolację...

- Zawiadom mnie, jak poszło - powiedział, odkładając słuchawkę, zanim zdążył wystukać numer. Z głośników słychać było głos Eddiego Harrisa, rytmiczny i melodyjny. Facet śpiewał, jakby moczył się w wielkiej wannie, z płatkami rumiankowych okładów na oczach. Z tej perspektywy zdawało mu się, że każdy spędza życie w małych, przytulnych sześcianach, które otwiera na różne okazje. Nikt nie musi ujawniać swojego prawdziwego ja. Gliniarze to też jedynie jaźnie-pudełka, tyle że z zabezpieczeniem. W ciągu swojego życia spotykasz mnóstwo ludzi, ale nie pamiętasz ich nazwisk. Każdy pakuje się w pudełko, żeby oddzielić się od innych. I to się nazywa społeczeństwem.

Myślał o Josephie Lintzu, odpowiadającym pytaniem na pytanie jak żydowski psychoanalityk, zmieniającym każdą rozmowę w dyskurs filozoficzny, pakującym się do własnego, ciasnego pudełka; tożsamość z zablokowanymi wyjściami; nieunikniona tajemnica jego przeszłości... Joseph Lintz: desperacka furia zwierzęcia zagnanego pod ścianę, możliwe rozpoznanie kliniczne paranoi, wzbudzanej przez... przez co, przez kogo? Wspomnienia? Czy raczej ich brak? Podpuszczenie ze strony innych?

Płyta Eddiego Harrisa towarzyszyła Rebusowi, kiedy wyszedł z wanny. Ubrał się tak, jak na spotkanie z Patience. Ale przedtem miał do zaliczenia pilne sprawy ze służbowego grafiku - kontrolna wizyta u Sammy w szpitalu, a potem spotkanie w Torphichen.

- Cały gang zjechał tutaj - oznajmił Rebus.

Shug Davidson, Claverhouse, Ormiston i Siobhan Clarke siedzieli wokół wielkiego stołu, popijając kawę z identycznych, policyjnych kubków. Rebus przysunął sobie krzesło.

- Sprawdziłeś ich, Shug?

Davidson skinął głową.

- Co ze sklepem?

- Dotarłem do tego, co trzeba. - Davidson chwycił z biurka długopis i jął energicznie obracać go w palcach. - Ostatni właściciel wyleciał ze stawki, bo robił za małe obroty. Prawie przez cały rok lokal stał zamknięty, a potem, pod koniec roku nagle znów zaczął funkcjonować - w nowej postaci, od razu z takimi cenami.

- Które przyciągają pracowników Maclean's - dodał Rebus. - Jak długo trwa ten interes?

- Pięć tygodni, cały czas sprzedaż poniżej kosztów.

- Czyli nic dla zysku, jak widzicie - Rebus powiódł wzrokiem po obecnych. Miał na uwadze głównie Ormistona i Clarke, gdyż Claverhouse już wcześniej usłyszał jego opowieść.

- A właściciele? - zapytał Clarke.

- Sklepik prowadzi dobrana para facetów - Declan Dalaney i Ken Wilkinson. Zgadnij, skąd pochodzą?

- Z Paisley - poinformował skwapliwie Claverhouse.

- Czy należą do gangu Telforda? - upewnił się Ormiston.

- Może nie aż tak, ale z pewnością mają z nim powiązania. - Davidson głośno wysiąkał nos. - Oczywiście Dec i Ken prowadzą sklep, ale nie są jego właścicielami.

- Należy do Telforda - zasugerował Rebus.

- Okay - zgodził się Claverhouse. - Zatem Telford okazuje się właścicielem interesu przynoszącego straty, gdy tymczasem jego realnym zyskiem jest rozpoznanie.

- Podejrzewam, że chodzi jeszcze o coś więcej - dodał Rebus. - To znaczy, plotki mogą być źródłem informacji, ale nie przypuszczam, aby pracownicy laboratoriów, stojący w kolejce po kanapki, nawet jeśli są dziko tanie, ochoczo zdradzali tajemnice firmy, a zwłaszcza te dotyczące zabezpieczeń. Dec i Ken są uprzejmi i elokwentni, tak jak życzył sobie tego Telford, ale nie mogą stawiać zbyt wielu pytań, gdyż wzbudziliby podejrzenia.

- O co więc chodzi Telfordowi? - zapytał Ormiston. Siobhan odwróciła się do niego.

- O wtykę, rozumiesz? - wyjaśniła.

- To ma sens - włączył się Davidson. - Zakłady są doskonale strzeżone, co nie znaczy, że nieprzenikalne. Wszyscy dobrze wiemy, że łatwiej jest dokonać włamania, kiedy ma się kogoś wewnątrz.

- Co więc zrobimy? - zapytała Clarke.

- Pokonamy Telforda jego własną bronią - wyjaśnił Rebus. - Chce mieć swojego człowieka w zakładzie, więc dostarczymy mu go.

- Jeszcze dzisiaj pogadam z kierownictwem Maclean's - powiedział Davidson.

- Pojadę z tobą. - Claverhouse nie lubił, kiedy odstawiano go na boczny tor.

- Jednym słowem, podsuniemy im kreta, który będzie nasz - Clarke zdefiniowała sprawę na własny użytek. - Zagada w sklepie, pokazując, że jest w sam raz dla nich. My zaś będziemy się modlić, żeby Telford zechciał go skaptować.

- Im mniej zostawimy przypadkowi, tym lepiej - stwierdził Claverhouse. - Rzecz musi być rozegrana perfekcyjnie.

- Dlatego przedstawiłem wam całą sprawę - powiedział Rebus. - Jest taki bukmacher, Marty Jones. Ma wobec mnie wielki dług wdzięczności. I teraz tak: nasz człowiek, szykowany na pracownika Maclean's, ma właśnie wejść do sklepu Telforda, kiedy z piskiem opon podjeżdża samochód. To Marty i jego ludzie. Marty chce forsy. Robi się mały kipisz, dłużnik dostaje fangę w żebra dla ostrzeżenia.

Siobhan natychmiast uruchomiła wyobraźnię.

- Na co nasz, roztrzęsiony, zwiewa do sklepu i długo nie może ochłonąć z szoku. Dec i Ken z troską pytają go, co się stało.

- A on opowiada im żałosną historię, jakąś typówkę: hazard, długi, rozpad małżeństwa albo coś w tym stylu.

- Aby był jeszcze bardziej atrakcyjny - dodał Davidson - zróbmy go ochroniarzem.

Ormiston popatrzył na niego sceptycznie.

- Myślisz, że Maclean's to łyknie?

- Wytłumaczymy im, że muszą - oświadczył Claverhouse ze spokojem.

– I najważniejsze: czy Telford to łyknie? – dodała Clarke.

– Zależy, na ile jest zdeterminowany – odparł Rebus.

– Nasz człowiek na wabia... – Ormistonowi zabłysły oczy. – Pracujący dla Telforda. Dobre, tego nam trzeba!

Claverhouse przytaknął z przekonaniem.

– Jeszcze jedna rzecz. – Zerknął na Rebusa i Davidsona. – Kto to ma być? Telford zna nas wszystkich.

– Ktoś z zewnątrz. Ktoś, z kim już kiedyś pracowałem, świetny facet. Nieznany na tym terenie – wyjaśnił Rebus.

– Czy zechce?

W pokoju zapadła cisza.

– Zależy, kto go poprosi – odezwał się głos od drzwi. Wszedł krępy mężczyzna o gęstych, starannie ostrzyżonych włosach i małych, bystrych oczach. Rebus wstał, uścisnął na powitanie dłoń Jacka Mortona i dokonał prezentacji.

– Potrzebuję życiorysu – zaczął Morton bez wstępu; konkretny, zdecydowany gość. – John wytłumaczył mi z grubsza, o co chodzi, i pomysł bardzo mi się spodobał. Ale potrzebuję kwatery, jakiejś nory w pobliżu.

– To pierwsza rzecz, jaką będziemy załatwiać jutro – powiedział Claverhouse. – Tylko najpierw musimy uzyskać zgodę szefostwa na akcję. – Zerknął na Mortona. – A ty co powiesz swojemu szefowi, Jack?

– Wziąłem zaległy urlop, więc nie ma sprawy.

Claverhouse skinął głową.

– Porozmawiam z nim, jak tylko załatwimy zgodę.

– Zgoda musi być dzisiaj – zaznaczył Rebus. – Być może ludzie Telforda już kogoś namierzyli. Jeśli będziemy zwlekać, stracimy okazję.

– Okay – Claverhouse zerknął na zegarek. – Zaraz biorę się do telefonowania. Obawiam się, że zaburzę im wieczorną ceremonię picia whisky po pracy.

– Pomogę ci, jak chcesz – zaoferował się Davidson.

Rebus przeniósł spojrzenie na Mortona – najwierniejszego przyjaciela – i bezgłośnie wymówił słowo „dziękuję". Jack zbył go wzruszeniem ramion. Rebus wstał.

– Opuszczam państwa – oznajmił. – Jeśli będziecie mnie potrzebowali, mam komórkę i pager.

Na korytarzu złapała go Siobhan Clarke.

– Chciałam ci tylko podziękować.

– Za co? – zdziwił się.

– Od czasu, kiedy udało ci się zainteresować Claverhouse'a tą aferą, nie włącza nagrywania w czasie zebrań.

24

Kolacja udała się nadspodziewanie. Rozmawiał z Patience o Sammy, o Rhonie, o swojej fascynacji muzyką lat sześćdziesiątych, o swojej ignorancji, jeśli chodzi o modę. Ona opowiadała o pracy, o kursach eksperymentalnego gotowania, na które uczęszczała, o podróży na Orkney, na którą się cieszyła. Jedli makaron z sosem krewetkowym, popijając wodą mineralną Highland Spring. Rebus za wszelką cenę usiłował nie myśleć o tajnej operacji, o Tarawiczu, o Candice i o Lintzu... Ale i tak Patience zauważyła, że błądził gdzieś myślami, i trochę żartując, czyniła mu wymówki, że ją porzuca. Zapytała w końcu, czy wraca do domu.

– Czy to zaproszenie?

– Sama nie wiem... pewnie tak.

– Udawajmy, że nie, bo nie będę się czuł jak skończony drań, odrzucając je.

– Rozsądna propozycja. Ważne sprawy?

– Dziwię się, że jeszcze nie widzisz, jak wychodzą mi uszami.

– Chcesz o tym porozmawiać? Nie wiem, czy zauważyłeś, że rozmawiamy praktycznie o wszystkim, tylko nie o nas – ostatnie słowo wypowiedziała z naciskiem.

– Wątpię, czy rozmowa może pomóc.

– Duszenie w sobie nierozwiązanych spraw jest lepsze? – Wskazała na niego palcem. – „Szkot mężczyzna najszczęśliwszy jest, gdy trwa w odmowie" – powiedziała patetycznie.

– Czego odmawiam?

- Przede wszystkim odmawiasz mi dostępu do swojego życia.

- Przepraszam.

- Chryste, Johny, wydrukuj sobie to słowo na koszulce!

- Dzięki za pomysł, być może tak zrobię. - Podniósł się z krzesła.

- Cholera, teraz ja przepraszam. - Uśmiechnęła się naprawdę przepraszająco. - Podpuściłeś mnie, widzisz?

- Niech ci będzie.

Wstała również i dotknęła jego ramienia.

- Denerwujesz się testem?

- Wierz mi albo nie wierz, teraz to najmniejsze z moich zmartwień.

- Słusznie, bo wynik będzie negatywny.

- *Hunky dory**.

- *Hunky dory* - powtórzyła, znów się uśmiechając i musnęła wargami jego policzek. - Wiesz, tak naprawdę nie wiem, skąd to się wzięło.

- *Hunky Dory*?

Skinęła głową.

- Tytuł albumu Dawida Bowie. - Cmoknął ją w czoło.

Nie potrafił powiedzieć, jaki instynkt kazał mu zboczyć z drogi, ale był zadowolony, że to zrobił. Bowiem przed kasynem Morvena zobaczył zaparkowaną białą limuzynę. Szofer stał obok i palił papierosa ze znudzoną miną. Od czasu do czasu wyjmował komórkę i odbywał krótką rozmowę. Rebus patrzył na budynek, myśląc: Tommy Telford ma tu udział w zyskach; hostessy pochodzą z Europy Wschodniej, a sprowadza je Tarawicz. Zastanawiał się, jak bardzo sprzężone są przestępcze imperia obu panów. I jeszcze trzecie odgałęzienie - Yakuza. Coś tu się nie zgadzało...

- Co Tarawicz z tego ma?

Miriam Kenworthy sugerowała eksport siły: szkoccy twardziele, trenowani przez organizację Telforda, przerzucani na południe i na wschód. Ale to nie mogło wystarczyć. Musiało być coś więcej. Pytania: czy pan Różowooki ma mieć udziały

---

*Hunky dory - ang. pot. - klawy, fajny (przyp. tłum.).

w łupie z Maclean's? Czy Telford szachuje go akcją Yakuzy? A co z hipotezą, że Telford jest dostawcą Tarawicza?

Kwadrans po północy kolejny telefon poderwał kierowcę do działania. Cisnął niedopałek na asfalt i zaczął otwierać drzwi wozu. Tarawicz i jego świta wylegli z kasyna z minami panów świata. Candice miała na sobie długi, czarny płaszcz, a pod nim różową, połyskliwą sukienkę do kolan. W ręku niosła napoczętą butelkę szampana. Rebus doliczył się trzech ludzi Tarawicza, których zapamiętał z krwawej rozróby w Scrapyard. Dwóch innych: prawnik i Krab. Telford był z nimi, w obstawie swoich dwóch wiernych pretorian, w tym Pretty-Boya. Pretty-Boy sprawdzał, czy garnitur nadal dobrze na nim leży, nie mogąc się zdecydować na wersję z zapiętymi, bądź rozpiętymi guzikami. Ale jego wzrok bez ustanku przebiegał okolicę. Rebus zaparkował poza kręgiem światła ulicznej latarni, mając nadzieję, że nikt go nie zobaczy. Towarzystwo wsiadło do limuzyny. Rebus patrzył, jak rusza, sygnalizuje skręt i znika za rogiem. Dopiero wtedy włączył silnik i światła.

Jechali do tego samego hotelu, w którym zatrzymał się Matsumoto. Range rover Telforda zaparkował po drugiej stronie ulicy. Przechodnie – wieczorne parki, spieszące do pubów – zerkali na limuzynę, jakby liczyli, że za chwilę wysiądzie z niej gwiazda filmowa. Rebus jako reżyser; Candice w roli gwiazdki, orbitującej wokół producenta Tarawicza, i Telford jako młody, ambitny operator, który uczy się pilnie od producenta, aby kiedyś wykopać pod nim dołek i wskoczyć na jego miejsce. Reszta to byli tylko statyści, z wyjątkiem Pretty-Boya, który trzymał się blisko szefa, zapewne w oczekiwaniu na swoje pięć minut.

Jeśli Tarawicz ma apartament, znajdą się tam wszyscy. Jeśli nie, pójdą do baru. Rebus zaparkował i wszedł za nimi do środka.

Zmrużył oczy, porażony światłem. Hol, wyłożony boazerią i zastawiony roślinami w donicach, lśnił od luster i polerowanego brązu. Rebus udawał marudera, który goni swoją grupę. Byli w barze; widział ich przez wahadłowe, przeszklone drzwi. Cofnął się. W recepcji będzie się rzucać w oczy, w barze – jeszcze bardziej. Wrócić do samochodu? Ktoś wstał od stolika, zsunął z ramion długi, czarny płaszcz. Candice. Uśmiechnęła się i powiedziała coś do Tarawicza, który skinął głową. Ujął jej dłoń i wycisnął we wnętrzu pocałunek. Posunął się dalej: powoli przesunął językiem aż do przegubu. Towarzystwo sekundowało mu śmiechem i gwizdami. Candice miała nieobecną minę. Tarawicz ugryzł ją w zgięcie łokcia. Pisnęła boleśnie i wyszarpnęła rękę, pocierając bolące miejsce. Tarawicz nie schował języka, popisując się przed swoją publicznością.

Candice stała, czekając, aż jej pan i władca skończy swój krótki występ. Skończył i zwolnił ją machnięciem ręki. Otrzymawszy pozwolenie, ruszyła ku drzwiom. Rebus cofnął się do wnęki z aparatami telefonicznymi. Candice skręciła w korytarz, gdzie mieściły się damskie toalety. Tymczasem towarzystwu w barze przyniesiono szampana i sok pomarańczowy dla Pretty-Boya.

Rebus rozejrzał się dyskretnie i wziął głęboki oddech. Wejście do damskiej toalety w jego wykonaniu wyglądało jak najzwyczajniejsza rzecz na świecie.

Przemywała twarz wodą. Na umywalce stała mała, brązowa buteleczka, a obok, przygotowane, trzy żółte tabletki. Rebus zrzucił je na ziemię.

– Hej! – Odwróciła się i na jego widok zamknęła sobie dłonią usta, tłumiąc okrzyk zaskoczenia. Chciała uciec, ale nie było dokąd.

– Tego właśnie chcesz, Karino? – Posłużył się jej prawdziwym imieniem w ramach przyjacielskiego szantażu.

Zmarszczyła brwi i powoli pokręciła głową. Na jej twarzy widać było wahanie. Rebus chwycił ją za ramiona i potrząsnął.

– Sammy – syknął. – Sammy jest w szpitalu. Bardzo chora. – Pokazał gestem w kierunku baru. – Oni chcieli ją zabić.

Dotarło. Popatrzyła na niego rozszerzonymi oczami. Łzy rozmazywały makijaż.

– Mówiłaś coś Sammy?

Znów zmarszczyła brwi.

– Coś o Telfordzie czy Tarawiczu? Rozmawiałaś z Sammy o nich?

Powolny, wyraźnie przeczący ruch głowy.

– Sammy... szpital?

Przytaknął. Udał, że kręci kierownicą, naśladując warkot silnika, a potem z rozpędu walnął pięścią w otwartą dłoń. Candice zachwiała się i oparła o umywalkę. Płakała, wstrząsało nią łkanie. Wytrząsnęła z butelki nowe tabletki. Rebus wyrwał je z jej ręki.

– Chcesz zapomnieć? Nie, zapomnij o tym! – Rzucił tabletki na podłogę i zgniótł je obcasem. Rzuciła się na kolana, polizała palec i zaczęła zbierać okruchy. Rebus pomógł jej wstać, ale kolana uginały się pod nią; musiał ją podtrzymywać. Unikała jego wzroku.

– To zabawne, pierwszy raz też spotkaliśmy się w toalecie, pamiętasz? Byłaś przerażona. Nienawidziłaś swojego życia tak, że próbowałaś podciąć sobie żyły. – Dotknął blizn na jej przegubach. – A teraz znów siedzisz w tym bagnie.

Oparła mu głowę na piersi, mocząc łzami klapę marynarki.

– Pamiętasz Japończyka? Pamiętasz Juniper Green, klub golfowy?

– Juniper Green – powtórzyła.

– Zgadza się. I wielką fabrykę... samochód zatrzymał się, wszyscy oglądali fabrykę.

Kiwała głową.

– Czy rozmawiali o tym? Powiedzieli coś?

Tym razem pokręciła głową.

– John... – Chwyciła go za klapy. Pociągnęła nosem, a potem zaczęła się osuwać, aż uklękła przed nim, mrugając załzawionymi oczami i na oślep macając wilgotnymi palcami po podłodze. Rebus ukucnął przed nią.

– Chodź ze mną – powiedział. – Pomogę ci. – Pokazał na drzwi, za którymi był inny świat – ale ona spieszyła do swojego świata, pakując palce do ust. Ktoś otworzył drzwi. Rebus popatrzył w górę.

Kobieta – młoda, pijana, włosy opadające na oczy. Stanęła nad nimi i przyglądała się przez chwilę, a potem chwiejnie oddaliła się do kabiny.

– Zostawcie coś dla mnie – rzuciła, zamykając drzwi.

– Idź, John. – W kącikach ust Candice zebrał się proszek. Kawałek tabletki utknął między przednimi zębami. – Proszę, idź już.

– Nie chcę, żebyś znowu cierpiała. – Poszukał jej dłoni, uścisnął je.

– Już nie cierpię.

Wstała i odwróciła się od niego. Obejrzała swoją twarz

w lustrze, starła proszek z ust i poprawiła makijaż. Na koniec wydmuchała nos.

Wyszła z toalety, głęboko wciągając powietrze i prostując plecy.

Rebus odczekał chwilę, dając jej czas, aby doszła do baru, a potem szybko ewakuował się do wyjścia. Szedł do samochodu jakby na cudzych nogach.

Jechał do domu, nie całkiem płacząc.

Ale nie mógł też powiedzieć, że nie płacze.

25

O czwartej nad ranem błogosławieństwo telefonu wyrwało go z sennego koszmaru.

Prostytutki z obozu dla więźniów wojennych, z zębami spiłowanymi w szpic klęczały przed nim. Jake Tarawicz w mundurze SS z pełnymi dystynkcjami, wykręcał mu z tyłu ręce, mówiąc, że opór nie ma sensu. Przez zakratowane okno Rebus widział rojące się, czarne berety partyzantów wyzwalających obóz. Lecz jego barak zostawili sobie na koniec. Rozdzwoniły się dzwony alarmowe i wszystko mówiło mu, że wolność jest tuż-tuż...

...dzwonek telefonu alarmował... chwiejnie wstał ze swojego fotela i podniósł słuchawkę.

– Tak?

– John?

Głos Szefa Najwyższego: aberdeński akcent, natychmiast rozpoznawalny.

– Słucham, sir.

– Mamy kłopot. Przyjeżdżaj.

– Jaki kłopot?

– Powiem ci, jak się zjawisz. Ruszaj!

Nocna wachta. Uśpione, ciemne miasto. I rozświetlone okna gmachu przy St Leonard's. Na pierwszy rzut oka nie widać „kłopotów". Biuro szefa: Farmer pogrążony w rozmowie z Gill Templer.

– Siadaj, John. Kawy?

– Nie, dziękuję.

Gill z szefem nie mogli się zdecydować, kto ma mówić. Rebus rozstrzygnął dylemat.

– Zamach na interes Tommy'ego Telforda.

Templer zamrugała, zdziwiona.

– Telepatia?

– Biura Cafferty'ego i jego taksówki spalone. Jego dom też. – Rebus wzruszył ramionami. – Przypuszczaliśmy, że nastąpi odwet.

– My?

Co miał powiedzieć? „Domyśliłem się, bo Cafferty sam mi to powiedział"? To by im się raczej nie spodobało.

– Po prostu dodałem dwa do dwóch.

Farmer nalał sobie kawy.

– Zatem mamy otwartą wojnę.

– Salon gier przy Flint Street – poinformowała Templer. – Niezbyt wielkie szkody, gdyż zainstalowano tam system zraszaczy. – Uśmiechnęła się. Salon gier z wodotryskami. Telford myślał o wszystkim.

– Oraz parę nocnych lokali – dodał Farmer. – I kasyno.

– Które?

Szef popatrzył na Templer.

– Morvena – odpowiedziała.

– Poszkodowani?

– Kierownik i kilku znajomych. Wstrząśnienia mózgu, stłuczenia.

– Których nabawili się...?

– Tratując się na schodach.

Rebus kiwnął głową.

– To zabawne, że wielu ludzi ma kłopoty ze schodami. – Usiadł. – Co to wszystko ma wspólnego ze mną? Tylko nie mówcie mi, że zlikwidowawszy japońskiego partnera Telforda, postanowiłem zabawić się jeszcze w podpalacza.

– John... – Farmer podniósł się z krzesła i stanął, oparty

o biurko. – Wszyscy jak tu jesteśmy wiemy, że nie miałeś z tym nic wspólnego. Ale powiedz mi... znaleźliśmy pół butelki maltu pod siedzeniem twojego wozu i...

Rebus skinął głową.

– Tak, to moja flaszka. – Kolejny z tych jego małych, samobójczych detonatorów.

– Niepodobna, żebyś pił tandetną whisky z supermarketu.

– Ach, więc to mnie wybroniło? Tanie dranie, nie ma co!

– W twojej krwi nie było alkoholu. A Cafferty i ty...

– Chcecie, żebym z nim pogadał?

Gille Templer wychyliła się w krześle.

– Nie chcemy wojny.

– Do pokoju trzeba dwóch.

– Porozmawiam z Telfordem – powiedziała.

– Uważaj, bo to wyjątkowo cwana sztuka.

Skinęła głową.

– A ty porozmawiasz z Caffertym?

Rebus nie chciał wojny. Wojna odciągnęłaby myśli Telforda od sprawy zamachu na Maclean's. Potrzebował wszystkich oddziałów, jakie mógłby dostać, nawet jeśli trzeba by przez to zamknąć komisariat. Nie, Rebus wcale nie pragnął wojny.

– Porozmawiam z nim – powiedział.

Pora śniadania w więzieniu Barlinnie.

Rebus, rozdygotany z zimna i niewyspania, marzący o porządnej dawce whisky, która złagodziłaby napięcie jego zakończeń nerwowych.

– Zjawiasz się bladym świtem – powiedział na powitanie Cafferty, krzyżując ramiona na piersi. Minę miał zadowoloną.

– Miałeś pracowitą noc.

– Przeciwnie, spałem dobrze, jak zwykle w tym miejscu. A ty?

– Musiałem wstać o czwartej nad ranem, żeby przejrzeć raporty o szkodach. A przecież mogłem je mieć bez jechania tutaj. Wystarczyłoby, gdybym miał numer twojej komórki...

Cafferty zachichotał.

– Słyszałem, że nocne kluby się sfajczyły.

– Myślę, że twoi chłopcy mocno się przechwalili. – Uśmiech Grubego Gera przybladł. – Telford okazał się mistrzem przewidywania, jeśli chodzi o groźbę ognia. Czujniki dymu, zraszacze, kurtyny ogniowe – dzięki nim straty były minimalne.

– To dopiero początek – powiedział Cafferty. – Postaram się przypalić mu tyłek.

– Nie uważasz, że to moja powinność?

– Bardzo niewiele mam z ciebie pożytku, Wypłoszu.

– Mam coś w zanadrzu. Jeśli to ujawnię, będziesz zadowolony.

Gruby Ger zmrużył powieki.

– Szczegóły poproszę. Niech znowu uwierzę w ciebie.

Ale Rebus odmownie pokręcił głową.

– Czasami trzeba po prostu komuś uwierzyć. – Urwał na chwilę. – Układ stoi?

– Był układ? Musiałem coś przeoczyć...

– Wszystko w porządku – zapewnił Rebus. – Zostaw Telforda mnie.

– Przerabialiśmy to do znudzenia. On mi przywala, a ja nawet nie kiwnę palcem. Stoję jak ten słupek na chodniku, który każdy omija.

– Rozmawialiśmy z nim, ostrzegaliśmy.

– Mam uwierzyć, że robisz swoją robotę?

– Podaliśmy sobie ręce.

Cafferty sapnął z irytacją.

– Podaję ręce różnym niesolidnym bubkom.

– Nie zaliczam się do nich i wiesz o tym.

– Dobrze, dajmy temu spokój. – Cafferty zamyślił się na chwilę. – Powiadasz więc, że kasyno, kluby i salon... niezbyt ucierpiały?

– Sądzę, że byłoby o wiele gorzej, gdyby nie zraszacze.

Mięsień zagrał w szczęce Cafferty'ego.

– W takim razie wyszedłem na durnia.

Rebus nie zaprzeczył. Czekał, aż gangster ujawni swoje plany.

– Okay – powiedział wreszcie Gruby Ger. – Odwołam swoich ludzi. Może zresztą warto pomyśleć o nowym naborze. – Popatrzył na Rebusa. – Potrzeba nam świeżej krwi.

To przypomniało Rebusowi o kolejnym zadaniu, jakiego się podjął.

Danny Simpson mieszkał z matką w blokowisku w Wester Hailes.

Ta koszmarna architektura projektowana była przez sadystów, którzy sami nigdy nie musieli mieszkać w czymś takim. A jednak żyła i nie zamierzała kończyć żywota. Rebus miał sporo szacunku dla tego miejsca. Tutaj wychował się Tommy Smith, który ćwiczył na saksie zatkanym skarpetką, bo głos niósł się przez tekturowe ściany. Tommy Smith był jednym z najlepszych saksofonistów, jakich znał.

W pewnym sensie Wester Hailes istniało poza realnym światem. Nie leżało nawet przy drodze, która prowadziłaby skądś – dokąd. Można było tylko tu dojechać, kiedy się miało sprawę. Obwodnica miasta starannie omijała to miejsce, oferując kierowcom jedynie widok długich, wielkich mrówkowców, stojących jak mur wśród zaniedbanego krajobrazu. Nie widziało się tam ludzi. Tylko pusta, betonowa dżungla.

Rebus zapukał do drzwi Danny'ego Simpsona. Właściwie nie wiedział, co ma powiedzieć młodemu człowiekowi. Po prostu chciał go znów zobaczyć. Chciał zobaczyć go bez krwi i bólu, całego i zdrowego.

Chciał go zobaczyć.

Ale Danny'ego nie było; nie zastał też jego matki. Dopiero sąsiadka, bez kompleksów prezentująca braki w uzębieniu, wyszła na korytarz i wyjaśniła mu sytuację.

Wyjaśnienie zawiodło Rebusa do szpitala rejonowego. Długo szukał małego, obskurnego szpitalnego hospicjum. Danny Simpson leżał w łóżku z obandażowaną głową, spocony, jakby grał przez całe dziewięćdziesiąt minut meczu. Był nieprzytomny. Matka siedziała u wezgłowia syna, trzymając go za rękę. Pielęgniarka wytłumaczyła Rebusowi, że to miejsce jest dla Danny'ego najodpowiedniejsze, i na szczęście w całym szpitalu znalazło się łóżko.

– Co się stało?

– Sądzimy, że infekcja postępuje. Kiedy traci się odporność... świat staje się śmiertelnie niebezpiecznym miejscem.

Niedostrzegalnie skurczyła ramiona, jakby zbyt często musiała wygłaszać takie uwagi. Matka Danny'ego zauważyła ich i wstała, podchodząc bliżej. Może myślała, że Rebus jest lekarzem.

– Przyszedłem odwiedzić Danny'ego – powiedział.

– Tak?

- W nocy... w nocy, kiedy miał wypadek... ja go tu przywiozłem. Chciałem wiedzieć, jak się ma.

- Sam z siebie pan przyjechał? - Jej głos brzmiał niepewnie.

Rebus pomyślał, że o pięć minut drogi stąd leży Sammy. Pomyślał, że jej sytuacja jest wyjątkowa, gdyż za taką ją uważa. Tymczasem zobaczył tuż obok innych rozpaczających rodziców, ściskających dłonie swoich dzieci i pytających, dlaczego.

- Bardzo mi przykro - powiedział. - Żałuję, że...

- Mnie również przykro. Wie pan, to nie był zły chłopak. Może charakterny, ale nie zły. Kłopot w tym, że zawsze kusiło go, żeby poznawać nowe rzeczy; ciągle uciekał przed nudą.

Rebus kiwał głową. Nagle odechciało mu się tu być, nie miał ochoty poznawać historii życia Danny'ego Simpsona. Miał dosyć własnych upiorów. Uścisnął ramię kobiety.

- Przepraszam panią, ale muszę już iść.

Kiwnęła głową z roztargnieniem i odeszła z powrotem do łóżka syna. Rebus miał ochotę przekląć Danny'ego Simpsona za samą możliwość zarażenia się od niego wirusem. Uświadomił sobie nagle, co by było, gdyby choć skaleczył się przy goleniu...

Miał ochotę przekląć chłopaka... ale nie potrafił. Zdawał sobie sprawę z absurdalności własnego odruchu. Szkoda czasu i nerwów. Zamiast tego poszedł do pokoju Sammy. Znów leżała sama. Nie było pielęgniarek ani Rhony. Pocałował córkę w czoło i poczuł słony smak. Pot, trzeba było ją wytrzeć. Był też nowy zapach. Talk. Usiadł i ujął jej ciepłe dłonie w swoje.

- Jak się masz, Sammy? Pamiętałem, żeby przynieść ci Oasis i sprawdzić, czy ci się spodoba. Mama, siedząc tutaj, słucha raczej klasyki. Zastanawiam się, czy słyszysz coś. Nie wiem nawet, czy lubisz taką muzykę. O tylu rzeczach nie zdążyliśmy porozmawiać...

Dostrzegł coś. Wstał, żeby lepiej widzieć. Ruchy gałek ocznych pod powiekami.

- Sammy? Sammy?

Wcześniej niczego takiego nie widział. Wcisnął guzik u wezgłowia łóżka i czekał na pielęgniarkę. Znów wcisnął.

No przyjdź wreszcie!

Powieki zadrgały... i znieruchomiały.

- Sammy!

Otwierające się drzwi, wejście siostry.

- Co się stało?

Rebus:

- Pomyślałem, że... poruszyła się.

- Poruszyła?

- Tylko oczy, jakby próbowała je otworzyć.

- Zawołam doktora.

- Sammy, proszę, spróbuj jeszcze raz. Obudź się, kochanie! Poklepał córkę po dłoni, potem po policzkach.

Zjawił się lekarz, ten sam, którego Rebus skrzyczał pierwszego dnia. Podniósł powieki Sammy, poświecił w oczy cieniutką latarką, odsunął światło, sprawdzając reakcję źrenic.

- Jeśli pan widział te ruchy, musiały naprawdę wystąpić.

- Tak, ale czy to coś znaczy?

- Trudno powiedzieć.

- Proszę jednak spróbować. - Wwiercił się wzrokiem w twarz lekarza.

- Pańska córka śpi. Ma sny. W pewnej fazie śnienia występują szybkie ruchy gałek ocznych.

- Więc... - Rebus szukał słowa - ...ruchy są mimowolne?

- Jak już pan słyszał, trudno powiedzieć. Ostatnie badania pokazały wyraźny postęp. Niewielki postęp, ale jednak.

Rebus skinął głową. Lekarz zauważył, że drży, i spytał, czy nie potrzebuje czegoś. Rebus zaprzeczył ruchem głowy. Mężczyzna zerknął na zegarek. Inni czekali. Pielęgniarka zrobiła krok w stronę drzwi. Rebus podziękował im i wyszedł.

HOGAN: - Zgadza się pan, doktorze Colquhoun, żeby nasza rozmowa była nagrywana?

COLQUHOUN: - Nie mam zastrzeżeń.

HOGAN: - Leży to zarówno w pana interesie, jak i w naszym.

COLQUHOUN: - Nie mam nic do ukrycia, inspektorze Hogan. (*Pokasłuje*)

HOGAN: - Znakomicie. Czy możemy zaczynać?

COLQUHOUN: - Mogę zadać jedno pytanie? Po prostu dla porządku. Czy pragnie mnie pan pytać o Josepha Lintza, czy o coś jeszcze?

HOGAN: – A o co jeszcze pana zdaniem?

COLQUHOUN: – Chciałem się tylko upewnić.

HOGAN: – Życzy sobie pan, aby przy przesłuchaniu był obecny pański adwokat?

COLQUHOUN: – Nie.

HOGAN: – Rozumiem. Cóż, w takim razie zaczniemy... od pytań o istotę pańskich relacji z profesorem Josephem Lintzem.

COLQUHOUN: – Dobrze.

HOGAN: – Rzecz w tym, że w naszej poprzedniej rozmowie powiedział pan, że nie znał profesora Lintza.

COLQUHOUN: – O ile pamiętam, chciałem powiedzieć, że nie znałem go zbyt dobrze.

HOGAN: – Rozumiem. Skoro tak pan powiedział...

COLQUHOUN: – Tak mi się zdaje.

HOGAN: – Jednak posiadamy nowe informacje...

COLQUHOUN: – Jakie?

HOGAN: – Które mówią, że znał pan profesora Lintza całkiem dobrze.

COLQUHOUN: – Skąd...?

HOGAN: – Jak już mówiłem, zawdzięczamy tę wiedzę nowym informacjom. Nasz informator twierdzi, że Joseph Lintz oskarżał pana o bycie zbrodniarzem wojennym. Co ma pan do powiedzenia w tej sprawie?

COLQUHOUN: – Tylko tyle, że jest to kłamstwo. Obrzydliwe kłamstwo.

HOGAN: – Zatem nie posądzał pana o to?

COLQUHOUN: – Dobrze, on naprawdę tak myślał! Rzucił mi to oszczerstwo w twarz kilka razy.

HOGAN: – Kiedy?

COLQUHOUN: – Przed laty. Wbił sobie do głowy tę bzdurę... ten człowiek był nienormalny, inspektorze. Było to dla mnie jasne. Rządziły nim demony.

HOGAN: – Co dokładnie mówił?

COLQUHOUN: – Nie bardzo pamiętam, to działo się gdzieś na początku lat siedemdziesiątych.

HOGAN: – Bardzo by nam pan pomógł, gdyby...

COLQUHOUN: – Pierwszy raz wyskoczył z tym w samym środku pewnego przyjęcia. Zdaje się, że jakiś profesor przyjechał do nas na wykłady. W każdym razie Joseph uparcie odciągał mnie na stronę. Był dziwnie podniecony. A potem powiedział, że jestem nazistą i znalazłem się w tym kraju w jakiś podejrzany sposób. Nie chciał się ode mnie odczepić.

HOGAN: – Co pan zrobił?

COLQUHOUN: – Powiedziałem mu, że się upił i bredzi.

HOGAN: – I...?

COLQUHOUN: – Był pijany. Musiano go wsadzić w taksówkę. Nie komentowałem później tego wydarzenia. Przebywając w kręgach akademickich, człowiek przyzwyczaja się do... hm, ekscentrycznych zachowań. Dręczą nas rozmaite obsesje.

HOGAN: – Lecz Lintz obstawał przy swoim?

COLQUHOUN: – Niezupełnie. Ale w ciągu następnych lat zaczął ujawniać wrogą postawę... miał różne odzywki...

HOGAN: – Czy kontaktował się z panem poza uczelnią?

COLQUHOUN: – Przez pewien czas nękał mnie w domu telefonami.

HOGAN: – Wyprowadził się pan?

COLQUHOUN: – W końcu musiałem.

HOGAN: – I zastrzegł numer telefonu?

COLQUHOUN: – Tak.

HOGAN: – Aby przestał dzwonić do pana?

COLQUHOUN: – W dużym stopniu, tak.

HOGAN: – Czy rozmawiał pan z kimś o Lintzu?

COLQUHOUN: – Chodzi panu o władze? Nie, z nikim. Był kłopotliwy, i to wszystko.

HOGAN: – Co działo się dalej?

COLQUHOUN: – W prasie zaczęły pojawiać się artykuły, w których pisano, że Joseph może być nazistą, ukrywającym się zbrodniarzem wojennym. I nagle znów miałem go na karku.

HOGAN: – Dzwonił do pana na uczelnię?

COLQUHOUN: – Tak.

HOGAN: – Okłamał nas pan co do tego faktu.

COLQUHOUN: – Przepraszam, byłem spanikowany.

HOGAN: – Z jakiego powodu?

COLQUHOUN: – No... sam nie wiem.

HOGAN: – Czy spotkał się pan z nim w końcu? Aby porozmawiać o tym wszystkim szczerze.

COLQUHOUN: – Zjedliśmy razem lunch. Zachowywał się spokojnie, ale w tym, co mówił, był czysty obłęd. Miał opracowaną dokładnie całą historię, tylko że nie była to moja historia. Powtarzałem mu: „Joseph, kiedy kończyła się wojna, byłem jeszcze nastolatkiem". Zresztą urodziłem się i wychowałem tu, w Szkocji. Wszystko jest w moich dokumentach.

HOGAN: – Co odpowiedział?

COLQUHOUN: – Twierdził, że dokumenty mogą być sfałszowane.

HOGAN: – Sfałszowane dokumenty... tak, w ten sposób Joseph Lintz mógł przez tyle lat żyć w cieniu.

COLQUHOUN: – Wiem.

HOGAN: – A wie pan, że naprawdę nazywał się Joseph Linzstek?

COLQUHOUN: – Nie. Może te artykuły tak na niego podziałały... zaczął wierzyć, że... sam nie wiem.

HOGAN: – Owszem, lecz swoje oskarżenia zaczął prawie trzydzieści lat temu, zanim jeszcze napisała o nim prasa.

COLQUHOUN: – Racja.

HOGAN: – Jednym słowem polował na pana. Czy groził, że pójdzie ze swoimi rewelacjami do mediów?

COLQUHOUN: – Możliwe... Nie pamiętam.

HOGAN: – Mmm.

COLQUHOUN: – Szuka pan motywu, prawda? Powodów, dla których życzyłem mu śmierci?

HOGAN: – Zabił go pan, doktorze Colquhoun?

COLQUHOUN: – Stanowczo nie.

HOGAN: – Podejrzewa pan kogoś?

COLQUHOUN: – Nie.

HOGAN: – Dlaczego nie powiedział pan nam prawdy? Po co te kłamstwa?

COLQUHOUN: – Bo wiedziałem, że to się stanie. Podejrzenia... Pomyślałem sobie głupio, że lepiej obrócić je w żart.

HOGAN: – Obrócić w żart?

COLQUHOUN: – Tak.

HOGAN: – W tej samej restauracji, w której był pan z Lintzem, widziano go na obiedzie z młodą kobietą. Czy wie pan może, kim ona jest?

COLQUHOUN: – Nie mam pojęcia.

HOGAN: – Zna pan profesora Lintza od dawna... co myśli pan o jego preferencjach seksualnych?

COLQUHOUN: – Nigdy o tym nie myślałem.

HOGAN: – Nie?

COLQUHOUN: – Nie.

HOGAN: – A jak jest z panem?

COLQUHOUN: – Nie rozumiem, co ma... ale dobrze, inspektorze, powiem: jestem monogamiczny i heteroseksualny.

HOGAN: – Dziękuję panu za szczerość.

Rebus wyłączył magnetofon.

– I co o tym myślisz? – zapytał Bobby Hogan.

– Myślę, że za wcześnie zapytałeś, czy zabił. A poza tym nieźle. Jest coś jeszcze? – postukał palcem w obudowę.

– Niedużo.

Rebus wcisnął guzik.

HOGAN: – Kiedy spotkaliście się w restauracji, oskarżenia pojawiły się w takim samym trybie?

COLQUHOUN: – O, tak. Nazwiska, daty... kraje, przez które przekradałem się w drodze z kontynentu na Wyspy.

HOGAN: – Powiedział panu, jak pan to zrobił?

COLQUHOUN: – Nazwał tę akcję Rat Line. Mówił, że była kierowana przez Watykan, jeśli chce pan w to wierzyć. Według niego wszystkie zachodnie rządy były powiązane układami z hitlerowską elitą naukowców i intelektualistów, a wszystko skierowane oczywiście przeciwko Rosjanom... taki Ian Fleming skrzyżowany z Johnem Le Carré, prawda?

HOGAN: – Znał dokładne szczegóły, jak rozumiem?

COLQUHOUN: – Tak. To się często zdarza u ludzi dotkniętych obsesją.

HOGAN: – Napisano sporo książek o sprawach, o których mówił profesor Lintz.

COLQUHOUN: – Na przykład?

HOGAN: – O nazistach, przemycanych za ocean... o wojennych zbrodniarzach, wybawionych od szubienicy.

COLQUHOUN: – Owszem, ale to tylko barwne opowieści. Nie sądzi pan chyba, że...

HOGAN: – Ja tylko gromadzę informacje, doktorze Colquhoun. W moim zawodzie nie odrzuca się niczego.

COLQUHOUN: – Rozumiem doskonale. Problem polega na oddzieleniu ziarna od plew.

HOGAN: – Chciał pan powiedzieć prawdy od kłamstw? Tak, w tym cały problem.

COLQUHOUN: – Na przykład te historie, które słyszy się o Bośni czy Chorwacji... te rzezie, tortury, zbrodniarze, których nie można dopaść... Trudno powiedzieć, co tu jest prawdą.

HOGAN: – Zanim skończymy rozmowę... czy wie pan może, co się stało z pieniędzmi?

COLQUHOUN: – Z jakimi pieniędzmi?

HOGAN: – Które Lintz podjął z banku. Pięć tysięcy funtów w gotówce.

COLQUHOUN: – Pierwszy raz o tym słyszę. Kolejny motyw?

HOGAN: – Dziękuję, że zechciał mi pan poświęcić czas, doktorze Colquhoun. Być może będziemy musieli jeszcze raz porozmawiać. Przykro mi, ale gdyby pan nas nie okłamał, sprawa byłaby znacznie prostsza.

COLQUHOUN: – Ja... przepraszam, inspektorze Hogan. Sam nie bardzo rozumiem, dlaczego tak głupio postąpiłem.

HOGAN: – Moja mama zawsze uczyła mnie, że nie należy kłamać. Jeszcze raz dziękuję panu za rozmowę.

Rebus popatrzył na Hogana.
– Twoja mama?
Bobby wzruszył ramionami.
– Może babcia, nie pamiętam.
Rebus dopił swoją kawę.
– Więc znamy przynajmniej jednego z obiadowych partnerów Lintza.
– I wiemy, że prześladował Colquhouna.
– Czy jest podejrzany?
– Prawdę mówiąc, sam nie wiem, co o tym sądzić.
– Uczciwe podejście, ale jednak...
– Myślisz, że coś ukrywa?

– Nie wiem, Bob, ale wydawało mi się, że ma to wszystko przećwiczone. A pod koniec wyraźnie się odprężył.

– Jeśli uważasz, że o coś ważnego nie zapytałem, mogę wezwać go jeszcze raz.

Rebus myślał: *te historie... o Bośni... zbrodniarze, których nie można dopaść...* Nie powiedział „słyszało się" tylko „się słyszy". Od kogo? Od Candice? Od Tarawicza?

Hogan frasobliwie pocierał brodę.

– Cholera, napiłbym się.

Rebus zgniótł plastykowy kubek i wrzucił go do kosza.

– Przekaz odebrany i odczytany. À propos, czy Abernethy się odzywał?

– Nudna menda – skomentował Hogan, zmierzając do wyjścia.

26

– Jest na miejscu – powiedział Claverhouse, kiedy Rebus zadzwonił do niego, aby zapytać o Jacka Mortona. – Wynajęliśmy mu lokal w Polwarth, z jedną sypialnią. Dostał uniform i oficjalnie został członkiem ochrony zakładu.

– Kto stamtąd wie o nim?

– Tylko sam szef. Nazywa się Livingstone. Wczoraj wieczorem mieliśmy z nim długą nasiadówkę.

– Czy inni ochroniarze nie byli zdziwieni, że obcy facet zostaje przyjęty tak nagle, bez zapowiedzi?

– To już głowa Jacka, jak ich do siebie przekonać. Nie wątpię, że potrafi.

– Jaką daliście mu legendę?

– Ukryty alkoholik, jawny hazardzista, małżeństwo w gruzach.

– On nie pije.

- Tak, mówił mi. Nie ma znaczenia, dopóki wierzą, że popija po cichu.

- Jak mu idzie?

- Wczuwa się w rolę. Będzie pracował w rytmie dobowym. W ten sposób będzie mógł częściej wpadać do sklepiku - także po południu, kiedy ruch maleje. Za to zyskuje szansę poznania się z Kenem i Decem. Nie mamy z nim kontaktu w ciągu dnia. Dopiero kiedy dotrze do domu, i tylko telefonicznie, gdyż nie chcemy ryzykować zbyt wielu spotkań.

- Myślisz, że będą go obserwować?

- Jeśli padnie na niego, tak. I jeśli nie zmienią planów.

- Rozmawiałeś z Marty Jonesem?

- Umówiony na jutro. Przyprowadzi dwóch oficjeli, ale myślę, że łatwo łykną Jacka.

- Jutro nie za wcześnie?

- Nie możemy czekać. Może już mają innego kandydata.

- Wiele od niego wymagamy.

- To był twój pomysł.

- Wiem.

- Myślisz, że nie jest przekonany co do swojej misji?

- Nie o to chodzi... ale poszedł na wojnę.

- W takim razie trzeba doprowadzić do tego, by jak najszybciej doszło do zawieszenia broni.

- Ono już jest.

- Jakoś nie słychać o tym...

Rebus odłożył słuchawkę i zapukał do drzwi pokoju szefa. Farmer miał naradę z Gille Templer.

- Rozmawiałeś z nim? - zapytał bez wstępów.

- Zgodził się na zawieszenie broni - powiedział Rebus i zerknął na Templer. - A ty?

Głęboko nabrała powietrza.

- Rozmawiałam z panem Telfordem w obecności jego adwokata. Powtarzałam, czego chcemy, a prawnik powtarzał, że oczerniam jego klienta.

- A Telford?

- Po prostu sobie siedział z ramionami skrzyżowanymi na piersi i uśmiechał się do ściany. Chyba ani razu na mnie nie spojrzał.

- Ale przekazałaś mu nasze przesłanie?

– Tak.

– I mówisz, że posłuchał?

Skinęła głową.

– Co się więc dzieje, do cholery?

– Nie możemy pozwolić, aby sytuacja wymknęła nam się spod kontroli – powiedział Farmer. – Tymczasem wydaje mi się, że już się wymknęła.

Najnowsze wieści: dwóch ludzi Cafferty'ego, twarze zmasakrowane jak krwawa pulpa.

– Na szczęście przeżyli – ciągnął Farmer.

– Nie wiecie, co się stało? – odrzekł Rebus. – To sprawka Tarawicza, on jest problemem. Tommy gra pod niego.

– W takich chwilach zasługujesz na swoją niezależność – przyznał Farmer. – Jednym słowem, musimy wydalić drania z miasta.

– Czemu nie – podchwycił Rebus. – Powiedzmy mu, że jego obecność tutaj nie może być dłużej tolerowana.

– A jeśli nie posłucha?

– Będziemy chodzić za nim krok w krok, nie ukrywając się, żeby każdy to widział. Zamęczymy go tak, że sam wyjedzie.

– Myślisz, że ten pomysł wypali? – Gill była sceptyczna.

– Prawdopodobnie nie wypali – przyznał Rebus, przysuwając sobie krzesło.

– Nie mamy na niego haka – stwierdził Farmer, zerkając na zegarek. – Ta nowina nie ucieszy naczelnego komisarza. Chce mnie widzieć w swoim gabinecie za pół godziny. – Sięgnął po telefon, kazał sobie podstawić wóz, po czym wstał.

– A wy przez ten czas urządźcie burzę mózgów – zalecił. Rebus i Templer wymienili spojrzenia.

– Będę za godzinę albo dwie. – Farmer omiótł wzrokiem gabinet, jakby widział go po raz pierwszy. – Zamknijcie drzwi, jak będziecie wychodzić. – Pomachał im ręką na pożegnanie i wyszedł. W pomieszczeniu zapadła cisza.

– Musi pamiętać o zamykaniu drzwi, żeby nikt nie wykradł sekretu tej paskudnej kawy – skomentował Rebus.

– Ostatnio była odrobinę lepsza.

– Chyba twoje kubki smakowe się zdegenerowały. Więc jak, pani inspektor... – Rebus obrócił się z krzesłem, aby spojrzeć jej w twarz – ...bierzemy sprawę na języki?

Odpowiedziała mu uśmiechem.

- Myślisz, że wezwano go na dywanik?
- Najprawdopodobniej.
- A my mamy ruszyć mu na ratunek?
- Nie bardzo widzę nas jako Dynamiczne Duo, a ty?
- Też nie.
- Wiesz, człowiek mimo woli myśli: „a do licha z nimi, niech się sami powybijają". I tak byłoby pewnie najlepiej, gdyby nie groźba, że ucierpią niewinni ludzie.

Rebus pomyślał o Sammy i o Candice.

- Problem w tym - powiedział z westchnieniem - że oni zawsze cierpią.

Przyjrzała mi się uważnie.

- Jak twoje sprawy?
- Bez zmian.
- Skończyłeś już z Lintzem?
- Nie. Jest bardzo prawdopodobne, że miał powiązania z Telfordem.
- Nadal uważasz, że Telford stał za tym zamachem na Sammy?
- Telford albo Cafferty.
- Cafferty?
- Wrabia w to Telforda, tak samo jak ktoś próbował wrobić mnie w Matsumoto.
- Wiesz, że jeszcze nie jesteś czysty?
- Wewnętrzne śledztwo? Panowie cichociemni? - Skinęła głową. - Zaproś ich tutaj. - Pochylił się w krześle, opierając głowę na rękach i masując sobie skronie. - Dlaczego nie mają wziąć udziału w tańcu?
- W jakim znowu tańcu?
- Tym, który wiruje w mojej głowie. Tym, który nigdy się nie skończy. - Rebus sięgnął po słuchawkę stojącego na biurku telefonu. - Nie, nie ma go tutaj. Czy mam coś przekazać? Tu detektyw inspektor Rebus. - Pauza. Zerknięcie na Gill. - Tak, pracuję nad tą sprawą. - Znalazł papier i ołówek, zaczął pisać. - Taak, rozumiem. Owszem, też mi się wydaje. Przekażę mu, kiedy tylko wróci. - Spojrzenie wbite w Gill. I finał: - Ilu ostatecznie zginęło?

Ten jeden, który uciekł z tamtego miejsca, podtrzymując

odrąbane ramię, trafił do szpitala, gdzie wpompowano w niego ogromną ilość krwi.

W samy środku dnia. Nie w Edynburgu, lecz w Paisley, rodzinnym mieście Telforda, gdzie nadal trzymał rządy. Czterech mężczyzn, ubranych w robocze stroje pracowników służb komunalnych. Tylko zamiast oskardów i łopat mieli maczety i rewolwer dużego kalibru. Zapędzili dwóch mężczyzn na plac zabaw. Maluchy jeżdżące na trójkołowych rowerkach, starsze dzieci grające w piłkę. Kobiety wyglądające z okien. I dorośli mężczyźni, ogarnięci żądzą mordu. Śmignęła maczeta, opadając z rozpędem. Zraniony mężczyzna uciekał. Jego kompan próbował przeskoczyć płot, ale nie odbił się wystarczająco silnie. Zabrakło mu najwyżej kilku centymetrów. Zawadził nogą o przeszkodę, spadł na ziemię. Usiłował się podnieść, kiedy poczuł z tyłu głowy lufę rewolweru. Dwa strzały, fontanna krwi i mózgu. Dzieci, które już się nie bawiły, kobiety, które krzyczały do nich, żeby uciekały. Ale dwa strzały musiały zaspokoić potrzeby tych dwóch, gdyż zarzucili polowanie. Cała czwórka zawróciła i truchtem oddaliła się do czekającej furgonetki.

Publiczna egzekucja, w rodzinnym mateczniku Tommy'ego Telforda.

Dwie ofiary, znani spece od szybkich pożyczek. Ten w szpitalu nazywał się Steve Murray, ksywka „Mały", wiek dwadzieścia dwa. Ten w kostnicy – Donny Draper, nazywany „Kurtyną", wiek dwadzieścia pięć.

Policja z Paisley wiedziała, że Telford wyprowadził się do Edynburga i tam sprawia różne problemy. Wykonano służbowy telefon do komisarza Watsona.

Dzwoniący poinformował, że mężczyźni byli jednymi z najlepszych ludzi Telforda.

Dzwoniący poinformował, że opisy zabójców są niewystarczające.

Dzwoniący poinformował, że dzieci nie złożyły żadnych zeznań. Nie zgodzili się rodzice, z obawy przed odwetem.

Stało się fatalnie. To była już eskalacja. Skutki podpaleń i pobić można było jeszcze naprawić. Ale zabójstwo... zabójstwo przeniosło rozgrywkę na zupełnie inne płaszczyzny.

– Może warto znów z nimi porozmawiać? – zagadnęła Gill

Templer. Byli w kantynie. Przez nimi stały nietknięte kanapki. - Co o tym myślisz?

Wiedział, o co jej chodzi. Mówiła, gdyż wiedziała, że lepiej jest mówić, niż nie robić nic. Powinien poprosić, aby oszczędzała płuca.

– Posłużyli się maczetą – powiedział.

– W ten sam sposób zdjęto skalp Danny'emu Simpsonowi. – Rebus przytaknął. – Chcę cię jeszcze spytać o Lintza. Mówiłeś, że...

Wysączył do dna zimną resztkę kawy i spojrzał na nią.

– Lintz wykonywał szereg telefonów, które pragnął ukryć. Raz dzwonił do biura Telforda przy Flint Street. Na razie nie wiemy, co mieli ze sobą wspólnego, ale uważamy, że tak było.

– Co mogli mieć ze sobą wspólnego Lintz i Telford?

– Może Lintz zwrócił się do niego o pomoc. Na przykład potrzebował wynająć jego zawodowych zbirów. Jak już powiedziałem, na razie nic więcej nie wiemy i dlatego nie afiszujemy się zbytnio z tą sprawą.

– Bardzo chcesz mieć Telforda, prawda?

Rebus patrzył na nią i myślał o tym przez chwilę.

– Nie bardziej niż kiedyś. On już mi nie wystarczy.

– Cafferty'ego też chcesz?

– I Tarawicza... i Yakuzę... i każdego, kto macza w tym palce.

Skinęła głową.

– I to jest ów taniec, o którym mówiłeś, tak?

– Tak, Gill. Oni wszyscy tam są. Próbuję ich usunąć z parkietu, ale się nie dają.

– A gdybyś tak przestał grać na ich nutę?

Odpowiedział jej zmęczonym uśmiechem.

– Niezła myśl. Co polecasz w zamian? Emerson, Lake and Palmer? Enid? A może potrójny album Yes?

– Dzięki Bogu, John, że to twoja dziedzina, nie moja – westchnęła.

– Nie wiesz, co tracisz, kobieto.

Stare szkockie przysłowie: kto sam dostał po palcach, chętnie zrobi to innemu. Dlatego Rebus znalazł się znów w biurze Watsona. Policzki Farmera płonęły jeszcze po rozmowie z nadkomisarzem. Kiedy chciał usiąść, Watson kazał mu stać.

– Usiądziesz dopiero wtedy, kiedy ci pozwolę.

- Tak jest, sir.
- O co tu, do cholery, chodzi, John?
- Nie rozumiem?

Farmer zerknął na notkę, którą Rebus zostawił mu na biurku.

- Co to ma być?
- Jeden zabity, jeden ciężko ranny w Paisley. Ludzie Telforda. Cafferty uderza tam, gdzie boli najbardziej.
- Paisley... - Farmer wepchnął kartkę do szuflady. - Nie nasz problem.
- Zaraz będzie nasz, sir. Kiedy tylko Telford zacznie brać odwet.
- Mniejsza o to, inspektorze. Porozmawiajmy o Maclean's.

Rebus zamrugał powiekami i niedostrzegalnie wyprostował ramiona.

- Miałem panu o tym powiedzieć, sir.
- A tymczasem musiałem wysłuchać całej historii od naczelnego!
- To niezupełnie moje dziecko, sir. Brygada Kryminalna pcha ten wózek.
- Ale kto podrzucił dziecko do tego wózka?
- O tym również miałem panu powiedzieć, sir.
- Wiesz, w jakiej sytuacji mnie postawiłeś? Wchodzę do Fettes i okazuje się, że nie wiem tego, co wie mój podwładny! Zblamowałem się!
- Nie ma sensu aż tak się przejmować, sir.
- Zblamowałem się, rozumiesz! - Farmer walnął pięścią w biurko. - A przecież zawsze cię popierałem i dobrze o tym wiesz.
- Tak, sir.
- I zawsze starałem się grać wobec ciebie fair.
- Absolutnie, sir.
- I jak mi odpłacasz?
- To już się nie powtórzy.

Farmer wbił w niego ciężkie spojrzenie. Rebus wytrzymał je, a nawet odwzajemnił.

- Mam cholerną nadzieję, że tak będzie. - Farmer usadowił się wygodniej w fotelu. Trochę już się uspokoił. Szał jako terapia. - Nic więcej nie masz mi do powiedzenia? Szkoda, bo chętnie bym posłuchał.
- Nie, sir. Chyba, że...

- Mów! - polecił Farmer, prostując się za biurkiem.

- Chodzi o mężczyznę, który mieszka nade mną - powiedział Rebus. Myślę, że to może być lord Lucan*.

27

Leonard Cohen: *There is a War.*

Czekali na odwet Telforda. Idea szefa: ostentacyjna obecność w funkcji odstraszania. Dla Rebusa nie było to niespodzianką, a jeszcze mniej dla Telforda, który trzymał pod parą Charlesa Groala, gotowego złożyć skargę o nękanie, jeśli tylko patrol policyjny ośmieliłby się skręcić w Flint Street. Jak bowiem jego klient może prowadzić w tym miejscu swoje rozległe i ważne interesy w wielu przedsięwzięciach komunalnych, pozostając pod presją niczym nieusprawiedliwionego, demonstracyjnego policyjnego nadzoru? Pod mianem „przedsięwzięć komunalnych" rozumiał emerytów w ich niemal darmowych mieszkaniach. Telford nie zawahałby się użyć ich dobra jako argumentu w rozgrywce. Media byłyby zachwycone.

Wozy patrolowe miały być wycofane; była to tylko kwestia czasu. A potem raz jeszcze noc fajerwerków. Tego wszyscy się spodziewali.

Rebus pojechał do szpitala i siedział z Rhoną przy Sammy. Szpitalna sala, znana mu teraz tak dobrze jak własny dom, jawiła się jako oaza spokoju i porządku, gdzie każda godzina dnia stanowiła fragment uzdrawiającego rytuału.

---

*Z postacią lorda Richarda Lucana łączy się nierozwiązana sprawa morderstwa. Pewnego dnia, w 1974, żona Lucana, będąca z mężem w separacji, znalazła w kuchni, w swej rezydencji, zwłoki służącej. Ciało leżało w kałuży krwi. Chwilę potem ktoś chwycił ją od tyłu i zaczął dusić. Napastnikiem, jak jej się zdawało, był jej mąż. Cudem zdołała uciec. Lord zniknął bez śladu (przyp. tłum.).

– Umyli jej włosy – powiedział.

– Miała kolejne badanie – wyjaśniła Rhona. – Zanim przyczepią elektrody, smarują głowę. Podobno widziałeś, jak poruszyła oczami?

– Przynajmniej tak mi się wydawało.

Rhona dotknęła jego ramienia.

– Wyglądasz na zmęczonego.

Uśmiechnął się.

– Może kiedyś ktoś powie mi, że wyglądam rewelacyjnie.

– Ale nie dzisiaj.

– Za dużo picia, knajp i kobiet.

W myśli: cola, kasyno Morvena i Candice.

W myśli: dlaczego czuję się jak świnia? Czy obaj – Cafferty i Telford – traktują mnie jak pionek w ich grze?

W myśli: mam nadzieję, że u Jacka Mortona wszystko jest okay.

Telefon dzwonił, kiedy wrócił do siebie, na Arden Street. Podniósł słuchawkę w momencie, gdy zagadała automatyczna sekretarka.

– Proszę poczekać, tylko to wyłączę – powiedział, nerwowo szukając właściwego guzika. Znalazł go w końcu i nacisnął.

– Technika, co?

Cafferty.

– Czego chcesz?

– Słyszałem o Paisley.

– Chcesz powiedzieć, że mówisz do siebie?

– Nie mam z tym nic wspólnego.

Rebus zaśmiał się sceptycznie.

– Mówię ci, że nie.

Rebus przysunął sobie fotel i usiadł.

– A ja mam ci wierzyć? – Gry, podłe gry, pomyślał.

– Obojętnie, wierzysz mi, czy nie, ale chciałbym, żebyś to usłyszał.

– Dzięki, na pewno będzie mi się dzisiaj lepiej spało.

– Zostałem wrobiony, Wypłoszu.

– Telford nie musiał cię wrabiać. – Rebus wyprostował się, pocierając obolały kark. – Czy nie pomyślałeś przypadkiem o innej możliwości?

271

– Jakiej?

– Że zrobili to twoi ludzie, którzy chcą cię posłać w odstawkę.

– Gdyby knuli za moimi plecami, wiedziałbym o tym.

– Wiesz różne rzeczy, bo mówią ci to twoi adiutanci. A jeśli kłamią? Nie twierdzę, że zbuntowała się cała twoja banda; może po prostu dwóch czy trzech wywrotowców.

– Wiedziałbym. – Głos Grubego Gera był wyprany z emocji. Widać było, że przemyślał już ten wariant.

– W porządku, powiedzmy, że wiedziałbyś. Ciekawe tylko, kto ośmieliłby się ci o tym donieść? Poza tym siedzisz w więzieniu, więc powiedz sam, czy trudno byłoby im coś przed tobą ukryć?

– Ufam tym ludziom jak sobie samemu – oświadczył z naciskiem. – Powiedzieliby mi – dodał po chwili milczenia.

– Gdyby sami wiedzieli. Gdyby nie grożono im, nakazując, aby milczeli. Rozumiesz, co chcę powiedzieć?

– Dwóch czy trzech wywrotowców – powtórzył Cafferty jak echo.

– Zdaje się, że masz kandydatów?

– Jeffries powinien wiedzieć.

– Jeffries? Chodzi o Łasicę?

– Broń Boże nie zwracaj się tak do niego.

– Daj mi jego numer, porozmawiam z nim.

– Nie, ale on zadzwoni do ciebie.

– Zatem przyznajesz, że coś w tym jest?

– Przyznaję tylko tyle, że Tommy Telford usiłuje wpędzić mnie do grobu.

– W dosłownym sensie?

– Słyszałem o kontrakcie.

– Masz ochronę?

Cafferty zachichotał.

– Hej, ty się chyba o mnie martwisz?

– Zmyślasz.

– Posłuchaj, mówiąc poważnie, z tego są tylko dwa wyjścia. Jedno – to ty masz układ z Telfordem. Drugie – to ja mam. Dobrze mówię? Nie należę do tych, którzy grają siłowo, konfrontacyjnie o wpływy i terytoria, grają zastraszaniem.

– Może on jest bardziej ambitny od ciebie. A może po prostu delikatnie chce ci przypomnieć, jak wypada się zachować wielkiemu bossowi.

– Chcesz powiedzieć, że zmiękłem?

– Chcę powiedzieć, że należy się dostosować albo zginąć.

– A ty się dostosowałeś?

– Może, trochę. Ale nie mówmy o mnie.

– Siedzisz w tym samym bagnie. Pamiętaj o tym. Życzę miłych snów.

Rebus odłożył słuchawkę. Poczuł się zmęczony i zdołowany. Dzieci mieszkające po drugiej stronie ulicy musiały już pójść do łóżek, gdyż żaluzje były zasunięte. Powiódł wzrokiem po pokoju. Jack Morton pomagał mu go malować, kiedy planował sprzedaż mieszkania. Pomógł mu również wyjść z dołka, tak...

Wiedział, że nie zaśnie. Wrócił do samochodu i pojechał na Young Street. Bar Oxford był spokojny. Paru filozofów w rogu, a na zapleczu trzech muzyków pakowało skrzypce. Wypił kilka filiżanek czarnej kawy i pojechał do Oxford Terrace. Zaparkował wóz naprzeciwko mieszkania Patience, wyłączył silnik i siedział chwilę, słuchając jazzu w radiu. Złapał dobry ciąg – Astrid Gilberto, Stan Getz, Art Pepper, Duke Ellington. Postanowił, że będzie czekał dopóty, dopóki nie zaczną grać knotów, a potem wysiądzie i zapuka do drzwi Patience.

Jednak było już za późno. Nie chciał zjawiać się o tej porze, niezapowiedziany. To... nie wyglądałoby dobrze. Nie chciał, aby pomyślała, że się narzuca. Przekręcił kluczyk w stacyjce i odjechał, przez New Town, i dalej, do Granton. Tam, stanąwszy z opuszczoną szybą na nabrzeżu Forth, słuchał plusku wody i szumu arterii szybkiego ruchu.

Ale nawet tu, zamknąwszy oczy i odchyliwszy głowę na oparcie, nie potrafił uwolnić się od świata. Przeciwnie, pod powiekami zaczął się przewijać potok żywych, plastycznych obrazów. Zastanawiał się, o czym śni Sammy, jeśli w ogóle śni. Rhona powiedziała, że córka przyjechała na północ, żeby być z nim. Nie potrafił zrozumieć, w jaki sposób zasłużył sobie na nią.

Znów do centrum, na espresso w Gordon's Trattoria, a potem do szpitala. O tej nocnej porze przynajmniej nie miał problemów z parkowaniem. Przed wejściem czekała taksówka.

Wchodząc do Sammy, był zdziwiony, że ktoś jeszcze tam jest. Pierwsza myśl: Rhona. Jedyne światło w pokoju sączyło się ze szpary w zasłonach. U brzegu łóżka, z głową opartą na pościeli, klęczała kobieta. Podszedł bliżej. Usłyszała kroki, odwróciła się; zobaczył twarz zalaną łzami.

Candice.

Jej oczy rozszerzyły się gwałtownie. Wstała chwiejnie.

– Chciałam ją zobaczyć – powiedziała spokojnym głosem.

Rebus kiwnął głową. W półmroku była jeszcze bardziej podobna do jego córki: ta sama sylwetka, podobne włosy i zarys twarzy. Miała na sobie długi, czerwony płaszcz. Sięgnęła do kieszeni po papierową chusteczkę.

– Lubię ją.

Znów skinął głową.

– Czy Tarawicz wie, że tu jesteś? – zapytał.

Zaprzeczyła ruchem głowy.

– Taksówka przed wejściem? – domyślił się.

Przytaknęła.

– Pojechali kasyno. Powiedziałam, boli głowa. – Teraz mówiła tak, jakby sprawdzała każde słowo przez wypuszczeniem go z ust.

– Domyśli się, że pojechałaś?

Myślała o tym przez chwilę i w końcu zaprzeczyła.

– Śpisz w tym samym pokoju? – indagował.

Znów zaprzeczyła, tym razem z uśmiechem.

– Jake nie lubi kobiety.

To była dla Rebusa nowość. Miriam Kenworthy mówiła coś o jego ożenku z Angielką... ale mogło chodzić o ślub fikcyjny, często zawierany przez imigrantów. Przypomniał sobie sposób, w jaki Tarawicz emablował Candice – lecz teraz zrozumiał, że czynił to na benefis Telforda. Chciał mu pokazać, że potrafi zawłaszczać jego kobiety. Zaś Telford... pozwolił, aby ją aresztowano. Ot, drobna rywalizacja pomiędzy dwoma partnerami. Coś, z czego można wyciągnąć pewne korzyści?

– Czy ona... ona...?

Rebus wzruszył ramionami.

– Mamy nadzieję, że będzie okay, Candice.

Skierowała wzrok w podłogę.

– Nazywam się Karina.

- Karina - powtórzył.

- Sarajewo było... - znów spojrzała na niego. - Wiesz, naprawdę. Uciekłam... szczęście. Oni wszyscy mówili mi: szczęście, szczęście. - Postukała się placem w pierś. - Szczęście. Uciekinier. Ocalony - Nagle opuściła ją cała energia i Rebus musiał ją podtrzymać, aby nie osunęła się z powrotem na kolana.

- Karina - posłużył się jej nowym imieniem, aby wzmocnić poczucie tożsamości, próbując dotrzeć do tych pokładów osobowości, które ukrywała od czasu Sarajewa. - Spokojnie, nie płacz, wszystko będzie dobrze. - Gładził jej włosy, twarz, drugą ręką tuląc drżące plecy. Sam łykał łzy, zerkając na nieruchome ciało Sammy. Atmosfera w pokoju zadawała się trzeszczeć, jak naładowana elektrycznością. Zastanawiał się, czy coś z tego napięcia dotarło do mózgu Sammy.

- Karina, Karina, Karina...

Odepchnęła go i odwróciła się. Nie mógł pozwolić, aby odeszła w ten sposób. Podszedł do niej i oparł dłonie na ramionach, obracając ją ku sobie.

- Karina - powiedział dobitnie - jak Tarawicz cię znalazł? - Zdawała się nie rozumieć. - W Fife, tam jego ludzie znaleźli cię - dodał.

- Brian - odparła cicho.

Rebus zmarszczył brwi.

- Brian Summers? Pretty-Boy...

- On mówi Jake.

- Powiedział Tarawiczowi, gdzie jesteś? - Ale dlaczego po prostu nie zabrał jej do Edynburga? Domyślał się, dlaczego: była zbyt niebezpieczna, zbyt stowarzyszona z policją. Lepiej było usunąć ją z drogi. Nie zabić; to skomplikowałoby sytuację wszystkich. Ale Tarawicz potrafił ją kontrolować. Po raz kolejny wybawił swojego przyjaciela z kłopotów.

- Przywiózł cię tutaj, żeby kłuć w oczy Telforda - powiedział w zamyśleniu Rebus. Popatrzył na Candice. Co ma z nią zrobić? Gdzie będzie bezpieczna? Zdawała się czytać w jego myślach, gdyż ścisnęła jego dłoń.

- Wiesz, że mam... - złożyła ramiona i zakołysała nimi.

- Chłopca - dopowiedział Rebus. Kiwnęła głową. - Tarawicz wie, gdzie on jest?

- Nie. Ciężarówki... zabrały go.

– Ciężarówki Tarawicza wiozące uciekinierów? – Po raz kolejny skinęła głową.

– Jake wie. Mówi... jego człowiek... – pokazała mu dłoń, przebierając palcami – zabije dziecko, jeśli...

Ruchy palców, jak odnóża stawonoga: Krab. Coś zastanowiło Rebusa.

– Dlaczego Krab nie jest tutaj z Tarawiczem?

Popatrzyła na niego.

– Tarawicz tutaj. Krab w Newcastle – wyjaśnił. – Dlaczego nie byli razem?

Skuliła ramiona, przypomniała sobie zrozumiany strzępek rozmowy.

– Niebezpieczeństwo.

– Kto jest niebezpieczny? – zaniepokoił się Rebus.

Nie odpowiedziała. Ujął jej dłonie w swoje.

– Nie możesz mu ufać, Karina. Musisz uciekać od niego.

Uśmiechnęła się do niego. Oczy błyszczały jej nienaturalnie.

– Próbowałam.

Popatrzyli na siebie i przez chwilę trwali w uścisku. Potem Rebus odprowadził ją do taksówki.

28

Rano zadzwonił do szpitala, dowiedział się, jak się czuje Sammy, a potem poprosił o przełączenie na inny oddział.

– Jak się czuje Danny Simpson?

– Przepraszam, czy należy pan do rodziny?

To powiedziało mu wszystko. Przedstawił się i zapytał, kiedy.

– W nocy – odpowiedziała pielęgniarka.

Noc, spadek sił obronnych organizmu. Czas umierania. Rebus zadzwonił do matki, znów się przedstawił.

– Moje kondolencje – powiedział. – Czy pogrzeb...?

– Pan wybaczy, tylko najbliższa rodzina. I żadnych kwiatów. Prosiliśmy o wpłaty na rzecz... fundacji dobroczynnej. Danny wiele jej zawdzięczał, rozumie pan...

– Naturalnie.

Rebus sprawdził fundację: utrzymywała hospicjum dla chorych na AIDS, lecz tego słowa matka nie była w stanie wymówić głośno. Odłożywszy słuchawkę, wyjął kopertę, włożył do niej banknot dziesięciofuntowy i napisał: „Pamięci Danny'ego Simpsona". W tym momencie zadzwonił telefon.

– Słucham?

Szum linii i szum silnika: telefoniczny zestaw samochodowy, duża szybkość.

– Policyjne nękanie wchodzi w nowy etap. – Telford.

– Nie rozumiem. – Rebus usiłował wziąć się w garść.

– Danny Simpson nie żyje dopiero od sześciu godzin, a ty już wisisz na telefonie do jego matki.

– Skąd wiesz?

– Byłem u niej. Składałem kondolencje.

– Z tego samego powodu dzwoniłem do niej. Wiesz co, Telford? Myślę, że to ty i twoja rozszalała wyobraźnia wywindowały nasze prześladowania na nowe, nieznane wyżyny.

– Tak, i nawet Cafferty nie powstrzyma mojej wyobraźni.

– On twierdzi, że nie ma nic wspólnego z Paisley.

– Założę się, że kiedy byłeś dzieckiem, wierzyłeś w dobre wróżki.

– I nadal wierzę.

– Będziesz potrzebował magicznego wsparcia, jeśli trzymasz stronę Cafferty'ego.

– To groźba? Tylko nie mów mi, że Tarawicz siedzi z tobą w samochodzie. – Cisza. Bingo, pomyślał Rebus. – Myślisz, że Tarawicz zaakceptuje ciebie, bo jesteś przekręconym gliną? Tak naprawdę nie ma dla ciebie zbytniego szacunku. Chyba widziałeś, jak zagrywał z Candice na twoich oczach?

Dezynwoltura i furia jednocześnie:

– Ej, Rebus, co robiłeś z Candice w tym hotelu? Dobra była? Jako mówi, że jest superlaska. – Śmiech w tle. Śmiech, gra na efekt, upojenie własną potęgą. Telford i Tarawicz prowadzący grę ze sobą i ze światem.

Rebus dobrał wreszcie ton głosu, o jaki mu chodziło.

– Próbowałem jej pomóc. Jeśli jest tak głupia, że tego nie widzi, zasługuje na kochasiów takich jak ty czy Tarawicz. – Dać im do zrozumienia, że ona już go nie interesuje. – W każdym razie Tarawicz nie miał problemu, żeby ci ją wyjąć – strzelił, mając nadzieję, że trafił w słaby punkt relacji obu panów. – A jeśli Cafferty nie stoi za Paisley? – zapytał dramatycznie na zakończenie.

– To byli jego ludzie.

– Wywrotowcy.

– Stracił kontrolę nad własnymi ludźmi, taka jest prawda. To śmieć, Rebus. Skończony facet.

Rebus nie odpowiedział; nasłuchiwał stłumionej rozmowy na boku. I znów Telford: pan Tarawicz prosi o chwilę rozmowy.

– Rebus? Sądziłem, że jesteśmy kulturalnymi ludźmi.

– W jakim sensie?

– Kiedy poznaliśmy się w Newcastle... myślałem, że doszliśmy do porozumienia?

Niepisane porozumienie: zostaw Telforda w spokoju, daj sobie spokój z Caffertym, a Candice i jej synek będą bezpieczni. Do czego zmierzał Tarawicz?

– Byłem konsekwentny.

Wymuszony chichot.

– Wiesz, co oznacza Paisley?

– Co?

– Początek końca Morrisa Geralda Caffferty'ego.

– Założę się, że poślesz mu kwiaty na grób.

Rebus pojechał do St Leonard's, usiadł do komputera i wpisał dane. William Andrew Colton, Krab. Obfita kartoteka. Rebus uznał, musi zapoznać się z nią. Poprosił archiwum o wydruki. Dzwonek interkomu: ktoś czeka na niego na dole. Łasica.

Rebus zszedł do wyjścia. Łasica stał przed drzwiami, paląc papierosa. Miał na sobie zielony płaszcz z naderwanymi kieszeniami. Kapelusz lumpa z opuszczonym rondem chronił jego uszy od wiatru.

– Przejdźmy się – zaproponował Rebus. Łasica zrównał z nim krok. Szli spacerem przez dzielnicę nowych domów: talerze anten satelitarnych i okna zastawione opakowaniami po klockach lego. Za nimi wyrastały skałki Salisbury Crags.

– Nie martw się – powiedział Rebus. – Nie jestem w nastroju do wspinaczki.

– A ja mam ochotę na plener. – Łasica mocniej ściągnął wokół szyi postawiony kołnierz płaszcza.

– Co wiadomo w sprawie mojej córki?

– Jesteśmy blisko rozwiązania, mówiłem już.

– Jak blisko?

– Mamy kasety z samochodu i pasera, który je sprzedał. Mówi, że dostał je z innego źródła.

Chytry uśmieszek: Łasica wiedział, że w tym momencie ma Rebusa w garści i musi wygrywać to tak długo, jak tylko się uda.

– On jest...?

– Niedługo go pan pozna.

– Jeśli nawet... kasety zostały zabrane z wozu potem, gdy został porzucony?

Łasica pokręcił głową.

– Nie tak.

– Więc jak? – Rebus miał ochotę chwycić swojego dręczyciela i walić jego głową o chodnik.

– Niech pan nam da jeszcze dzień czy dwa, a będziemy mieli wszystko. – Poryw wiatru cisnął im w twarze tuman kurzu. Odwrócili głowy. Rebus dostrzegł zwalistego mężczyznę, towarzyszącego im z oddali.

– Spokojnie, on jest ze mną – powiedział Łasica.

– Współczuję mu.

– To przez Paisley. Telford jest żądny krwi.

– Co wiesz o Paisley?

Oczy Łasicy zwęziły się w szparki.

– Nic.

– Naprawdę? Cafferty zaczyna podejrzewać, że to robota paru jego ludzi, którym zachciało się władzy. – Rebus przyglądał się, jak Łasica energicznie zaprzecza.

– Absolutnie nic nie wiem o sprawie.

– Kto jest prawą ręką twojego szefa?

– Proszę spytać pana Cafferty'ego. – Łasica zaczął uciekać wzrokiem w bok, jakby rozmowa zaczęła go nudzić. Dał niedostrzegalny sygnał swojemu cieniowi. Ten musiał przekazać go dalej, gdyż zatrzymał się przy nich nowiutki jaguar, jasnoczerwony jak krew, tryskająca z przeciętej tętnicy, z tapicerką z kremowej skóry. Kierowca wyglądał na kogoś, kto marzy raczej o brawurowej ucieczce przed glinami, niż wystawaniu taką bryką przy krawężnikach. Mięśniak podbiegł i usłużnie otworzył drzwiczki dla szefa.

– Ty jesteś – stwierdził Rebus. Łasica: oczy i uszy Cafferty'ego na ulicach miasta. Image kompletnego lumpa. To on dyrygował orkiestrą. Ci wszyscy adiutanci, porozstawiani na rozmaitych posterunkach. W nienagannie skrojonych garniturach... Sprawny kolektyw, który, według wywiadu policyjnego, rządził królestwem Cafferty'ego pod nieobecność swego władcy, był tylko zasłoną dymną. Zgarbiony chudzielec w sfatygowanym kapeluszu, straszący nieogolonym zarostem i popsutymi zębami – on tu rządził.

Rebusowi chciało się śmiać. Goryl troskliwie pomógł szefowi wsiąść, sam usiadł z przodu. Rebus zapukał w okno. Łasica opuścił szybę.

– Powiedz mi tylko – zapytał Rebus – czy masz dla niego butelkę, żeby pocieszył się po utracie władzy?

– Pan Cafferty mi ufa. Wie, że dobrze wywiązuję się z zadania.

– A Telford?

Łasica łypnął na niego.

– Telfordem się nie zajmuję.

– W takim razie kim?

Ale szyba podjechała do góry i Łasica – Cafferty nazywał go Jeffriesem – odwrócił się od okna, zapominając o inspektorze Rebusie.

Stał, patrząc za odjeżdżającym samochodem. Czy Cafferty popełnił wielki błąd, zostawiając Łasicę na stanowisku? Czy nie stało się tak, że jego najlepsi ludzie skorumpowali się albo wręcz przeszli na stronę konkurencji?

Wyglądało na to, że Jeffries jest równie sprytny, bystry i krwiożerczy jak zwierzak, któremu zawdzięczał swoje pseudo.

Po powrocie na komisariat Rebus poszedł do Billa Pryde'a. Pryde schował głowę w ramionach zanim jeszcze Rebus stanął przed jego biurkiem.

- Sorry, John, nie ma nowych wieści.

- Kompletnie nic? Nawet w sprawie tych ukradzionych kaset? - Pryde odmownie pokręcił głową. - To zabawne, bo właśnie rozmawiałem z kimś, kto twierdzi, iż ma pasera, który je sprzedał, i wie, skąd je wziął.

Pryde odchylił się w krześle.

- Dziwię się, że jeszcze nie kazałeś mnie śledzić. Wynajałeś prywatnego detektywa, czy jak? - Na policzki wystąpił mu rumieniec. - Ja tu żyły z siebie wypruwam, a ty mówisz tak, jakbyś myślał, że się obijam i okłamuję ciebie!

- Nieprawda, Bill. - Rebus niespodziewanie dla siebie znalazł się w defensywie.

- Kto dla ciebie pracuje, John?

- Po prostu ludzie z ulicy.

- Jak widzę, świetnie zorientowani. - Urwał i zerknął na Rebusa. - Przestępcy?

- Moja córka leży w śpiączce, Bill.

- Wiem i współczuję. Ale odpowiedz na moje pytanie!

Ludzie wokół zaczęli nadstawiać uszu. Rebus zniżył głos.

- Takie moje wtyki...

- Podaj ich nazwiska.

- Bill...

Pryde zacisnął pięści na blacie biurka.

- W ostatnim okresie... myślałem, że wszystko ci zobojętniało. Że może nawet nie chcesz odpowiedzi. - Zmarszczył brwi. - Tylko nie mów mi, że poszedłeś do Telforda... do Cafferty'ego? - Wpatrzył się w Rebusa. - Czy tak było, John?

Rebus odwrócił głowę.

- Chryste, John, co to za układ? On ci wystawia, a co ty wystawiasz jemu?

- To nie jest tak, jak mówisz.

- Nie mogę uwierzyć, że mógłbyś zaufać Cafferty'emu!

- Rzecz nie polega na zaufaniu.

Pryde pokręcił głową.

- Jest pewna granica, której nie możemy przekroczyć.

- Bill, daj spokój, pokaż mi, gdzie leży ta granica.

Pryde popukał się w głowę.

- Tu.

- To fikcja.

- Naprawdę wierzysz w to, co mówisz?

Rebus z westchnieniem przeciągnął dłonią po włosach, szukając odpowiedzi. Przypomniało mu się, co powiedział kiedyś Lintz: „Kiedy przestajemy wierzyć w Boga, nie możemy nagle uwierzyć w «nic»... więc wierzymy w cokolwiek".

- John? Telefon do ciebie - zawołał ktoś.

Rebus zerknął na Pryde'a.

- Pogadamy później - powiedział i podszedł do innego biurka.

- Słucham, inspektor Rebus.

- Tu Bobby. - Bobby Hogan.

- Co tam słychać, Bobby?

- Na początek mam prośbę, żebyś pomógł mi pozbyć się tej mendy z Wydziału Specjalnego.

- Czyżby Abernethy?

- Przyssał się do mnie.

- Wydzwania?

- Jezu, John, nie rozumiesz? On tu jest!

- Kiedy przyjechał?

- W ogóle nie wyjechał.

- O, cholera.

- I zaraz trafi mnie szlag. Mówi, że zna cię od dawna, może więc sobie pogadacie?

- Jesteś w Leith?

- A gdzie miałbym być?

- Zaraz tam będę.

- Miałem tak dosyć, że poszedłem do swojego szefa, a to zdarza mi się bardzo rzadko. - Bobby Hogan żłopał kawę, jakby to była woda na pustyni. Górny guzik koszuli miał odpięty, krawat poluzowany.

- Problem w tym - ciągnął - że jego szef pogadał sobie wcześniej z moim szefem i powiedziano mi jasno: współpracuj, bo będzie źle.

- Sens?

- Mam nikomu nie mówić, że on ciągle tu jest.

- Dzięki, stary. Czym się aktualnie zajmuje?

- Zapytaj lepiej, czym się nie zajmuje! Upiera się, żeby być przy każdym przesłuchaniu. Żąda dla siebie kopii nagrań i protokołów. Każe sobie pokazywać wszystkie dokumenty, mam mu się spowiadać, co planuję i co jadłem na śniadanie...

– Domyślam się, że przy tym wszystkim nie ma z niego żadnego pożytku?

Mina Hogana wystarczyła Rebusowi za odpowiedź.

– Nawet nie dziwię się, że wszystko chce wiedzieć, ale to już zaczyna zwyczajnie przeszkadzać mi w pracy. Spowolnił dochodzenie tak, że za chwilę utknie w miejscu.

– Może taki właśnie jest jego zamiar?

Hogan uniósł wzrok znad kubka.

– Nie chwytam.

– Ja też nie. Słuchaj, jeśli jest aż tak obstrukcyjny, sprowokujmy go i zobaczmy, jak zareaguje.

– Jak go sprowokujemy?

– O której będzie u ciebie?

Hogan zerknął na zegarek.

– Za jakieś pół godziny. O tej porze muszę zostawić swoje sprawy i być wyłącznie do jego dyspozycji.

– Pół godziny wystarczy. Mogę zadzwonić?

29

Kiedy Abernethy się pojawił, nawet nie udawał zaskoczonego. Przestrzeń biurowa przeznaczona dla jednego Hogana musiała teraz pomieścić trzy osoby, z których każda realizowała sobie tylko znane cele.

Hogan molestował telefonicznie bibliotekę, żądając jak najszybszego dostarczenia mu wycinków i ksero fragmentów książek mówiących o Rat Line. Rebus porządkował papiery, odkładając na bok te, które nie wydały mu się potrzebne. Była tam również Siobhan Clarke. Na ile mógł się zorientować, dzwoniła do jakiejś żydowskiej organizacji i pytała ich o listy zbrodniarzy wojennych. Rebus, nie przerywając pracy, skinął na powitanie głową Abernethy'emu.

- Co tu robisz? - zagadnął Abernethy, zdejmując płaszcz.

- Pomagam. Bobby ma wiele spraw do rozpracowania... - skinął w kierunku Siobhan - ...i Brygada Kryminalna też jest zainteresowana.

- Od kiedy?

Rebus pomachał kartką papieru.

- Afera może być większa, niż myślimy.

Abernethy rozejrzał się po pokoju. Chciał zagadać do Hogana, ale Bill wciąż wisiał na telefonie. Siobhan też. Pozostał mu tylko Rebus.

I tak właśnie miało być.

Miał tylko pięć minut, w czasie których musiał wtajemniczyć Siobhan w spisek, ale była urodzoną aktorką i był pewien, że sobie poradzi. Rzeczywiście, rozmowę z milczącą słuchawką odgrywała po prostu brawurowo.

- Co masz na myśli?

- W zasadzie - stwierdził Rebus, odkładając kolejne akta - mógłbyś być pomocny.

- W jaki sposób?

- Jesteś z Wydziału Specjalnego, a wy macie dostęp do tajnych służb, zgadza się?

Abernethy skrycie oblizał wargi i demonstracyjnie wzruszył ramionami.

- Widzisz - ciągnął Rebus - w pewnym momencie zaczęliśmy się dziwić. Mogło istnieć dziesiątki powodów, dla których ktoś pragnąłby zabić Josepha Lintza, ale istnieje jeden, który praktycznie zignorowaliśmy (zdaniem Hogana, z powodu sugestii Abernethy'ego, pomyślał), a który może stanowić odpowiedź. Mówię o Rat Line. Czy zabójstwo Lintza może mieć z tym coś wspólnego?

- W jaki sposób?

Tym razem Rebus wzruszył ramionami.

- Dlatego potrzebujemy waszej pomocy. Musimy mieć wszystkie możliwie informacje na temat Rat Line.

- Ta organizacja nigdy nie istniała.

- Wielu historyków twierdzi przeciwnie.

- Mylą się.

- Są jeszcze ci, którzy przeżyli... a właściwie nie przeżyli. Samobójstwa, wypadki samochodowe, wypadnięcia z okien. Lintz jest tylko jednym z wielu martwych ludzi.

Siobhan Clarke i Bobby Hogan zakończyli telefonowanie i przysłuchiwali się.

- Wspinasz się na niewłaściwe drzewo - stwierdził zimno Abernethy.

- Wiesz, w gęstym lesie wystarczy wdrapać się na którekolwiek drzewo, aby uzyskać lepszy widok.

- Nie było Rat Line!

- Jesteś historykiem?

- Interesowałem się...

- Wiem, wiem, różnymi śledztwami. I jak się skończyły? Procesami i osądzeniem winnych?

- Jest za wcześnie, aby o tym przesądzać.

- Niedługo będzie za późno. Dla tych ludzi czas się nie zatrzymał. Tak zresztą dzieje się w całej Europie - procesy są opóźniane, aż oskarżeni staną się zbyt chorzy i zgrzybiali, aby występować na sali sądowej. Rezultat zawsze ten sam: nie ma procesu.

- Posłuchaj, to nie ma nic wspólnego z...

- Dlaczego siedzisz tutaj, Abernethy?

- Rebus, lepiej nie...

- Jeśli nie możesz powiedzieć nam, powiedz swojemu szefowi. Niech on zacznie działać, bo w przeciwnym wypadku my sami prędzej czy później wyciągniemy na światło dzienne jakieś stare kości.

Abernethy cofnął się o krok.

- Nie pozwolę wam na to - powiedział i nagle zaczął się uśmiechać. - Próbujecie mnie przyprzeć do ściany. - Popatrzył na Hogana. - Tak, o to wam chodzi.

- Niezupełnie - odparował Rebus. - Chcę tylko powiedzieć, że jeśli nie pomożesz, zdwoimy wysiłki. Przewietrzymy każdy kąt, każdą szparę. Rat Line, Watykan, werbowanie nazistów przez sojuszników jako zimnowojennych szpiegów... takie będą historyczne dowody. Inni ludzie na naszej liście, inni podejrzani... będzie trzeba z nimi porozmawiać, zapytać czy znali Josepha Lintza. Może spotkali się w czasie przerzutu z Niemiec?

- Nie pozwolę wam na to - powtórzył uparcie Abernethy.

- Masz zamiar utrudniać śledztwo?

- Tego nie powiedziałem.

- Nie powiedziałeś, ale tak właśnie zrobisz. - Rebus na sekundę zawiesił głos. - Jeśli uważasz, że wspinamy się na niewłaściwe drzewo, rusz się i udowodnij, że nie jest tak, jak myślimy. Daj nam wszystko, co masz na temat przeszłości Lintza.

Oczy Abernethy'ego rzucały gromy.

- Jeżeli nie, zaczniemy węszyć i kopać dwa razy bardziej intensywnie. - Rebus otworzył teczkę i wyjął z niej pierwszą kartkę. Hogan podniósł słuchawkę i wystukał numer. Siobhan Clarke wybrała kolejny numer ze swojej listy.

- Halo, czy tu synagoga miejska? - upewnił się Hogan. - Tak, mówi detektyw inspektor Hogan z Wydziału Kryminalnego w Leith. Czy dysponują państwo przypadkiem informacjami o Josephie Lintzu?

Abernethy chwycił płaszcz, obrócił się na pięcie i wyszedł. Odczekali pół minuty, po czym Hogan odłożył słuchawkę.

- Humor mu się popsuł.

- W ten sposób jedno świąteczne życzenie mam z głowy - stwierdziła Siobhan Clarke.

- Dzięki za pomoc, Siobhan - powiedział Rebus.

- Może kiedyś mi się zrewanżujesz. Ale dlaczego akurat ja?

- Bo wie, że jesteś z kryminalnego. Chciałem zasugerować mu, że zainteresowanie sprawą wzrasta. I ponieważ obojgu wam zalazł za skórę. Antagonizm okazał się w tym przypadku pomocny.

- Dobrze, ale co właściwie zyskaliśmy? - zapytał Bobby Hogan, zbierając teczki. Połowa z nich należała do innych spraw.

- Potrząsnęliśmy nim - powiedział Rebus. - Nie przyjechał tutaj, żeby pooddychać zdrowym, szkockim powietrzem. Przyjechał, gdyż Wydział Specjalny w Londynie chce wiedzieć wszystko o śledztwie. I na mojego nosa, oni czegoś się boją.

- Rat Line?

- Tak myślę. W tej sprawie Abernethy wyłapuje sygnały z całego kraju. Ktoś tam, w Londynie, musiał się nieźle spocić.

- Martwią się, czy zabójca Lintza ma coś wspólnego z Rat Line.

- Nie sądzę, żeby to zaszło aż tak daleko - powiedział Rebus.

- Czyli?

Rebus zerknął na Clarke i rozłożył ręce.

- Nic więcej ci nie powiem.

- No dobra - Hogan wstał i przeciągnął się. - W każdym razie dzięki, że zdjąłeś mi go z głowy. Ktoś chce kawy?

Siobhan zerknęła na zegarek.

- Dawaj!

Rebus zaczekał, aż Hogan zniknie za drzwiami, i znów jej podziękował.

- Zostawiliśmy tam Jacka Mortona na los szczęścia - powiedziała. - Teraz możemy tylko czekać i gryźć palce z nerwów. A ty jak?

- Zwarty i gotowy.

Hogan wrócił z trzema parującymi kubkami.

- Przepraszam, ale wyszedł zabielacz.

Clarke skrzywiła się z niesmakiem.

- Dzięki, chyba już pójdę. - Podniosła się szybko i sięgnęła po płaszcz. Wymieniła uścisk dłoni z Hoganem i odwróciła się do Rebusa.

- Do zobaczenia wkrótce.

- Cześć, Siobhan.

Hogan zawłaszczył jej kawę.

- Abernethy'ego mamy z głowy, ale co dalej?

- Poczekamy, zobaczymy, Bobby. Nie miałem czasu przemyśleć dalszej strategii.

Zadzwonił telefon i Rebus podniósł słuchawkę.

- Halo?

- Czy to ty, John? - W tle muzyka country: Claverhouse.

- Już zdążyłeś się za nią stęsknić? - zachichotał Rebus.

- Nie chcę Clarke, tylko ciebie.

- O?

- Mam coś, co powinno cię zainteresować. Właśnie przyszło z NCIS. - O, jest, Sakji Shoda... mam nadzieję, że wymawiam prawidłowo. Wczoraj przyleciał na Heathrow z lotniska Kansai. Południowo-Wschodnia Okręgowa Brygada Kryminalna została uprzedzona.

- Rewelacja.

- Nie zwlekał tam długo, zabukował najbliższy lot do Inverness. Przenocował w hotelu, a teraz jest Edynburgu.

Rebus zerknął przez okno.

– Nie za dobra pogoda na golfa.

– Wątpię, aby chodziło mu o partyjkę. Raport podaje, że pan Shoda jest wysokim rangą członkiem... cholera, nie mogę odczytać tego faksu! Sok...

– Sokaiya? – Rebus wyprostował się w krześle.

– Chyba tak. Co to jest Sokaiya?

– Sama wierchuszka Yakuzy.

– Jaką masz intuicję?

– Sugerowałbym, że ma zastąpić Matsumoto, lecz stoi o wiele wyżej w hierachii.

– Szef tamtego?

– Co by znaczyło, że pofatygował się tutaj, żeby sprawdzić, co stało się z jego człowiekiem. – Rebus postukał się długopisem po zębach. – Czemu Inverness? – zastanawiał się głośno. – Dlaczego nie bezpośrednio do Edynburga?

– Też się nad tym zastanawiałem – Claverhouse pokiwał głową. – Ciekawe, na ile będzie wkurzony?

– Coś między „lekko" a „bardzo". Ważniejsze jest, jak zareagują Telford i Tarawicz.

– Myślisz, że Telford odpuści sobie Maclean's?

– Przeciwnie, myślę, że będzie chciał pokazać panu Shodzie, że pewne rzeczy wychodzą mu świetnie. – Rebus zastanowił się chwilę, gdyż przypomniały mu się słowa Claverhouse'a.

– Powiedziałeś Południowo-Wschodnia Okręgowa Brygada Kryminalna?

– Tak.

– A nie Scotland Yard?

– Może chodzi o to samo?

– Może. Masz numer do nich?

– Zaraz ci podam.

– A będziesz rozmawiał dzisiaj z Jackiem Mortonem?

– Owszem.

– Powiedz mu o tym.

– Dobra. Zadzwonię jeszcze.

Rebus odłożył słuchawkę, a potem podniósł ją znowu i wybrał numer. Wyjaśnił, po co dzwoni, i zapytał, czy ktoś mógłby mu pomóc w tej sprawie. Poproszono, aby zaczekał.

- Czy chodzi o Telforda? - zainteresował się Hogan. Rebus skinął głową.

- À propos, Bobby, czy rozmawiałeś z nim potem?
- Parę razy próbowałem, ale on powtarzał, że to zły numer.
- Reszta jego ludzi też, jak echo?

Hogan przytaknął z uśmiechem.

- Poza tym było zabawnie. Wszedłem do biura Telforda i zobaczyłem, że ktoś stoi przy jego biurku, tyłem. Przeprosiłem i wycofałem się, mówiąc, że przyjdę, kiedy skończy załatwiać sprawę z tą panią. W tym momencie „pani" odwróciła się, blada z furii...

- Pretty-Boy?
- Aha! Cholernie wkurzony - zachichotał Hogan.
- Już pana przełączam - powiedziała centrala do Rebusa.
- Czym mogę panu służyć? - Głos z walijskim akcentem.
- Detektyw inspektor Rebus ze Szkockiego Wydziału Kryminalnego. - Rebus dodał sobie powagi, porozumiewawczo mrugając do Hogana. - Z kim mam przyjemność?
- Detektyw inspektor Morgan.
- Dziś rano otrzymaliśmy wiadomość dotyczącą pana Sakji Shody.
- O, zdaje się, że mój szef skierował pana do mnie.
- W takim razie ciekaw jestem, jakie jest pana pole zainteresowań.
- *Wory w zakonie*, jeśli to coś panu mówi, inspektorze. Jestem specjalistą w tych sprawach.
- Nader wyczerpujące wyjaśnienie.

Morgan zachichotał.

- W swobodnym tłumaczeniu: „złodzieje w zmowie".
- Rosyjska mafia?
- Dokładnie. Co konkretnie chciałby pan wiedzieć?

Rebus pociągnął łyk kawy.

- Mamy tu problem z Yakuzą. Na razie jedna ofiara. Przypuszczam, że ten Shoda był szefem denata. Ale to jeszcze nie wszystko. Mamy również rosyjskiego gangstera, choć podobno to Czeczen.
- Jake Tarawicz?
- Słyszał pan o nim?
- Człowieku, przecież to mój zawód.

– W każdym razie, mając w mieście i Yakuzę, i Czeczenów...

– ...można się spodziewać każdego czarnego scenariusza – dokończył Morgan. – Rozumiem. Proszę podać mi swój numer, a oddzwonię za dziesięć minut. Muszę się chwilę zastanowić.

Rebus podał mu numer i dokładnie po dziesięciu minutach podniósł słuchawkę.

– Sprawdził mnie pan, inspektorze Morgan – powiedział do Walijczyka.

– Normalna ostrożność. Trochę się pan rozminął z prawdą.

– Powiedzmy, niewiele. Branża jest w końcu ta sama. Czy teraz może mi pan coś powiedzieć?

Morgan nabrał powietrza.

– Ścigamy brudne pieniądze po całym świecie. Dawna, azjatycka cześć Sowietów jest teraz największym w świecie producentem surowego opium. A tam, gdzie są narkotyki, są pieniądze do wyprania.

– I pieniądze przesiąkają do Wielkiej Brytanii?

– Jesteśmy pewnym etapem. Firmy w Londynie, prywatne banki na Guernsey... brud spiera się coraz bardziej po każdej operacji. Każdy chce robić interesy z Rosjanami.

– Dlaczego?

– Bo na nich można zarobić. Rosja jest dziś jednym wielkim bazarem. Potrzebujesz broni, firmowych podróbek, forsy, lewych dokumentów czy nawet operacji plastycznej? Cokolwiek by to było, wszystko tam znajdziesz. Granice są otwarte, pełno lotnisk, których nie ma na mapach... po prostu idealne układy.

– A jeśli do tego jesteś międzynarodowym przestępcą...

– Dokładnie! Rosyjska mafia nawiązała kontakty ze swoimi kuzynami z Sycylii, z Camorrą, z Kalabryjczykami... długo można by wymieniać. Angielskie przestępcze szychy jeżdżą tam na zakupy. Oni wszyscy kochają Rosjan.

– A dziś Rosja puka do nas.

– Już dawno u nas jest. Wymusza haracze, utrzymuje sieć prostytutek, handluje narkotykami...

Prostytutki i narkotyki – działka pana Różowookiego. Działka Telforda.

– Dowody, że mają powiązania z Yakuzą?

– Na razie nie mam takowych.

– Ale skoro zjawili się u nas?

– Pewnie będą próbowali przejąć kontrolę nad narkotykami i prostytucją. I prać brudne pieniądze.

Sposoby takiego prania, dopowiedział w myślach Rebus: poprzez legalne interesy, jak country cluby, pola golfowe czy kasyna, jak Morvena. Ponadto wiedział, że Yakuza chętnie przemyca dzieła sztuki do Japonii. Wiedział, że Tarawicz zarobił pierwsze pieniądze na przemycie ikon z Rosji. Wystarczy dodać dwa do dwóch.

A potem jeszcze dołączyć do równania Telforda.

Czy potrzebowali towaru z Maclean's? Nie był tego aż tak pewien. Ale skoro nie, czemu Tommy Telford w to brnął? Dwa możliwe wyjaśnienia: jedno – demonstracja siły, drugie: – bo mu kazali. Rodzaj inicjacji... Jeśli chcesz grać z wielkimi bossami, pokaż, że jesteś tego wart. Więc musi wypchnąć ze sceny Cafferty'ego i zgarnąć największą pulę narkotyków w historii Szkocji.

Nagle zrozumienie spadło na Rebusa jak grom.

Telford nie miał wygrać – przeciwnie, miał przegrać.

Telford był wrabiany przez Tarawicza i Yakuzę.

Ponieważ miał coś, czego oni chcieli – stałą dostawę narkotyków; królestwo, które można było mu zabrać. Miriam Kenworthy mówiła właśnie o tym: zaczęły się pogłoski, że ze Szkocji na południe wyciekają narkotyki. Co oznaczałoby, iż Telford ma dostawy... ze źródła, o którym nikt nie wie.

Po wyeliminowaniu Cafferty'ego nie będzie już żadnej konkurencji. Yakuza zyska solidną, brytyjską bazę. Fabryka elektroniki ma szansę być idealną przykrywką, a może nawet sama służyć jako pralnia pieniędzy. Rebus, rozpatrując wszystkie aspekty sprawy, stwierdził z całą pewnością, że w każdym wariancie równania Telford okazywał się zbędny, jak zero, które można pominąć.

On sam również pragnął wyeliminować Telforda, lecz nie za taką cenę.

– Bardzo dziękuję za pomoc, inspektorze Morgan – powiedział, odkładając słuchawkę. Hogan już dawno przestał słuchać i trwał, wpatrzony w ścianę. – Przepraszam, musiałeś się wynudzić.

– Nie, wcale. Po prostu rozmyślałem nad czymś.

– Nad czym?

– Pretty-Boy. Pomyliłem go z kobietą.

– Pewnie nie ty pierwszy.

– No właśnie. Pamiętasz... Lintz w restauracji... z dziewczyną. Sam nie wiem – wzruszył ramionami. – Może to zły trop. Ale Rebus już go podchwycił.

– Rozmawiający o interesach?

– Aha. Pretty-Boy zarządza stajnią Telforda.

– I osobiście dba o najbardziej pokazowe dziewczyny. Drąż to dalej, Bobby.

– Jak myślisz, czy sprowadzić go tutaj?

– Koniecznie. Przewałkuj wątek restauracyjny. Sugeruj, że mamy na niego haka. Zobacz, co powie.

– Tak, jak zrobiliśmy z Colquhounem? Pretty-Boy będzie szedł w zaparte.

– Możliwe, ale w końcu ci się uda. – Rebus, wstając, poklepał Hogana po ramieniu.

– A co z twoim telefonem?

– Mój telefon? – Rebus zerknął na notatki, które robił w czasie rozmowy. Gangsterskie przejęcie Szkocji. – Miewałem gorsze wiadomości – stwierdził bagatelizująco. – Nie przejmuj się, Bobby – dodał, zakładając marynarkę. – Wszystko będzie dobrze.

30

Gra dobiegała końca, a Rebus ciągle nie otrzymał akt Kraba, za to musiał stawić czoła telefonicznemu, bezpardonowemu atakowi Abernethy'ego, który oskarżał go o wszystko, od obstrukcji w śledztwie do rasizmu, co graniczyło z absurdem.

Oddano mu samochód. Na warstwie brudu, pokrywającej klapę bagażnika, ktoś napisał: PRZYPADEK BEZNADZIEJNY oraz UMYTY PRZEZ STEVIE WONDERA. Saab, choć tak niegrzecznie potraktowany, zaskoczył od pierwszego razu i wyjątkowo szybko odbębnił swój stały repertuar rzężeń i wystrzałów z rury. W drodze do domu Rebus opuścił szybę, żeby choć trochę wywiało woń whisky, którą przesiąkła cała tapicerka.

Pod wieczór niebo oczyściło się z chmur i temperatura znacznie spadła. Niskie, jaskrawoczerwone słońce, przekleństwo kierowców, wreszcie zaczęło znikać za domami. Rebus zatrzymał się przy sklepie z rybami i kupił sobie na kolację dwa filety, dwie bułki i kilka puszek Irn-Bru. W domu włączył telewizję i nie znalazłszy nic ciekawego, przerzucił się na płyty. Van Morrison: *Astral Weeks*. Stary, niemiłosiernie porysowany winyl.

Motyw z czołówki miał refren: *to be born again*, urodzić się na nowo. Rebus pomyślał o Sammy oplątanej elektrodami, o maszynach, warujących z obu stron jej łóżka, jakby była ofiarą złożoną dla nich na ołtarzu. Myślał o ojcu Leary i jego lodówce wypełnionej lekarstwami. Leary często mówił o wierze, ale trudno było zachować wiarę w rasę ludzką, której wielowiekowe dzieje nie nauczyły niczego, która gotowa była akceptować tortury, mordy i zniszczenia. Otworzył gazetę. Kosowo, Zair, Rwanda. Pobicia z zemsty w Irlandi Północnej. Młoda dziewczyna zamordowana w Anglii, inna, która zaginęła; oba przypadki uznane za „niepokojące". Drapieżcy czaili się i tutaj, nie ulegało wątpliwości. Wystarczy zdrapać cienki polor kultury, aby ukazało się mroczne wejście do jaskini.

Urodzić się na nowo... Tak, ale po chrzcie ogniowym.

Belfast, 1970 rok. Kula snajpera roztrzaskała czaszkę brytyjskiego żołnierza z oddziałów antyterrorystycznych. Ofiara miała dziewiętnaście lat i pochodziła z Glasgow. W koszarach płakano krótko, a potem rozgorzał gniew. Nigdy nie wykryto zabójcy. Rozpłynął się w betonowych wąwozach blokowisk i zniknął na dobre w katolickich osiedlach.

Jeszcze jedno z gazetowych doniesień, jedna z wczesnych statystyk w rubryce „problemy".

I gniew.

Przywódca ruchu miał ksywę Mean Machine*. Starszy szeregowiec, pochodził z Ayrshire. Krótko obcięte, jasne włosy,

---

Mean Machine - ang. - dosłownie - Wredna Maszyna (przyp. tłum.).

sylwetka rugbisty. Lubił zajęcia polowe, nawet jeśli były to pompki i musztra na placu między barakami. To on rozpoczął kampanię odwetową. Oczywiście krył się z nią, aby wieść nie dotarła do góry. Musiał to być prawdziwy zawór bezpieczeństwa dla frustracji i agresji zarazem, którymi kipiały koszary. Świat zewnętrzny jawił się jako terytorium wroga, każdy był potencjalnym nieprzyjacielem. Zdając sobie sprawę, że nie sposób jest ukarać tamtego snajpera, Mean Machine zastosował zbiorową odpowiedzialność – kolektywna wina całej społeczności i kara wspólna dla wszystkich.

Plan był następujący: rajd na bar IRA, w którym przesiadywali jej sympatycy. Pretekst: człowiek z pistoletem, który jakoby się tam schronił, co usprawiedliwiało najście. Skończyło się totalną rozróbą i zmasakrowaniem lokalnego kwestarza IRA.

Rebus nie protestował... gdyż działano kolektywnie. Albo jesteś członkiem drużyny, albo nie ma cię, nie żyjesz. A Rebus nie zamierzał być pariasem.

W ten sposób w jego umyśle zaczęło się zacierać rozróżnienie pomiędzy „dobrymi" a „złymi" chłopcami. Zaś w czasie tamtej akcji w ogóle przestało istnieć.

Mean Machine był w amoku, z grymasem na twarzy i wzrokiem płonącym furią. Rozbijał czaszki karabinem, trzymanym za lufę, jak maczugą. Przewracano stoły, pryskało szkło. Z początku inni żołnierze byli zaszokowani nagłą erupcją przemocy. Popatrywali na siebie, szukając nawzajem wsparcia. Wreszcie jeden z nich rzucił się do walki, a pozostali skoczyli za nim. Lustro rozprysło się w tysiące odłamków; ciemne i jasne piwa rozlewały się kałużami na drewnianej podłodze. Goście baru krzyczeli, błagali o litość, pełzali na kolanach po szklanym polu minowym. Mean Machine przygwoździł człowieka z IRA do ściany, waląc go kolanem w krocze. A potem, zgiętego w pół, obalił na podłogę i zaczął masakrować kolbą karabinu. Jeszcze więcej żołnierzy wpadło do baru; na ulicy parkowały wozy opancerzone. Woń whisky drażniła nozdrza.

Rebus usiłował krzyczeć do nich, aby przestali. Widząc, że to na nic, wycelował karabin w sufit, strzelił raz i wszyscy zamarli... Ostatni kopniak, wymierzony w skrwawioną postać na podłodze, i Mean Machine odwrócił się niespiesznie, po czym wyszedł z baru. Inni zawahali się znów na moment, ale poszli za nim. Udowodnił bowiem pozostałym kolegom, że pomimo niskiej rangi stał się ich liderem.

Wieczorem, w koszarach, fetowali zwycięstwo, wyrzucając Rebusowi, że nie potrafił utrzymać palca na spuście. Syczały otwierane puszki piwa, a oni opowiadali swoje historie, już podkolorowane i przesadzone, zmieniając całe wydarzenie w mit i nadając mu wielkość, której nie miało.

Jednym słowem, kłamali.

W kilka tygodni później ten sam, cudem ocalały członek IRA, został znaleziony z kulą w głowie w skradzionym samochodzie na południe od miasta, na żwirowej drodze, wiodącej do farmy pośród sielskich wzgórz i pastwisk. Winę przyjęły na siebie oddziały protestanckie. Mean Machine, choć nie przyznawał się do niczego, uśmiechał się znacząco i robił oko, kiedy tylko wspominano o tym zdarzeniu. Mitomania albo przyznanie się do winy – tego Rebus nie potrafił rozsądzić. Wiedział za to jedno – chciał być jak najdalej od nowo ufundowanego kodeksu etycznego Mean Machine. Dlatego wybrał jedyne możliwe wyjście z sytuacji – złożył podanie o przyjęcie do SAS. Aby nikt nie śmiał pomyśleć o nim, że tchórzy albo że wykręca się od służby.

Aby narodzić się na nowo.

Strona skończyła się. Rebus odwrócił płytę, wyłączył światła i z powrotem zasiadł w fotelu. Czuł, jak zimny dreszcz przenika jego ciało. Czuł to, gdyż wiedział, jak mogą się skończyć wydarzenia podobne do Villefranche. Gdyż wiedział, jak najstraszniejsze demony dziejów potrafiły zmaterializować się w apogeum dwudziestego wieku. Wiedział, że instynkty ludzi zawsze były niskie, zaś każdemu aktowi szlachetności i bohaterstwa towarzyszyło nierówne więcej aktów dzikości i bestialstwa.

Przypuszczał, że gdyby ofiarą tamtego snajpera była jego córka, puściłby wtedy, w barze, serię w tłum.

Gang Telforda również trzymał się ślepo swojego przywódcy. Ale teraz ich lider nabrał apetytu na jeszcze większą władzę.

Zadzwonił telefon.

– Słucham, John Rebus.

– Cześć, John, tu Jack. – Jack Morton. Rebus odstawił puszkę.

– Hej, Jack, skąd dzwonisz?

– Z tej ciasnej nory, którą uprzejmie wynajęli mi chłopcy z Fettes.

– Trudno, żebyś jako robol miał lepszą.

– Zgoda, niech im będzie. W każdym razie, jest skąd dzwonić. Tylko automat na monety, ale nie można mieć wszystkiego. – Urwał na moment, nasłuchując milczenia Rebusa. – John, u ciebie wszystko w porządku? Bo... jakoś mi nie brzmisz.

– Nie przejmuj się mną, Jack. Powiedz lepiej, jak to jest być ochroniarzem?

– Nic do roboty, stary. Powinienem już dawno wziąć tę posadę.

– Lepiej poczekaj, aż dorobisz się emerytury.

– Fakt.

– Jak tam ci idzie z chłopcami ze sklepu?

– Oskarowa rola! Nie było łatwo. Wtoczyłem się do lokalu i powiedziałem, że muszę usiąść. Duecik panów zajął się mną nadzwyczaj troskliwie... z początku, bo potem zaczęli zadawać pytania i zapomnieli o subtelności.

– Nie boisz się, że cię podpuszczali?

– Owszem. Ty na moim miejscu też byś się pewnie martwił, że poszło za szybko i za łatwo, ale myślę, że naprawdę mnie kupili. Co powie ich boss, to już inna historia. Zdaje się, że jest pod dużą presją.

– Zbliżającej się batalii?

– Ta historia jest chyba bardziej skomplikowana. Myślę, że naciskają go partnerzy.

– Ruscy i Japońce?

– Myślę, że popychają go ku upadkowi, Maclean's ma być przepaścią.

– Dowody?

– Czuję w kościach.

– Hm, ładnie. Jak myślisz, kiedy nawiążą z tobą kontakt?

– Szli za mną do domu, co tylko świadczy, w jakiej są desperacji. Teraz tkwią na ulicy.

– Muszą uważać cię za łakomy kąsek.

Rebus mógł sobie wyobrazić, jakim torem biegło ich myślenie. Dec i Ken w panice, potrzebują szybkiego sukcesu. Czują się bezbronni tam, daleko od Flint Street, gdzie w każdej chwili może ich załatwić ktoś od Cafferty'ego. Telford, naciskany przez Tarawicza, a teraz jeszcze przez bossa Yakuzy, szaleje, żąda wyników, błysku, który by pokazał, że jest najlepszy.

– A co u ciebie, John? To już trwa dosyć długo.

– Owszem.

– Jak się trzymasz?

– Tylko bezalkoholowe napoje, jeśli o to ci chodzi. I samochód przesiąknięty whisky...

– Wyłączam się – powiedział nagle Jack. – Ktoś puka do drzwi. Zadzwonię później.

– Uważaj na siebie.

Stuk odkładanej słuchawki.

Rebus odczekał godzinę. Kiedy Jack nie zadzwonił, połączył się z Claverhousem.

– Wszystko w porządku – zapewnił Claverhouse przez komórkę. – Tweedledee i Tweedledum dokądś go zabrali.

– Obserwujecie mieszkanie?

– Tak, z furgonetki firmy malarskiej; stoimy po drugiej stronie ulicy.

– Więc nie wiecie, dokąd go zabrali?

– Prawdopodobnie jest na Flint Street.

– Bez wsparcia?

– Ustaliliśmy, że konieczne jest maksimum dyskrecji.

– Chryste, nie wiedziałem...

– Dzięki za zaufanie – powiedział zgryźliwie Claverhouse.

– Nie ty jesteś na linii ognia. A ja byłem tym, który go wam podsunął.

– Wiedział, w co wchodzi, John.

– Więc po prostu siedzicie i czekacie, czy wróci stamtąd w jednym kawałku, czy nie?

– Daj spokój, John, teraz zebrało ci się na moralizowanie? – Claverhouse do reszty stracił cierpliwość. Rebus cisnął słuchawkę.

Van the Man zaczął go drażnić. Zamiast tego położył na odtwarzaczu *Aladdin Sane* Davida Bowie; coś, co przyjemnie rozprasza. Klawisze Mike'a Garsona w tonacji jego myśli.

Puste puszki po soku i zgnieciona paczka papierosów patrzyły na niego. Nie znał adresu Jacka. Jedyną osobą, która mogłaby mu go udostępnić, był Claverhouse, a Rebus nie miał ochoty na dalszy ciąg rozmowy. Przerwał w połowie Bowiego i zastąpił go *Quadrophenią*. „Schizofreniczny? Nie, jestem przeraźliwie quadrofreniczny". Właśnie, prawie tak się czuł.

Kwadrans po północy zadzwonił telefon. Jack Morton.

– Bezpiecznie w domciu?

– Cały i zdrowy – potwierdził Morton.

– Rozmawiałeś z Claverhousem?

– Może poczekać.

– I co się działo?

– Wyższa szarża. Gość ufarbowany na czarno, loczkowaty... obcisłe dżinsy.

– Pretty-Boy.

– Maluje się.

– Tak wygląda. Co się działo?

– Przeszedłem kolejną poprzeczkę. Nikt jeszcze nie wspomniał, na czym ma polegać moja rola. Dziś był tylko wstęp. Chcieli wiedzieć o mnie wszystko, zapewniali, że kłopoty finansowe skończą się raz na zawsze. Pod warunkiem, że pomogę im uporać się z pewnym „drobnym problemem", jak określił to ten Pretty-Boy.

– Pytałeś, o jaki problem chodzi?

– Nie powiedział. Na moje oko poszedł teraz do Telforda naradzić się i zdradzi mi szczegóły dopiero na następnym spotkaniu.

– Będziesz miał na sobie podsłuch?

– Tak.

– A jeśli cię sprawdzą?

– Claverhouse załatwi maksymalnie zminiaturyzowany sprzęt, wiesz, spinki do mankietów i te sprawy.

– Jasne, ochroniarz i spinki do mankietów.

– Fakt, lepszy będzie nadajnik w długopisie.

– Cieszę się, że myślisz. Powiedz, w jakim byli nastroju?

– Spięci.

– Ani śladu Tarawicza czy Shody?

– Nic, tylko Pretty-Boy i mój ukochany duecik.

– Claverhouse nazywa ich Tweedledum i Tweedledee.

– Od razu widać, że wykształcony. À propos, rozmawiałeś z nim?

– Tak, kiedy czekałem, aż oddzwonisz.

– Jestem pod wrażeniem. Czy myślisz, że on to ogarnia?

– Bo ja wiem? – Rebus zastanawiał się przez chwilę. – Lepiej bym się czuł, gdybym to ja odpowiadał za całą operację. Ale najwidoczniej się nie nadaję.

– Tego bym nie powiedział.

– Dzięki, Jack.

– Sprawdzają mnie, ale legenda jest w porządku. Powinienem przejść przy odrobinie szczęścia.

– Co powiedzieli na twoje nagłe zgłoszenie do Maclean's?

– Przeniesiono mnie z innych zakładów. Gdyby szukali, znajdą mnie tam w kartotece. – Zastanowił się chwilę. – Jedno tylko chciałbym wiedzieć...

– No?

– Pretty-Boy wręczył mi sto funtów na poczet przyszłych zysków. Co mam zrobić z tą forsą?

– Zapytaj swojego sumienia, Jack. Do usłyszenia.

– Dobranoc, John.

Po raz pierwszy od dłuższego czasu mógł zrealizować to życzenie, kładąc się do łóżka. Spał mocno, bez snów.

31

Lekarze w białych fartuchach robili coś z Sammy, kiedy rano Rebus odwiedził ją w szpitalu. Mierzyli puls, świecili latarką w oczy. Następnie zarządzili kolejne badanie i pielęgniarka cierpliwie rozdzielała pęki kolorowych kabelków. Rhona wyglądała na niewyspaną. Na jego widok zerwała się z miejsca i rzuciła ku niemu.

– Budzi się!

Dopiero po chwili skojarzył, o co chodzi. Rhona potrząsała go za ramiona.

– Ona się budzi, John!

Przepchał się do łóżka.

– Kiedy?

– Wczoraj w nocy.

– Dlaczego nie zadzwoniłaś?

– Próbowałam parę razy, ale było zajęte. Potem dzwoniłam do Patience, nikt nie podnosił słuchawki.

– I co się działo? – Dla niego Sammy wyglądała tak samo jak zawsze.

– Po prostu otworzyła oczy... Nie tak od razu, najpierw poruszyły się tylko gałki oczne, wiesz, pod zamkniętymi powiekami. A potem otworzyła oczy.

Rebus ujął Rhonę za ramię i wyprowadził na korytarz, nie chcąc przeszkadzać zaaferowanemu personelowi.

– Czy... czy popatrzyła na ciebie? Powiedziała coś?

– Nie, wpatrzyła się w sufit, gdzie jaśniała smuga światła. Myślałam, że zamruga, ale ona znów zamknęła oczy i tak już została. – Rhona wybuchnęła płaczem. – Czułam się... jakbym po raz drugi ją straciła.

Rebus wziął ją w objęcia. Odwzajemniła uścisk.

– Skoro zrobiła to raz – powiedział – na pewno zrobi raz jeszcze.

– Tak właśnie mówią lekarze, dodając, że są „pełni nadziei". Oh, John, jak chciałam ci to powiedzieć! Powiedzieć każdemu! Nie mogła mu powiedzieć, gdyż był zbyt zajęty: Claverhouse, Jack Morton. A przecież on, nie kto inny, wplątał córkę w tę sprawę. Sammy i Candice, kamyczki wrzucone do studni, które poruszyły wodę. Fale były tak duże, iż zapomniał o centralnym punkcie, w którym się rodziły, o punkcie startu. Tak samo po ślubie zagarnęła go praca, aż wszystko inne rozpłynęło się w niej. I słowa Rhony: „eksploatujesz rabunkowo każdy związek, w którym się znajdziesz".

Aby narodzić się na nowo...

– Przepraszam cię, Rhona.

– Czy mamy zawiadomić Neda? – Znów zaczęła płakać.

– Chodź – pociągnął ją korytarzem – pójdziemy do bufetu i zjemy śniadanie. – Dyżurowałaś przez całą noc?

– Nie mogłam wyjść.

– Wiem. – Pocałował ją w policzek.

– Ta osoba w samochodzie...

- Co?

Popatrzyła na niego.

- Teraz już mi obojętne, kto tam był. Wszystko mi jedno, czy złapią go, czy nie. Chcę tylko, żeby ona się obudziła.

Rebus pokiwał głową na znak, że rozumie. Podtrzymywał rozmowę, odbiegając myślami ku innym sprawom. Ale w głowie brzmiały mu wciąż te słowa:

„Wszystko mi jedno, czy złapią go, czy nie".

Nie, to nie powinno zabrzmieć jak rezygnacja.

W St Leonard's przekazał wieść Nedowi. Farlowe rwał się do szpitala, lecz Rebus tylko pokręcił głową. Gdy wychodził z celi, chłopak Sammy płakał.

Na biurku Rebusa czekały akta.

Pseudo: Krab, prawdziwe imię i nazwisko: William Andrew Colton. Zarobił na wpisy w policyjnej kartotece już jako nastolatek, a urodziny obchodził w dniu Guya Fawkesa. Rebus nie miał z nim wiele do czynienia w czasie służby w Edynburgu. Krab przebywał w tym mieście we wczesnych latach osiemdziesiątych, a potem w pierwszej połowie dziewięćdziesiątych. Rok 1982: Rebus dostarczył dowodów przeciwko niemu w niejawnym procesie. Zarzuty umorzono. 1983: znów miał kłopoty – awantura w pubie, mężczyzna w stanie śpiączki, a jego przyjaciółce założono sześćdziesiąt szwów na twarz. Z nici, jakich do tego użyto, można by pewnie wydziergać rękawiczki.

Krab imał się rozmaitych zajęć – wykidajło, ochroniarz, robotnik niewykwalifikowany. W 1986 interesowała się nim kontrola skarbowa. W 1988 wyjechał na zachodnie wybrzeże i tam prawdopodobnie zwerbował go Telford. Boss potrafił bezbłędnie wyłowić przydatny okaz z tłumu różnej maści mięśniaków. Ustawił Kraba na bramce swojego klubu w Paisley. Jeszcze więcej rozlanej krwi, jeszcze więcej sądowych zarzutów. Wszystkie umorzone. Krab żył sobie jak pączek w maśle, życiem, które doprowadza do białej gorączki wszystkich policjantów świata. Świadkowie zbyt zastraszeni, by zeznawać, odmowa zeznań, niszczenie dowodów. Rzadko kiedy w ogóle dochodziło do rozprawy. W dorosłym życiu Colton odsiedział trzy wyroki, razem dwadzieścia siedem miesięcy, podczas gdy jego przestępcza kariera trwała dobre trzy dekady. Rebus jeszcze raz przerzucił papiery, sięgnął po słuchawkę i zadzwonił do komendy w Paisley. Funkcjonariusza, z którym chciał rozmawiać, przeniesiono do Motherwell. Po kolejnych telefonach udało mu się wreszcie skontaktować z sierżantem Ronniem Hanniganem, autorem raportu.

– Mam wrażenie, że podejrzewa pan Kraba o dużo więcej, niż pan napisał w tych papierach, sierżancie.

– Ma pan rację – przyznał Hannigan. – Niestety, niewiele byłem w stanie mu udowodnić. Mówi pan, że jest teraz na południu?

– Telford przydzielił go pewnemu gangsterowi w Newcastle.

– Kryminaliści rzadko siedzą długo w jednym miejscu. Cóż, miejmy nadzieję, że tam go usadzą. To jednoosobowe komando terrorystów, nie przesadzam. Pewnie dlatego Telford upchnął go na boku, bo zaczął się zbytnio usamodzielniać. Moja teoria jest taka, że Telford chciał go wstawić do zadań specjalnych, Krab się nie sprawdził, więc musiał pójść na bocznicę.

– Co to była za robota? – zapytał Rebus.

– W Ayr... chyba ze cztery lata temu. Tam odchodziła ostra dilerka, prochy rozprowadzano przede wszystkim w dyskotece... nie pamiętam nazwy. Nie wiemy, co się konkretnie stało, może ktoś sypnął albo nie dogadali układów. Koniec końców, poszło na ostro. Na parkingu przed klubem gościowi odcięto pół twarzy, chyba rzeźnickim nożem.

– Zahaczyliście Kraba?

– Oczywiście miał alibi, a świadkowie jak jeden mąż oślepli i ogłuchli. Tajemnicza sprawa, istne Archiwum X.

Atak nożem przed nocnym klubem... Rebus postukał długopisem w biurko.

– Jak uciekł napastnik?

– Na motorze. Krab lubi takie maszynki. A kask dobrze zakrywa twarz.

– Ostatnio mieliśmy prawie identyczną napaść. Facet na motorze najechał na dilera przed jednym z nocnych klubów Tommy'ego Telforda. Zamiast tego skasował bramkarza.

A Cafferty zaprzeczył, że mógłby mieć z tym związek.

– Cóż, tak jak pan powiedział, Krab jest w Newcastle. I będzie się raczej pilnował, żeby nie wrócić na północ. Tarawicz go ostrzegł. Edynburg jest dla niego niebezpieczny... zbyt wielu ludzi pamięta go.

– Newcastle jest parę godzin drogi stąd. Na dobrym motorze to żaden problem. Czy powinienem wiedzieć coś jeszcze?

– Telford próbował jeszcze Kraba w furgonetce.

– W jakiej furgonetce?

– Z lodami. To proste – dodał Hannigan, wyczuwając, że Rebus nie rozumie, o co chodzi. – Chłopaki Telforda sprzedają towar z furgonetki z lodami. Nazywają to „specjałem za pięć funtów". Dajesz piątkę i otrzymujesz kubek albo stożek z wafla z plastikową torebką upchaną w środku...

Rebus podziękował Hanniganowi i odłożył słuchawkę. Specjał za pięć funtów: pan Taystee i jego wytrwali klienci, którzy raczą się lodami w każdą pogodę. Jego dzienne rundy: pod szkoły. Nocne rundy: pod nocne kluby Telforda. Telford pobiera swój procent. Nowy merc: wielki błąd pana Taystee. Księgowi Telforda szybko odkryli, że kręci lody na boku. I szef kazał dać mu lekcję...

Tak, ta teoria trzymała się kupy. Rebus sięgnął po słuchawkę i zadzwonił do Newcastle.

– Miło cię słyszeć – powiedziała Miriam Kenworthy. – Są wieści o twojej bałkańskiej lady?

– Pokazała się tu.

– Pięknie!

– Uwieszona u ramienia Tarawicza.

– O, to już mniej pięknie. A ja się zastanawiałam, dokąd pojechał.

– W każdym razie nie przyjechał tu po to, żeby podziwiać architekturę Edynburga.

– Jasne.

– I dlatego właśnie dzwonię.

– Aha...

– Zastanawiam się, czy kiedykolwiek łączono go z napadami z maczetą.

– Maczeta? Niech pomyślę... – Długo milczała. – Coś mi się kojarzy, ale jeszcze nie wiem, co. Poczekaj, zajrzę do komputera. – Zastukały klawisze. Rebus nasłuchiwał, nerwowo przygryzając wargę.

– No, mam – oznajmiła. – Mniej więcej rok temu, bitwa

gangów z osiedla, w ramach rywalizacji. Oficjalnie, bo każdy wiedział, o jakie konkrety chodziło: narkotyki i haracze.

– A tam, gdzie są narkotyki, jest Tarawicz?

– Chodziły plotki, że jego ludzie tam byli.

– Użyli maczet?

– Jeden z nich, Patrick Kennet Moynihan, znany w środowisku jako PK.

– Opisz mi go.

– Przyślę zdjęcie faksem. W każdym razie wysoki, mocno zbudowany, wijące się, ciemne włosy i ciemna broda.

Nie należał do świty Tarawicza. Dwóch swoich najlepszych ludzi Różowooki zostawił w Newcastle, żeby pilnowali interesów. Rebus był skłonny widzieć PK jako jednego z dwóch napastników z Paisley. Czyli Cafferty znów oczyszczony.

– Serdeczne dzięki, Miriam. Posłuchaj, a jeśli chodzi o pogłoski, że...

– Przypomnij mi.

– Wiesz, koncepcja, że to Telford dostarcza towar Tarawiczowi, a nie odwrotnie. Masz w tej sprawie coś nowego?

– Śledzimy pana Tarawicza i jego ludzi. Parę wypadów na kontynent, ale wracali czyści.

– Skąd Telford może brać towar?

– Tego jeszcze nie wiemy.

– Dzięki, i tak bardzo mi pomogłaś.

– Hej, nie zostawiaj mnie tak! Powiedz, co to za historia?

– Później, Miriam. Na razie cześć.

Rebus poszedł po kawę i wypił ją, nawet nie wiedząc kiedy. Tarawicz atakował Telforda, Telford posądzał Cafferty'ego. Doszło do wojny, która miała zniszczyć Cafferty'ego i osłabić Telforda. Telford wykona jeszcze rajd na Maclean's, a potem wystawi go się nam.

I Tarawicz wypełni powstałą próżnię. Taki był plan, od początku. Cholernie mistrzowski, trzeba przyznać – napuścić na siebie dwóch rywali i czekać, aż pole samo się oczyści.

Zysk: tego Rebus jeszcze nie wiedział. Musiało być coś odpowiednio wielkiego. Tarawicz, jak głosiła plotka, miał źródło narkotyków nie w Londynie, a w Szkocji. Brał je od Telforda.

A Telford? Czemu akurat jego towar był tak wartościowy? Czy miało to coś wspólnego z Maclean's? Rebus poszedł po następną kawę i popił nią trzy paracetamole. Czuł, że jeszcze chwila, a głowa pęknie mu z bólu. Zadzwonił do Claverhouse'a, ale go nie zastał. Dopiero kiedy przesłał sygnał pagerem, otrzymał natychmiastowy odzew.

– Jestem w furgonetce – poinformował go Claverhouse.

– Mam ci coś do powiedzenia.

– Co?

– Nie przez telefon. Gdzie zaparkowałeś?

– Za tym sklepem.

– Furgonetka firmowa?

– To był kiepski pomysł.

– Będę tam za pół godziny – powiedział Rebus, odkładając słuchawkę. – Czy ktoś ma roboczy kombinezon? – zapytał, rozglądając się po obecnych.

– Niezłe przebranie – ocenił Claverhouse, gdy Rebus usadowił się na przednim siedzeniu.

Ormiston siedział za kierownicą, na kolanach miał plastikowy pojemnik śniadaniowy. W ręku trzymał parujący termos. Z tyłu furgonetki piętrzyły się kubły z farbami, pędzle, folie i inne malarskie utensylia. Na dachu leżała drabina; druga stała oparta o ścianę domu, przy którym wóz był zaparkowany. Claverhouse i Ormiston, w białych kombinezonach, od czasu do czasu udawali, że zdzierają starą farbę ze ściany. Rebus, dla kontrastu, miał kombinezon niebieski, a do tego tak obcisły, że musiał rozpiąć suwak u góry.

– Coś się działo?

– Jack był tu dwa razy, od rana – Claverhouse zerknął w kierunku sklepu. – Raz po fajki, a raz po sok i bułkę.

– On nie pali.

– Widać wrócił do palenia, dla dobra operacji. Wyjście po fajki to świetny pretekst.

– Dawał wam jakieś znaki?

– Miał nam pomachać? – prychnął Ormiston.

– Tak tylko pytam. – Rebus zerknął na zegarek. – Chcecie sobie zrobić przerwę?

– Nie trzeba.

– A co porabia Siobhan?

– Odwala papierkową robotę. Widziałeś kiedyś babę w ekipie malarzy pokojowych? – zapytał z uśmiechem Ormiston.

– Nie wiedziałem, że jesteś takim ekspertem w dziedzinie malarstwa pokojowego – ironizował Rebus.

– Dobra, dosyć John – Claverhouse spoważniał. – Mów, co masz dla nas.

Rebus streścił im szybko swoją teorię, odnotowując rosnące zainteresowanie Claverhouse'a.

– Więc mówisz, że Tarawicz chce przerobić Telforda? – powiedział z zastanowieniem Ormiston.

– Tak sobie tylko dywagowałem. – Rebus wzruszył ramionami.

– Dlaczego w takim razie wysilamy się na tę operację? Nie lepiej popatrzeć, jak załatwią się sami?

– Wtedy nie będziemy mieli Tarawicza – odpowiedział Claverhouse, skupiony. – Jeśli popchnął Telforda ku przepaści, może już tylko czekać na upadek. Telford zrobi swoje i sam się unicestwi, a my będziemy mieli jednego bandytę zamiast drugiego.

– I to jeszcze większego kalibru – dodał Rebus.

– Dobre! Jeszcze będziemy wzdychali do Telforda jak do szlachetnego Robin Hooda.

– To przesada, ale on przynajmniej jest przewidywalny.

– I kochają go emeryci z Flint Street i okolic – dodał Claverhouse.

Rebus pomyślał o pani Hetherington, szykującej się do podróży do Holandii. Warunek: miała lecieć przez Inverness. Sakiji Shoda też leciał z Londynu do Inverness...

Rebus zaczął się śmiać.

– Co cię tak bawi?

Śmiał się tak, że musiał otrzeć załzawione oczy, a przecież daleko mu było do wesołości.

– Powinniśmy podzielić się z Telfordem naszą wiedzą – powiedział Claverhouse, nie spuszczając oka z Rebusa. – Ustawić go przeciwko Tarawiczowi, i niech się zeżrą żywcem.

Rebus głęboko zaczerpnął powietrza i skinął głową.

– Jest to pewien pomysł.

– Masz inny?

– Później – uciął Rebus i otworzył drzwiczki.

– Co znowu knujesz? – zaniepokoił się Claverhouse.

– Nic, po prostu muszę lecieć.

32

A raczej musiał jechać. Daleko, na północ, przez Perth i dalej, przez Góry Szkockie, drogą, która była odcinana w zimie, gdy warunki stawały się zbyt niebezpieczne. Na razie warunki były znośne, tylko ruch bardzo duży. Ledwie uporał się z wyprzedzeniem jednej, powolnej ciężarówki, pojawiała się następna. I tak powinien dziękować Bogu, że nie było to lato i nie miał przed sobą niekończącego się sznura przyczep i turystycznych vanów.

Wyprzedził kilka takich przed Pitlochry. Miały rejestrację holenderską. Pani Hetherington powiedziała, że o tej porze do Holandii jeździ się poza sezonem. Rzeczywiście, większość emerytów, i nie tylko, wybierała się do tego kraju w porze, gdy kwitły pola tulipanów. Ale nie starsi ludzie z okolic Flint Strret – oni jechali, gdy Telford im kazał. Pewnie zadbał o atrakcje w czasie wycieczki, aby bawili się beztrosko, nie myśląc o niczym.

Rebus zbliżał się do Inverness. Był w drodze od ponad dwóch godzin. Sammy może właśnie się budzi... Rhona miała numer jego komórki. Pojawiły się drogowskazy na lotnisko. Inverness Airport. Rebus wjechał na parking, wysiadł z wozu i przeciągnął się, aż zatrzeszczały kości. W terminalu zapytał o szefa ochrony. Zaraz wyszedł do niego niski, łysiejący okularnik, który lekko utykał. Zaproponował kawę, ale Rebus odmówił. I tak był wystarczająco podkręcony po jeździe. Pokrótce wyjaśnił funkcjonariuszowi, o co mu chodzi, i razem wyruszyli na poszukiwanie przedstawiciela Służby Celnej Jej Królewskiej Mości. Lotnisko wyglądało mało reprezentacyjnie. Podobnie jak trzydziestoparoletnia kobieta o rumianych policzkach i ciemnych, kręconych włosach, która wyszła im naprzeciw. Purpurowe znamię wielkości małej monety, umiejscowione pośrodku czoła, wyglądało jak trzecie oko.

Funkcjonariuszka zaprowadziła Rebusa do strefy celnej i znalazła pusty pokój, w którym mogli bez przeszkód porozmawiać.

– Niedawno wprowadzono tu loty międzynarodowe – poinformowała, jakby domyślała się jego wątpliwości. – To był dla nas prawdziwy szok.

– Czemu?

– Ponieważ w tym samym czasie okroili załogę.

– Celną?

Skinęła głową.

– Martwi was przemyt narkotyków?

– Oczywiście. I cała reszta.

– Czy są loty do Amsterdamu?

– Są planowane.

Wzruszyła ramionami.

– Można polecieć do Londynu i tam się przesiąść.

– Hm... Kilka dni temu pewien człowiek przyleciał z Japonii na Heathrow, a potem poleciał na Inverness.

– Zatrzymał się w Londynie?

– Nie, złapał najbliższy lot.

– To liczy się jako połączenie międzynarodowe.

– Czyli?

– Oddaje bagaż w Japonii i odbiera go dopiero w Inverness.

– I dopiero w Inverness ma kontrolę celną?

Przytaknęła.

– A jeżeli na dodatek lot przypadnie w porze, kiedy przy zmniejszonej obsadzie musicie obsłużyć duży ruch...?

Znów wzruszenie ramion.

– Robimy, co możemy, inspektorze.

Tak, Rebus mógł sobie to wyobrazić – zmęczeni celnicy, z oczami zaczerwienionymi z niewyspania, coraz mniej czujni...

– Zatem bagaże zostają na Heathrow przeniesione do drugiego samolotu bez kontroli?

– Tak to wygląda.

– I jeśli leci się z Holandii do Inverness via Londyn, procedura jest ta sama?

– Ta sama.

Teraz dopiero Rebus mógł ocenić błyskotliwy pomysł Telforda. Dostarczał narkotyków Tarawiczowi i Bóg wie komu jeszcze. Emerytki i emeryci przenosili je, przechodząc przez kontrolę celną wczesnym rankiem lub późnym wieczorem. Czy trudno było niepostrzeżenie wsunąć coś komuś do bagażu, zwłaszcza starszej osobie? I wyjąć z powrotem? Gdy emeryci wracali z Holandii, syci widoku wiatraków, czekali już na nich usłużni ludzie Telforda, odwozili do Edynburga, pomagali wnieść walizki na górę...

Porażający pomysł. Uczynić z nieświadomych niczego, starszych ludzi narkotykowych kurierów.

Zaś Shoda nie przyleciał do Inverness, żeby obejrzeć miejscowe pola golfowe czy inne turystyczne atrakcje. Został tu zaproszony, aby przekonał się na własne oczy, jak genialnie, sprawnie, szybko i przy minimalnym ryzyku Telford stworzył kanał przerzutowy. Szkocja dorobiła się własnego narkotykowego problemu: znudzona młodzież i dobrze zarabiający pracownicy szybów naftowych na szelfie. Rebusowi latem udało się rozbić północno-wschodnią narkotykową mafię, lecz próżnię natychmiast wypełnił Tommy Telford.

Cafferty nigdy nie wymyśliłby czegoś takiego. Nie starczyłoby mu śmiałości. Ale gdyby wymyślił, siedziałby cicho i trzymał cały interes w tajemnicy. Nie próbowałby ekspansji, nie wciągałby swoich partnerów w grę.

Telford pod wieloma względami miał psychikę małego chłopca. Świadczył o tym chociażby pluszowy miś na przednim siedzeniu jego samochodu.

Rebus podziękował celniczce i wrócił do miasta, aby coś zjeść. Zaparkował w centrum, kupił sobie hamburgera i usiadł przy stoliku, usiłując przemyśleć problem. Nadal nie potrafił sensownie powiązać kilku spraw, lecz już wiedział, jak sobie z nimi poradzić.

Wykonał dwa telefony – jeden do szpitala, drugi do Bobby'ego Hogana. Sammy nie ocknęła się po raz drugi. Hogan miał przesłuchiwać Pretty-Boya o siódmej wieczorem. Rebus powiedział, że przyjedzie.

Pogodę na drogę powrotną miał niezłą, a ruch był umiarkowany. Stary saab zdawał się lubić jazdy na długich dystansach, a może po prostu przy większej prędkości w jednostajnym szumie silnika rozpływały się wszystkie nieznośne klekoty i brzęczenia.

Pojechał prosto na komisariat w Leith. Spóźnił się kwadrans, przesłuchanie już trwało. Pretty-Boy przybył w towarzystwie Charlesa Groala, uniwersalnego prawnika Telforda. Hoganowi towarzyszył funkcjonariusz z komisariatu St Leonard's, detektyw konstabl James Preston. Magnetofon był włączony. Hogan wyglądał na spiętego. Zdawał sobie sprawę, że musi prowadzić przesłuchanie w rękawiczkach, zwłaszcza ze względu na obecność prawnika. Rebus mrugnął do niego dla dodania otuchy i przeprosił za spóźnienie. Hamburger gniótł go w żołądku, a kawa nie ulżyła w niczym jego skołatanym nerwom. Zmusił się, aby wygnać z myśli wiadomości z Inverness oraz ich implikacje, i skupić się na Pretty-Boyu oraz Josephie Lintzu.

Pretty-Boy sprawiał wrażenie spokojnego. Miał na sobie grafitowy garnitur do pary z żółtym t-shirtem i czarne, zamszowe buty. Pachniał drogim płynem po goleniu. Przed sobą, na biurku, położył parę najmodniejszych szylkretowych okularów słonecznych i kluczyk do samochodu. Rebus wiedział, że ma własnego range rovera – zwykły apanaż zaufanych pracowników Telforda – lecz na kluczyku widniał znaczek porsche'a. Musiał to być ów kobaltowy 944, za którym Rebus zaparkował swojego grata. Pretty-Boy najwyraźniej był indywidualistą.

U nóg Groala, na podłodze, stała otwarta teczka. Przed nim leżały papiery i czarne, grube pióro wieczne Mont Blanc.

Prawnik i jego klient promieniowali aurą łatwych, dużych pieniędzy. Pretty-Boy kupował za nie wstęp do klasy wyższej, lecz Rebus znał jego pochodzenie: robotnicze Paisley, twarda szkoła życia.

Hogan wyrecytował formułkę identyfikującą nagranie, po czym zajrzał do notatek.

– Pan Brian Summers... – tak brzmiało imię i nazwisko Pretty-Boya. – Czy wie pan, dlaczego został tu wezwany?

Pretty-Boy ułożył wargi w zgrabne „O" i wbił spojrzenie w sufit.

– Pan Summers – przemówił Charles Groal – poinformował mnie, że nie zamierza utrudniać przesłuchania, inspektorze Hogan, lecz najpierw pragnąłby poznać zarzuty przeciwko sobie i ocenić ich wagę.

Hogan popatrzył na Groala bez mrugnięcia powieką.

– Kto powiedział, że pan Summers jest podejrzany o cokolwiek?

– Inspektorze, pan Summers pracuje u pana Thomasa Telforda, którego osoba jest bezprawnie nękana przez policję, toteż...

– Nie ma to nic wspólnego ze mną i z moją komendą – uciął Hogan. – Jak również ze śledztwem, które prowadzę – dorzucił po chwili.

Groal zamrugał szybko kilkanaście razy i zerknął na Pretty-Boya, który teraz przerzucił spojrzenie na czubki swoich butów.

– Mam coś powiedzieć? – zapytał prawnika.

– Po prostu... Nie jestem pewien, czy...

Pretty-Boy zbył go machnięciem ręki i przeniósł wzrok na Hogana.

– Proszę pytać.

Hogan znów dał pokaz kartkowania notatek.

– Czy pan wie, czemu pana tutaj wezwałem, panie Summers?

– Aby rzucić na mnie kolejne kalumnie w ramach polowania na czarownice, rozpętanego przeciwko mojemu szefowi i jego interesom. – Obdarzył uśmiechem trzech przesłuchujących go policjantów. – Zapewne nie przypuszczali panowie, że znam słowo „kalumnie". – Jego wzrok spoczął na Rebusie, a potem przesunął się na Groala. – Detektyw inspektor Rebus nie należy do tego komisariatu – dodał.

Groal pojął aluzję.

– To prawda, inspektorze. Czy mogę spytać, co uprawnia pana do udziału w tym przesłuchaniu?

– Sprawa uprawnień inspektora Rebusa wyjaśni się za moment – powiedział Hogan – jeśli pozwoli nam pan zacząć przesłuchanie.

Groal odchrząknął, lecz nic nie powiedział. Hogan pozwolił wybrzmieć ciszy, po czym przystąpił do swoich czynności.

– Panie Summers, czy zna pan Josepha Lintza?

– Nie.

Znów zapadła cisza. Summers skrzyżował nogi. Zerknął na Hogana i zamrugał. Mrugnięcie nagle przerodziło się w nerwowy tik powieki. Pociągnął nosem i otarł go chusteczką, udając, że tik nic nie znaczył.

– Nigdy go pan nie spotkał?

– Nie.

– Jego nazwisko nic panu nie mówi?

– Już kiedyś pytał mnie pan o niego i odpowiadam tak samo jak wtedy: nie znam gościa. – Summer nieznacznie wyprostował się w krześle.

– Nigdy nie rozmawiał pan z nim przez telefon?

Summers zerknął na Groala.

– Czy mój klient nie wyraził się wystarczająco jasno, inspektorze?

– Chciałbym usłyszeć odpowiedź.

– Nie znam go – powtórzył Pretty-Boy, zmuszając się do przyjęcia zrelaksowanej postawy. – Nigdy z nim nie rozmawiałem. – Znów obdarzył spojrzeniem Hogana i tym razem nie opuścił wzroku. W jego oczach nie było nic, poza czystą interesownością. Rebus zastanawiał się, jak ktokolwiek mógł uznać go za ładnego, skoro całe jego życie było tak totalnie brzydkie.

– Czy nie dzwonił do pańskiego... pomieszczenia biurowego?

– Nie mam pomieszczenia biurowego.

– W takim razie do biura, które dzieli pan z przełożonym.

Pretty-Boy się uśmiechnął. Lubił takie określenia, jak „biuro" i „przełożony". Tamci znali prawdę, ale szli w tę grę... a on lubił gry.

– Już mówiłem, nigdy z nim nie rozmawiałem.

– To zabawne, bo kompania telefoniczna mówi co innego.

– Może się mylą.

– Wątpię, panie Summers.

– Proszę posłuchać, to się zdarza. – Pretty-Boy wychylił się w krześle. – Może była pomyłka, a może rozmawiał z kimś innym z naszej firmy i ten ktoś powiedział mu, że wykręcił zły numer. – Rozłożył ramiona. – Ta rozmowa nie ma sensu.

– Zgadzam się z moim klientem, inspektorze – powiedział Charles Groal, zapisując coś w notesie. – Do czego ma zmierzać ta rozmowa?

- Ma zmierzać do identyfikacji pana Summersa.

- Gdzie i przez kogo?

- W restauracji, w której przebywał z panem Lintzem. Z tym samym panem Lintzem, o którym mówi, że go nie zna i nigdy z nim nie rozmawiał.

Rebus dostrzegł wahanie na twarzy Pretty-Boya. Tak, raczej wahanie niż zaskoczenie. Nie było natychmiastowego zaprzeczenia.

- Identyfikacja, dokonana przez osobę należącą do obsługi lokalu - ciągnął Hogan. - Potwierdzone przez innego świadka, spożywającego tam obiad.

Groal zerknął na swojego klienta, który milczał, intensywnie wpatrując się w blat stołu przed sobą, jakby chciał przepalić go wzrokiem.

- Inspektorze, mój klient został bezprawnie posądzony - oświadczył.

Hogan nie słuchał, co ma do powiedzenia prawnik. Cała jego uwaga skupiona była na Pretty-Boyu.

- Co pan ma do powiedzenia w tej sprawie, panie Summers? Czy zechce pan zrewidować swoją wersję zeznań? O czym rozmawiał pan z panem Lintzem? Czy szukał towarzystwa kobiet? O ile wiem, ta dziedzina wchodzi w zakres pańskich kompetencji.

- Inspektorze, zgłaszam sprzeciw...

- Odrzucam go, panie Groal. Fakty są bezdyskusyjne. Zastanawiam się, co pan Summers powie w sądzie, kiedy zostanie zapytany o rozmowę telefoniczną i spotkanie... kiedy rozpoznają go świadkowie. Nie wątpię, że przedstawi swoją wersję, ale będzie musiała być cholernie przekonująca.

Pretty-Boy z trzaskiem opuścił dłonie na blat, na wpół podnosząc się z krzesła. Nie miał ani grama zbędnego tłuszczu. Żyły wystąpiły mu na rękach.

- Mówiłem wam, że nigdy go nie widziałem i nigdy z nim nie rozmawiałem! Koniec, kropka, finito. Wasi świadkowie zwyczajnie kłamią. Może to wy kazaliście im kłamać. To wszystko, co mam do powiedzenia. - Usiadł i wsadził ręce w kieszenie.

- Słyszałem - odezwał się Rebus tonem przyjacielskiej pogawędki - że prowadzi pan dobraną stajnię dziewczynek, przeznaczonych raczej do kameralnych układów w domu klienta niż do zwykłej masówki?

Summers prychnął coś niezrozumiale i pokręcił głową.

– Inspektorze – włączył się Groal – nie mogę pozwolić, aby mnożono oskarżenia.

– Tego właśnie chciał Lintz? Czy miał snobistyczne gusty?

Summers kręcił głową jak automat. Wydawało się, że zaraz coś powie, ale zamiast tego postanowił się roześmiać.

– Chciałbym panu przypomnieć – kontynuował Groal – że mój klient całkowcie współpracował z panami, pomimo tych wszystkich niedopuszczalnych...

Rebusowi udało się złapać spojrzenie Pretty-Boya i przytrzymać je. Tyle nie zostało jeszcze powiedziane... aż tyle, że Summers niemal pragnął wyrzucić to z siebie. Rebus pomyślał o linie w domu Lintza.

– Lubił je wiązać, tak? – zapytał spokojnie.

Groal wstał, podrywając również swego klienta.

– Brian? – odezwał się Rebus.

– Dziękujemy panom – powiedział Groal, wkładając notes do teczki i trzaskając zamkami. – Jeśli będą panowie chcieli zadać mojemu klientowi dalsze pytania, o ile oczywiście będą zasadne, z przyjemnością umówimy się na spotkanie. Jeśli natomiast...

– Brian? – powtórzył Rebus.

Detektyw Preston wyłączył magnetofon i wstał, aby otworzyć drzwi przed wychodzącymi. Summers założył słoneczne okulary i podrzucił w ręku kluczyki.

– Panowie, muszę stwierdzić, że ta nasza rozmowa była wielce pouczająca – powiedział dwornie.

– Sado-maso – naciskał Rebus, zbliżając twarz do jego twarzy. – Czy wiązał je?

Pretty-Boy wzruszył ramionami i na moment przystanął przed Rebusem.

– To było dla niego – powiedział zniżonym głosem.

To było dla niego.

Rebus pojechał do szpitala i siedział z Sammy przez dwadzieścia minut. Dwadzieścia minut medytacji i oczyszczania myśli. Dwadzieścia ożywczych minut, po których uścisnął dłoń córki.

- Dzięki ci – powiedział.

Wróciwszy do domu, postanowił zignorować automatyczną sekretarkę do czasu, kiedy nie zaliczy kąpieli. Czuł się odrętwiały po jeździe do Invenress. Ale coś kazało mu wcisnąć klawisz. Głos Jacka Mortona: „Idę na spotkanie z TT. Spotkajmy się później. Wpół do jedenastej w Ox. Będę próbował, nie obiecuję. Życz mi szczęścia".

Zjawił się o jedenastej.

W salce z tyłu grała folkowa muzyka. Od frontu powinno być ciszej, lecz nie było, a to za sprawą dwóch gaduł, którzy wyglądali jakby siedzieli tu od wyjścia z biura. Obaj byli w garniturach, a z kieszeni sterczały im zrolowane gazety. Obaj pili gin z tonikiem i gardłowali po pijacku.

Rebus zapytał Mortona, co zamawia.

- Sok pomarańczowy i lemoniadę.

- I jak ci poszło? – Rebus zamówił swoje. W ciągu czterdziestu minut udało mu się obalić dwie cole i teraz przeszedł na kawę.

- Wydają się chętni.

- Kto tam był?

- Moi sponsorzy ze sklepu plus Telford i paru jego ludzi.

- Nadajnik działał?

- Jak złoto.

- Przeszukiwali cię?

Morton pokręcił głową.

- Byli rozkojarzeni; widać, że głowy mają czymś nabite. W każdym razie plan jest taki: o północy pod fabrykę podjedzie ciężarówka, a ja otworzę bramę i wpuszczę ją. Jakby co, mam mówić, że zadzwonił szef i kazał wpuścić dostawę. Dlatego niczego nie sprawdzałem.

- Tylko że to nie szef dzwonił?

- Oczywiście, ale głos był łudząco podobny. I wystarczy, że tylko tak powiem policji.

- Już my wydusimy z ciebie prawdę!

- Cały ten plan wydaje się niedorobiony, ale tylko kiwałem głową. Sprawdzili mnie i raczej niczego nie znaleźli, bo wydawali się zadowoleni.

- Kto ma być w ciężarówce?

– Dziesięciu ludzi, uzbrojonych po zęby. Jutro mam dać Telfordowi szkic terenu, napisać, ilu ludzi będzie na służbie, jak wygląda system alarmowy...

– Ile masz dostać?

– Pięć tysięcy. Dobrze to wyliczył: żeby wystarczyło na spłatę długów i jeszcze trochę górką.

Pięć tysięcy – tyle, ile Lintz wyjął ze swojego banku.

– Wierzą ci?

– Szli za mną do mieszkania.

– A tu?

Morton zaprzeczył ruchem głowy i Rebus zaczął mu opowiadać, czego się dowiedział i co podejrzewa.

– Jak Claverhouse chce to rozegrać? – zapytał, kiedy Morton przetrawiał jeszcze jego rewelacje.

– Taśma powinna być wystarczającym dowodem. Telford mówi, ja dla pewności kilka razy zwracam się do niego per „panie Telford", a potem nawet „Tommy". Wiadomo, że on jest tam nagrany. Ale... Claverhouse chce go złapać na gorącym uczynku.

– Musi dobrze zorganizować akcję. Czy Telford wyznaczył datę?

– Tak, na sobotę. Jeśli wszystko pójdzie dobrze.

– I jeśli moja teoria jest słuszna.

33

Do soboty w południe nic się nie działo. Ale kiedy po lunchu ogłoszono mobilizację, Rebus zyskał pewność, że jego teoria była słuszna.

Claverhouse pogratulował mu pierwszy, co go zdziwiło, bo kiedy Morton zadzwonił, żeby potwierdzić termin, zachowywał się jak gdyby nic się nie stało. Na ścianach biura komendy powieszono szczegółowe plany zakładu i wykaz dyżurnych wartowników. Kolorowe strzałki wskazywały, gdzie powinni się znajdować. W nocy na terenie zakładu pozostawała tylko ochrona, chyba że wydano specjalne zarządzenie. Tym razem załogę wzmocniły siły policyjne z okręgu Lothian i Borders. Razem dwudziestu ludzi na terenie fabryki oraz strzelcy wyborowi na dachach i w strategicznie położonych oknach. Do tego tuzin samochodów i furgonetek w charakterze wsparcia. Była to największa operacja w karierze Claverhouse'a; spodziewano się po nim sukcesu.

On zaś powtarzał bez przerwy, jak mantrę, że „wszystko musi być wykonane jak najlepiej" oraz „nic nie można zostawić przypadkowi".

Rebus słuchał rozmowy, nagranej z podsłuchu: „Bądź dziś w nocy pod zakładami Maclean's w Slateford. Druga nad ranem, będzie próba przejęcia. Dziesięciu ludzi w ciężarówce, uzbrojonych. Jak się postaracie, możecie załatwić wszystkich".

Szkocki akcent, jakby telefonowano z daleka. Rebus uśmiechnął się, patrząc na obracające się szpule i powiedział głośno: Witaj znowu, Krabie.

Nawet najmniejszej wzmianki o Telfordzie, interesujące. Jego ludzie byli lojalni - ani słowa o szefie, nawet jeśli robili mu koło pióra. Ale Tarawicz nie miał zamiaru wystawić Telforda. Nie mógł wiedzieć, że policja dysponuje już nagraniem, świadczącym o jego zaangażowaniu w akcję. Co by oznaczało, że najpierw chciał puścić go przodem, a potem... Nie, zaraz, wróć. Po co miałby psuć plan? Telford i jego ludzie w areszcie - to też nie było mu na rękę. Nie, Telford miał być wolny i zaszczuty, z Yakuzą dyszącą mu za plecami, wystawiony na ciosy. Tak, by można go było w każdej chwili odstawić na boczny tor i położyć rękę na wszystkim, co jego. Bez zbędnego rozlewu krwi, po prostu biznesowa propozycja.

- To musi być wykonane...

- Claverhouse, już wiemy, okay? - przerwał mu Rebus.

Tego już Claverhouse nie zdzierżył.

- Jesteś tutaj tylko dlatego, że cię toleruję! - wybuchnął. - Może wreszcie postawimy sprawę jasno. Wystarczy, że pstryknę palcami, o, tak, i jesteś wyautowany z gry, rozumiesz?

Rebus nie odpowiedział, tylko patrzył. Kropla potu spłynęła

po lewej skroni Claverhousea. Ormiston uniósł głowę znad biurka. Siobhan Clarke, objaśniająca jakiemuś oficerowi szczegóły akcji, umilkła i popatrzyła w ich stronę.

– Obiecuję, że będę grzeczny – odparł spokojnie Rebus – jeśli ty przestaniesz mi pokazywać, kto tu rządzi.

Szczęka Claverhouse'a zadrgała niebezpiecznie, ale w końcu zdobył się na uśmiech, który można było od biedy uznać za przepraszający.

– Lepiej bierzmy się do roboty.

Na razie nie bardzo mieli co robić. Jack Morton pracował na drugą zmianę i zaczynał nie wcześniej niż o trzeciej. Na wszelki wypadek zarządzono wcześniejszą obserwację terenu, w razie, gdyby Telford zmienił plany. To oznaczało, że ludzie stracą ważny mecz: Hibs przeciwko Hearts na stadionie przy Easter Road. Rebus już obstawił wynik na 3:2.

Z braku innego zajęcia usiadł przy wolnym komputerze i zaczął porządkować dane. Siobhan Clarke natychmiast zmaterializowała się w pobliżu, zerkając mu przez ramię.

– Opisujesz akcję dla brukowców?

– Chciałbym.

Usiłował pisać krótko i treściwie, co mu się udało. Zadowolony, odbił kopię dwustronicowego tekstu. A potem wyskoczył do kiosku i kupił sobie dwa błyszczące, kolorowe magazyny...

Przeczytał jeden, a potem pojechał do domu. Był zbyt napięty, żeby spokojnie pracować w Fettes. Na klatce schodowej, przy wejściu, czekało na niego trzech mężczyzn. Dwóch następnych weszło za nim, odcinając drogę ucieczki. Rebus rozpoznał Jake'a Tarawicza i jednego z jego osiłków. Resztę widział po raz pierwszy.

– Na górę – nakazał Tarawicz. Rebus jako więzień, z eskortą, powoli wszedł na swoje piętro.

– Otwórz drzwi.

– Gdybym wiedział, że mnie odwiedzicie, kupiłbym piwa – powiedział, szukając kluczy. Zastanawiał się, co będzie bezpieczniejsze – wpuścić ich do środka czy przeciwnie? Tarawicz ułatwił mu decyzję. Na jego znak, wyrażony nieznacznym skinieniem głowy, Rebusowi wykręcono nagle ramiona do tyłu, a wprawne dłonie po krótkim myszkowaniu w kieszeniach marynarki i spodni wyłuskały klucze. Rebus, starając się zachować beznamiętną minę, nie spuszczał oczu z Tarawicza.

– Wielki błąd – powiedział.

– Właź – warknął Czeczen.

– Siadaj.

Silne ręce popchnęły Rebusa na kanapę w salonie.

– Pozwólcie, abym przynajmniej zrobił wam herbatkę – powiedział. Dygotał wewnętrznie, wiedząc, że jest bezsilny wobec tego, co ma nastąpić.

– Miłe gniazdko – powiedział Różowooki. – Ale widać brak kobiecej ręki. – Odwrócił się do Rebusa. – Gdzie ona jest? – Dwóch z jego ludzi zaczęło przeszukiwać mieszkanie.

– Kto?

– A jak myślisz? Chyba nie twoja córka... przecież na razie leży w śpiączce.

Rebus popatrzył mu w oczy.

– Skąd o tym wiesz?

Dwaj mężczyźni podeszli i przecząco pokręcili głowami.

– Słyszy się to i owo. – Tarawicz przysunął sobie krzesło i usiadł. Dwóch stanęło za kanapą, dwóch obok inspektora.

– Czujcie się jak u siebie w domu, chłopcy. Gdzie jest Krab, Jake? – Rozumowanie: takiego pytania mogli się spodziewać.

– Na południu. Po co ci on?

Rebus wzruszył ramionami.

– Przykra sprawa z twoją córką. Wygrzebie się z tego, nie? – Rebus nie odpowiedział. Tarawicz uśmiechnął się. – Służba zdrowia... nie miałbym do niej za grosz zaufania. I po chwili: – Gdzie ona jest, Rebus?

– Moje detektywistyczne szare komórki podpowiadają mi, że chodzi ci o Candice. – To oznaczało tylko jedno – musiała uciec. Rebus był z niej dumny.

Tarawicz strzelił palcami. Ręce mocno pochwyciły Rebusa z tyłu, wykręcając mu ramiona. Jeden z mężczyzn postąpił krok naprzód i zaaplikował mu potężną fangę w szczękę, po czym cofnął się na miejsce. Zmienił go drugi: cios w żołądek. Twarde palce wczepiły się we włosy Rebusa, odchylając mu głowę do tyłu. Zmuszony do patrzenia w sufit, nie widział dłoni, która celowała płasko w jego szyję. Kiedy cios doszedł, miał wrażenie, że wykaszle krtań. Puścili go. Zgiął się wpół, walcząc o oddech i trzymając się rękami za gardło. Parę zębów ruszało się, a skóra policzka paliła ogniem. Wyciągnął chusteczkę i wypluł krwawą plwocinę.

– Niestety – stwierdził Tarawicz – brak mi poczucia humoru. Dlatego mam nadzieję, że kiedy powiem, iż zabiję cię, jeśli będę musiał, uwierzysz mi.

Rebus potrząsnął głową, pragnąc uwolnić myśli od wszystkich sekretów, od całej przewagi wiedzy, jaką miał nad Tarawiczem. Nic nie wiesz, nic, powtarzał w myślach.

I jeszcze: Nie umrzesz.

– Nawet... jeśli bym wiedział... – walczył o oddech. – I tak bym ci nie powiedział. Gdybyśmy stali na polu minowym, też bym ci nie powiedział, którędy iść. Chcesz... mam powiedzieć dlaczego?

– Daruj sobie, Rebus.

– Nie chodzi nawet o to, kim jesteś, ale czym. Handlujesz ludźmi. Nie jesteś lepszy od nazistów.

Tarawicz teatralnym gestem przyłożył dłoń do piersi.

– Jestem wstrząśnięty do głębi.

Rebus rozkaszlał się na nowo.

– Powiedz mi, dlaczego chcesz ją z powrotem? – zapytał w końcu, choć znał odpowiedź: ponieważ bez niej nie będzie mógł okazać wyższości Telfordowi; powrót bez niej do Newcastle będzie drobną, lecz niemiłą porażką. Tarawicz był maksymalistą. Chciał wszystkiego. Chciał sprzątnąć całe danie z talerza, co do okruszka.

– Nie twój interes – burknął Tarawicz. Kolejny znak i ręce znów chwyciły Rebusa. Tym razem stawił opór. Zaklejono mu usta taśmą.

– Wszyscy mówią mi, że Edynburg to miasto ludzi dobrze wychowanych – dobiegł go głos Tarawicza. – Nie chciałbym, aby krzyki przeszkadzały sąsiadom. Posadźcie go.

Rebus szarpnął się. Cios w nerki i kolana ugięły się pod nim. Zmusili go, aby usiadł na krześle. Tarawicz zdjął marynarkę, odpiął złote spinki i podwinął rękawy koszuli w różowo-niebieskie paski. Przedramiona miał bezwłose, potężne, o skórze tak samo usianej plamami, jak twarz.

– Choroba skóry – wyjaśnił, zdejmując okulary o niebieskich szkłach. – Daleka kuzynka trądu, tak mi powiedziano. – Rozpiął góry guzik koszuli. – Nie jestem taki ładny jak Tommy Telford, ale mam nadzieję, że uznasz moją wyższość nad nim pod każdym innym względem. – Uśmiech do swojej gwardii przybocznej, niezrozumiały dla Rebusa. – Zaraz zaczniemy, Rebus. I od ciebie tylko zależy, w którym momencie przerwiemy. Wystarczy, abyś skinął głową i powiedział mi, gdzie ona jest, a znikniemy z twojego życia na zawsze.

Zbliżył się jeszcze bardziej. Skóra na jego twarzy lśniła jak pokryta ochronną warstwą. Bladoniebieskie oczy w różowej oprawie bezrzęsych powiek miały małe, czarne źrenice. Oprawca i widz zarazem, pomyślał Rebus. Tarawicz czekał na znak. Nie doczekał się, więc przeszedł do działania. W pobliżu krzesła znajdowała się stojąca lampa. Przytrzymując jej podstawę stopami, wyrwał kabel.

– Dajcie go tu – polecił. Dwóch pomocników podsunęło Rebusa wraz z krzesłem do miejsca, gdzie Tarawicz trzymał kabel w pogotowiu. Inny zasunął zasłony: żadnego darmowego pokazu dla sąsiadów z przeciwka. Koniec przewodu dyndał w ręku Tarawicza. Połyskiwały gołe druty. Dwieście dwadzieścia volt gotowe było czynić swą powinność.

– Wierz mi – zapewnił Czeczen – to jest nic. Serbowie uczynili z tortur sztukę. W większości przypadków nie chodziło nawet o zeznania. Pomagałem kilku co bystrzejszym, kiedy trzeba. Na początku robiło się tam pieniądze, brało się władzę. Teraz wtrącili się politycy, sprowadzając sędziów śledczych. – Popatrzył na Rebusa. – Bystrzy ludzie wiedzą, kiedy trzeba się wycofać. Masz ostatnią szansę, Rebus. Pamiętaj, wystarczy, abyś kiwnął głową. – Druty były o włos od policzka, ale Tarawicz zmienił zamiar. Przesunął je ku nozdrzom, a potem ku gałkom ocznym.

– Kiwnij tylko głową...

Rebus wił się, lecz trzymali go mocno – ręce, nogi, głowę. Zaraz! Przecież ludzie Tarawicza także zostaną porażeni. Więc straszyli go tylko. Popatrzył na swego oprawcę i obaj już wiedzieli. Gangster cofnął się krok w tył.

– Przymocujcie go taśmą do krzesła. – Szeroka, klejąca taśma opasała go kilka razy, unieruchamiając zupełnie.

– Tym razem naprawdę, Rebus. Trzymajcie go, dopóki

dobrze się nie ustawię – zwrócił się do swoich ludzi. – Kiedy dam znak, odsuńcie się.

Puszczą mnie i wtedy... moment, żeby się wyrwać, pomyślał Rebus. Taśma nie należała do najmocniejszych, ale oklejono go kilkoma warstwami. Na próbę naparł na nią piersią i zrozumiał, że nie puści.

– No to bierzemy się do roboty – oznajmił Tarawicz. – Najpierw twarz, a potem genitalia. Powiesz, przecież wiesz, że tak będzie. Od ciebie zależy, jak długo chcesz odstawiać bohatera. Kiedyś wreszcie ci się znudzi.

Rebus wymamrotał coś pod kneblem.

– Nie musisz nic mówić – powiedział Tarawicz. – Wystarczy mi tylko kiwnięcie głową, rozumiesz?

Rebus skinął głową.

– Czyżbyś zgadzał się mówić?

Rebus pokręcił głową, rozciągając pod taśmą mięśnie w uśmiechu.

Tarawicz nie zareagował. Był już skupiony na zadaniu. Interes, tylko tyle znaczył dla niego Rebus. Wycelował drut w policzek detektywa.

– Odsunąć się!

Puścili. Rebus szarpnął się w więzach. Prąd przemknął przez jego system nerwowy. Ciało wyprężyło się konwulsyjnie. Miał wrażenie, jakby serce rozdęło się, a oczy chciały wyskoczyć z czaszki. Język napierał na knebel. Tarawicz cofnął drut.

– Trzymać go.

Dłonie znów go chwyciły, napotykając już mniejszy opór.

– Nie ma śladu – stwierdził z satysfakcją Tarawicz. – A co najpiękniejsze, to ty płacisz za prąd, który cię pieści.

Jego ludzie zarechotali. Dla nich zaczynała się naprawdę dobra zabawa.

Tarawicz przykucnął, aby znaleźć się twarzą w twarz z Rebusem, i poszukał oczami jego oczu.

– Do twojej wiadomości, to było pięciosekundowe spięcie. Sytuacja nabiera rumieńców po półminutowym seansie. Jak twoje serduszko? Lepiej dla ciebie, aby było zdrowe.

Rebus czuł, że adrenalina dosłownie go zalewa. Pięć sekund: wydawały się długie jak wieczność. Zmienił strategię, usiłując wymyślić kłamstwa, w które mógłby uwierzyć

Różowooki; cokolwiek, byle wreszcie przestał go dręczyć i poszedł sobie...

– Spuśćcie mu spodnie – usłyszał głos Tarawicza. – Zobaczymy jak pójdzie, kiedy przyłożymy od dołu.

Rebus zaczął krzyczeć pod kneblem. Jego kat ponownie rozejrzał się po pokoju.

– Absolutnie brakuje tu kobiecej ręki.

Sprawne dłonie rozpięły pasek u spodni, ale znieruchomiały, gdy odezwał się brzęczyk domofonu. Ktoś stał na dole.

– Czekamy – powiedział spokojnie Tarawicz. – Odejdą.

Brzęczyk rozbrzmiał znowu. Rebus miał nadzieję, że będzie dzwonił wiecznie. Cisza. Rebus zmagał się z taśmą. Cisza. A potem znów brzęczyk, bardziej niecierpliwy. Jeden z mężczyzn podszedł do okna.

– Wróć! – syknął Tarawicz.

Ponownie domofon. Kto to mógł być? Rhona? Patience? Nagła myśl... a gdyby nie rezygnowały i Tarawicz postanowił je wpuścić? Rhonę albo Patience...

Czas płynął. Cisza. Ktokolwiek tam był, odszedł. Tarawicz zaczął się odprężać i znów wrócił myślą do zadania.

Wtedy rozległo się pukanie do drzwi. Ktoś musiał wejść na klatkę. Znów pukanie. Załomotała klapka od skrzynki na listy.

– Rebus!

Męski głos. Tarawicz spojrzał na swoich ludzi, dał znak ruchem głowy. Odsunięto zasłony, rozcięto taśmę, oplatającą Rebusa, zerwano knebel. Tarawicz opuścił rękawy koszuli, zapiął spinki i założył marynarkę. Zostawili kawałek taśmy na podłodze obok lampy. I do Rebusa, na odchodnym:

– Jeszcze sobie porozmawiamy.

Poprowadził swoich do drzwi, otworzył je.

– Proszę bardzo, my już wychodzimy.

Rebus został na krześle. Był zbyt osłabiony, by wstać.

– My też tylko na chwilę...

Rozpoznał głos: Abernethy. Nie wyglądało na to, aby Tarawicz wystraszył się człowieka z Wydziału Specjalnego.

– Co jest grane? – Teraz Abernethy wszedł i rozejrzał się po pokoju.

– Omawialiśmy interesy – zaskrzeczał Rebus.

Abernethy przyjrzał mu się.

- Stare, dobre interesy, do których trzeba rozpiąć spodnie, co? Rebus w popłochu jął zapinać pasek.

- Kto to był? - naciskał Abernethy.

- Czeczen z Newcastle.

- Lubi podróżować w asyście, co? - Abernethy obszedł pomieszczenie. Natrafił na taśmę, obejrzał lampę, pomrukując coś pod nosem i na wszelki wypadek wyłączył ją z kontaktu. - Wesoło było - skomentował.

- Nie martw się, wszystko pod kontrolą - zapewnił Rebus. Odpowiedział mu śmiech.

- Jaką masz do mnie sprawę?

- Ktoś chciałby z tobą porozmawiać. Przyprowadziłem go. - Wskazał gestem drzwi. Stał tam mężczyzna o dystyngowanym wyglądzie w długim, czarnym, wełnianym płaszczu i białym szaliku. Był łysy jak kolano; zaróżowione od mrozu policzki, kopuła lśniącej czaszki. Pociągnął nosem i wytarł go chusteczką.

- Pomyślałem, że może gdzieś wyjdziemy - odezwał się bez wstępów z nienaganną dykcją. Myszkował wzrokiem po otoczeniu, starannie pomijając Rebusa. - Jeśli pan jest głodny, zjemy coś.

- Nie jestem głodny.

- W takim razie napijemy się.

- W kuchni mam whisky.

Mina mężczyzny nie wyrażała entuzjazmu.

- Posłuchaj, kolego - powiedział Rebus zmęczonym głosem - nie ruszam się stąd, rozumiesz? Jeśli ci się tu nie podoba, możesz wyjść.

- Rozumiem. - Gość schował chusteczkę i podszedł do niego, wyciągając dłoń na powitanie. - Może się przedstawię. Nazywam się Harris.

Rebus uścisnął jego dłoń, mając nadzieję, że iskry nie wystrzelą mu z palców.

- Proszę usiąść, panie Harris. - Wskazał gestem kanapę. Ciągle był rozdygotany i rozbity, ale kolana jakimś cudem utrzymywały go w pionie. Abernethy wyłonił się z kuchni z butelką i trzema szklankami. W drugim nawrocie przyniósł wodę sodową.

Rebus, nie zapominając o roli gospodarza, nalał wszystkim, starając się ukryć drżenie ręki. Czuł się kompletnie rozkojarzony. Adrenalina i prąd krążyły mu w żyłach.

– *Slainte* – wzniósł toast, ale zatrzymał szklankę, gdy woń whisky doszła jego nozdrzy. Jego przyrzeczenie, jego modlitwa: koniec picia, a Sammy powróci. Boleśnie przełknął ślinę, ale odstawił nietknięty alkohol. Harris dolał sobie za dużo wody. Nawet Abernethy zachował się powściągliwie.

– A zatem, panie Harris – Rebus pomasował obolałe gardło – kim pan, do diabła, jest?

Harris z wymuszonym uśmiechem obrócił szklankę w palcach.

– Należę do środowiska wywiadu, inspektorze. Domyślam się, jakie skojarzenia pojawiły się prawdopodobnie w pańskim umyśle, ale prawda jest bardziej prozaiczna. Robota wywiadowcza to przede wszystkim robota papierkowa.

– Jest pan tutaj z powodu Josepha Lintza?

– Jestem tutaj, gdyż detektyw inspektor Abernethy powiedział mi, że jest pan zdecydowany połączyć morderstwo Josepha Lintza z oskarżeniami, jakie zostały wobec niego sformułowane.

– I...?

– I jest to oczywiście zgodne z pańską linią zawodową. Istnieją jednak sprawy niekoniecznie związane z tym tematem, których ujawnienie byłoby... po prostu wysoce kłopotliwe.

– Jak fakt, że prawdziwe nazwisko Lintza brzmi Linzstek i że trafił do tego kraju dzięki Rat Line, prawdopodobnie przy współpracy Watykanu?

– Nie potrafię powiedzieć panu na pewno, że Lintz i Linzstek to ta sama osoba. Większość dokumentów została zniszczona po wojnie.

– Ale Joseph Lintz został przemycony do Wielkiej Brytanii przez aliantów?

– Tak.

– Dlaczego mu pomogliśmy?

– Bo był potrzebny naszemu krajowi, inspektorze.

Rebus dolał Abernethy'emu. Harris nie tknął swojej whisky.

– Jak bardzo potrzebny?

– Był szanowanym naukowcem i z tego tytułu dostawał z całego świata zaproszenia na konferencje i wykłady. Przy okazji wykonywał zadania dla nas. Tłumaczenia, zbieranie danych, rekrutacja, rozumie pan...

- Rekrutował ludzi z innych krajów? - Rebus patrzył na Harrisa. - Był agentem?

- Wykonywał pewną, niebezpieczną... i znaczącą pracę na rzecz naszego kraju.

- I jako zadośćuczynienie otrzymał dom w Herriot Row?

- W tamtych czasach zarobił na każdy metr kwadratowy tego domu.

Coś w tonie Harrisa zwróciło uwagę Rebusa.

- Co się stało?

- Stał się... nie mogliśmy na nim polegać. - Harris przysunął szklankę do nosa, powąchał, lecz ponownie odstawił swoją porcję nietkniętą.

- Wypij, zanim wywietrzeje - poradził Abernethy. Harris zmierzył go spojrzeniem i londyńczyk wymamrotał pod nosem przeprosiny.

- Co dokładnie się stało? - drążył Rebus, odstawiwszy swoją szklankę.

- Zaczął... zmyślać.

- Uważał, że jego koledzy z uczelni też przeszli przez Rat Line?

Harris skinął głową.

- Dostał obsesji na temat Rat Line, zaczął sobie wyobrażać, że całe jego otoczenie było zamieszane w tę akcję, że wszyscy ukrywają wojenne winy. Paranoja, inspektorze, która do tego stopnia zaczęła źle wpływać na jego pracę, aż w końcu musieliśmy go zwolnić. To działo się wiele lat temu. Od tego czasu nie pracował dla nas.

- Skąd w takim razie zainteresowanie jego postacią? Skąd obawa, aby tamte sprawy nie wypłynęły?

Harris westchnął.

- Naturalnie ma pan rację. Problem leży nie w samej Rat Line ani nawet w zaangażowaniu Watykanu czy innych spiskowych teoriach.

- W takim razie o co...? - Rebus urwał, uświadomiwszy sobie nagle, jaka jest odpowiedź. - Chodzi o ludzi - stwierdził. - O innych ludzi, przerzuconych do nas w ramach Rat Line. Tak - przytaknął sam sobie skinieniem głowy. - O kogo chodzi? Kto może być szantażowany z tego powodu?

- Ważne figury - przyznał Harris. Już nie bawił się szklanką. Jego dłonie leżały płasko na stole. Sygnał dla rozmówcy: sprawa jest poważna.

– Dawniejsze czy współczesne?

– Dawniejsze... i współczesne; ci, których dzieci sięgają dziś po władzę.

– Wojsko? Ministrowie? Sędziowie? Prokuratorzy?

Harris pokręcił głową.

– Nie mogę panu powiedzieć, inspektorze – w jego spojrzeniu mignął stalowy błysk. – Mówię tylko to, co wiem na pewno. Bardzo pożyteczna zasada, warto ją sobie przyswoić.

– Lecz ten, co zabił Lintza, uczynił to z powodu jego przeszłości.

– Jest pan pewien?

– Inaczej zabójstwo nie miałoby sensu.

– Detektyw Abernethy powiedział mi, że istniało powiązanie z kryminalnym środowiskiem w Edynburgu, być może chodziło o usługi seksualne. W tym wątku mógłby kryć się wiarygodny motyw.

– Wiarygodny, czyli wystarczający dla was?

Harris wstał.

– Dziękuję, że zechciał pan mnie wysłuchać. – Jeszcze raz wytarł nos i zerknął na Abernethy'ego. – Pójdziemy już, dobrze? Detektyw Hogan czeka na nas.

– Harris – odezwał się Rebus – sam powiedziałeś, że Lintz stał się niepewny, niesterowalny. Jaką mam gwarancję, że to nie wy postanowiliście się go pozbyć?

Mężczyzna w czarnym płaszczu wzruszył ramionami.

– Gdybyśmy zaaranżowali jego śmierć, wszystko wyglądałoby... powiedzmy, normalniej.

– Wypadek samochodowy, samobójstwo, atak serca, tak?

– Do widzenia, inspektorze.

Kiedy Harris ruszył do drzwi, Abernethy wstał i skrzyżował spojrzenie z Rebusem. Nic nie powiedział, ale przekaz był jasny: ta woda okazała się, jak dla nas, za głęboka; więc nie nadstawiaj karku i płyń do brzegu.

Rebus skinął głową i wyciągnął rękę. Obaj mężczyźni uścisnęli sobie mocno dłonie.

34

Druga nad ranem.

Szron na samochodowych szybach. Nie mogli ich czyścić, żeby nie wyróżniać się spośród innych zaparkowanych wozów. Ubezpieczenie – cztery wozy – zaparkowały na sąsiadującym placyku, zaraz za rogiem. Z ulicznych lamp wykręcono żarówki i okolica tonęła w ciemnościach. Tylko Maclean's jarzył się jak świąteczne drzewko: jupitery, których blask zalewał cały teren, rozświetlone okna, jak zwykle.

Bez ogrzewania, w nieoznakowanych samochodach, za zaszronionymi szybami – tak siedzieli od kilku godzin.

– Coś mi to przypomina – skomentowała Siobhan Clarke.

Nadzór na Flint Street wydał się Rebusowi akcją odległą o lata świetlne. Clarke siedziała z przodu, za kierownicą, a Rebus z tyłu. Po dwie osoby w każdym samochodzie. Tak, by mogli się schować, gdyby ktoś zechciał zajrzeć do środka. Jednak nikomu nie przyszło to do głowy. Telford był zbyt zdeterminowany, aby przeprowadzić swój pospiesznie zaplanowany zamach, i miał inne sprawy na głowie. Sakiji Shoda nadal był w mieście – chwila rozmowy z hotelowym menedżerem ujawniła, że zamierza zwolnić pokój w poniedziałek rano. Rebus gotów był się założyć, że Tarawicz i jego ludzie już są na miejscu.

– Nie wyglądasz na zamarzniętą – zauważył Rebus, patrząc na Siobhan w puchowej, narciarskiej kurtce. Wyciągnęła rękę z kieszeni i pokazała mu, co w niej trzyma. Wyglądało jak latarka-paluszek. Kiedy wziął to od niej, poczuł, że jest ciepłe.

– Co to za zmyślny gadżet?

Clarke uśmiechnęła się w mroku.

– Zamówiłam sobie z katalogu. Ogrzewacz do rąk.

– Na jakiej zasadzie działa?

- Specjalny wkład. Wyzwala się reakcja chemiczna, produkująca dużo ciepła.

- Więc jedna ręka ci nie zamarznie.

W odpowiedzi wyciągnęła z drugiej kieszeni identyczny przyrząd.

- Kupiłam dwa.

- Mogłaś powiedzieć wcześniej. - Rebus zamknął w dłoni ciepły pręcik i wsunął rękę do kieszeni.

- Hej, to nie fair!

- Powiedzmy, że wykorzystuję swoją pozycję.

- Światła - ostrzegł. Pochylili się na siedzeniach i wyprostowali znowu, gdy auto wyminęło ich i znikło w dali. Kolejny fałszywy alarm.

Rebus sprawdził zegarek. Jack Morton miał oczekiwać ciężarówki gdzieś pomiędzy pierwszą trzydzieści a drugą piętnaście. Rebus i Clarke tkwili w lodowatej puszce swojego wozu od północy. Jeszcze gorzej mieli snajperzy na dachach, którzy zajęli pozycję o pierwszej. Rebus miał nadzieję, że zaopatrzyli się w stosowną porcję chemicznych ogrzewaczy. Sam nie doszedł jeszcze do pełnej formy po popołudniowych przeżyciach. Zawdzięczał Abernethy'emu bardzo wiele, niemalże życie, a z pewnością zdrowie, i nie był tym zachwycony. Oczywiście mógł po prostu zgodzić się, aby - wspólnie z Hoganem - rozmyć śledztwo w sprawie Lintza... Ta myśl bawiła go najmniej... ale za to w tym całym bagnie jedno napawało optymizmem: Candice urwała się Tarawiczowi, i z tego się cieszył.

Policyjne radio Clarke milczało. Cisza w eterze trwała od północy. Claverhouse powiedział:

- Pierwszy, który przemówi, to będę ja, zrozumiano? Ten, kto użyje radia przede mną, nie będzie miał życia. I ani mru-mru, dopóki ciężarówka nie wjedzie za bramę. Zrozumiano? - Zewsząd potakiwania. - Oni będą czujni, więc trzeba się pilnować. Musimy wykonać to jak należy. - Mówiąc to, nie patrzył na Rebusa. - Życzę wszystkim szczęścia, ale im mniej będziemy polegać na szczęściu w tej akcji, tym lepiej. Za kilka godzin, jeśli plan się powiedzie, gang Tommy'ego Telforda zostanie rozbity - uczynił znaczącą pauzę. - Pomyślcie tylko, co za sukces!

Rebus nie podzielał tego bojowego i optymistycznego nastroju. Całe przedsięwzięcie dało się streścić w jednej krótkiej prawdzie: nie ma społeczeństwa bez kryminalistów. I ciągle trwa wojna.

Sam miał niewiele do stracenia: mieszkanie, książki, płyty i stary samochód. Myśląc o tym, uświadomił sobie, że przy tej życiowej redukcji zupełnie pominął tak ważne sprawy, jak miłość, przyjaźń i życie rodzinne. Wyrzucano mu, że niewolniczo poświęcił się swojej policyjnej karierze, ale sam tak tego nie odczuwał. Praca była najłatwiejszym sposobem na przeżycie. Każdego dnia miał do czynienia z obcymi, z ludźmi, jawiącymi mu się jako część myślowego schematu, który tworzył na użytek śledztwa. Wkraczał w ich życie i wychodził z niego bez problemów. Przez jakiś czas musiał żyć ich życiem albo przynajmniej jego częścią, ale nie stanowiło to takiego wyzwania, jak prawdziwe własne życie.

Sammy uświadomiła mu fundamentalne prawdy: że jest nie tylko przegrany jako ojciec, ale jako człowiek; że praca w policji nie pozwala mu zwariować, a jednocześnie stanowi jedynie substytut życia, jakim mógłby żyć, zwyczajnego, takiego jakie wiedzie tylu ludzi wokół. Zaś jego obsesja na punkcie pracy śledczej niczym nie różniła się do innych obsesji, takich jak słuchanie rocka i gromadzenie albumów czy zbieranie znaczków. Obsesje ogarniają zwłaszcza mężczyzn, gdyż stanowią prosty sposób osiągania kontroli nad czymś praktycznie bezużytecznym. Jakie to ma znaczenie, że posiadasz w swojej kolekcji wszystkie albumy Stonesów? Żadne, do licha. Jakie znaczenie ma, czy Tommy Telford zostanie pokonany? Zaraz Tarawicz zajmie jego miejsce, a jeśli nie, zawsze jest jeszcze Gruby Ger Cafferty. Lub ktoś inny. Ta zaraza nie dała się wyplenić i nie zanosiło się, aby było na nią lekarstwo.

– O czym myślisz? – zapytała Clarke, przekładając ocieplacz z jednej ręki do drugiej.

– O moim następnym papierosie. – Słowa Patience: „jesteś najszczęśliwszy, kiedy się wypierasz..."

Usłyszeli warkot ciężarówki zanim jeszcze ją zobaczyli, tak głośno zgrzytały biegi. Zsunęli się w dół, a potem wyprostowali, kiedy podjechała do Maclean's. Zasyczały hamulce pneumatyczne, kiedy zatrzymała się przed bramą. Wartownik wyszedł, żeby porozmawiać z kierowcą. Niósł ze sobą bloczek z grafikiem.

- Do twarzy Jackowi w tym uniformie - zauważył Rebus.
- Ubranie czyni człowieka.
- Czy uważasz, że twój szef wszystko dobrze przygotował? - Miał na myśli plan Claverhouse'a. Wariant pierwszy: kiedy ciężarówka wjedzie na dziedziniec, posłuży się megafonem i ujawni snajperów, aby kierowca wiedział, że jest na muszce. Reszta napastników powinna pozostać nadal zamknięta w skrzyni pojazdu. Na hasło mieliby wyjść po kolei z podniesionymi rękami, rzuciwszy broń.

Drugi wariant polegał na tym, aby zaczekać, aż wszyscy wyjdą z ciężarówki. Zaleta drugiego: będzie wiadomo, z jakimi siłami ma się do czynienia. Zaleta pierwszego: większość gangu bezpiecznie stłoczona w samochodzie, można negocjować, aby uniknąć rozlewu krwi.

Claverhouse optował za wariantem pierwszym.

Oznakowane i nieoznakowane samochody miały wjechać w bramę, jak tylko ciężarówka zatrzyma się na dziedzińcu ze zgaszonym silnikiem, i zablokować wyjazd. Następnie Claverhouse winien pokazać się w oknie pierwszego piętra razem ze swoim megafonem, a snajperzy (dach, okna na parterze) mieli zrobić swoje, jeśli chodzi o kierowcę. „Negocjacje z pozycji siły", tak to określił.

- Jack otwiera bramę - powiedział Rebus, wyglądając przez boczną szybę.

Zawył silnik i ciężarówka potoczyła się na dziedziniec.

- Kierowca jest chyba trochę nerwowy - zauważyła Clarke.
- Albo nie ma wprawy.
- Okay, są w środku.

Rebus wpatrywał się w radio, ponaglając je w myśli, aby wreszcie się odezwało. Clarke przekręciła kluczyk o jedną pozycję, gotowa do odpalenia silnika. Jack Morton patrzył, jak ciężarówka wtacza się na dziedziniec. Omiótł spojrzeniem rząd zaparkowanych przy ulicy samochodów.

Światła stopu zabłysły i zgasły. Zasyczał hamulec pneumatyczny.

Radio szczeknęło krótko:
- Teraz!

Clarke włączyła silnik i wcisnęła gaz. Pięć innych wozów zrobiło to samo. Kłęby spalin wystrzeliły z rur wydechowych w czyste, nocne powietrze. Silniki zawyły jak na starcie wyścigu. Rebus opuścił boczną szybę, aby lepiej słyszeć megafonową dyplomację Claverhouse'a. Ich wóz wyrwał do przodu i pierwszy znalazł się w bramie. Clarke i Rebus wyskoczyli błyskawicznie, zgięci przy ziemi, chroniąc się z tyłu auta, które oddzielało ich od ciężarówki.

– Silnik ciągle pracuje – szepnął Rebus.

– Co?

– Ciężarówka! Nie zgasił silnika!

Głos Claverhouse'a, urywany, częściowo z powodu nerwów, częściowo zniekształcony przez tubę:

– Policja. Otworzyć powoli drzwi i wysiadać pojedynczo, z rękami w górze. Powtarzam: Policja. Jesteśmy uzbrojeni. Przed wyjściem odrzucić broń. Powtarzam: odrzucić broń.

– No już! – syknął Rebus. – Powiedz im, żeby wyłączyli ten cholerny silnik!

Claverhouse: Brama jest zablokowana, nie ma ucieczki i nie chcemy, żeby komukolwiek stała się krzywda.

– Cholera, powiedz, żeby wyrzucili kluczyki! – Rebus z przekleństwem rzucił się do wozu i chwycił mikrofon. – Claverhouse, powiedz im, żeby wyrzucili te pieprzone kluczyki!

Nic nie widział przez białą, przednią szybę. Usłyszał, jak Clarke krzyczy:

– Wyskakuj!

Zobaczył rozmazane, białe światła. Ciężarówka cofała się, na pełnym gazie. Ryk silnika narastał, odbity echem od ścian. Cofała się prosto na nich.

Huk: cegły, odłupane z murów fabryki.

Rebus puścił mikrofon, ramię zaplątało mu się w pasie bezpieczeństwa. Clarke wrzeszczała. Wyskoczył w ostatniej chwili.

W ułamku sekundy tył ciężarówki i przód ich wozu zwarły się w huku miażdżonej blachy i brzęku szkła. Efekt domina: samochód Clarke uderzył auto stojące za nim, skuleni obok niego policjanci zostali odrzuceni na boki. Ciężarówka napierała, jeden wóz, dwa, trzy, sunęły w stronę jezdni jak na upiornej ślizgawce.

Claverhouse histerycznie chrypiał przez megafon:

– Nie strzelać! Funkcjonariusze za blisko! Za blisko!

Właśnie, teraz jeszcze było trzeba, aby znaleźli się w ogniu snajperów! Mężczyźni i kobiety gramolili się z samochodów i chwiejnie wstawali na nogi, uzbrojeni, ale oszołomieni i zdezorientowani. Tylne drzwi ciężarówki otworzyły się od uderzenia; siedmiu lub ośmiu mężczyzn zeskoczyło na ziemię i zaczęło biec. Dwóch miało broń i oddało kilka strzałów.

Krzyki, jęki, megafon. Szklana ściana wartowni rozpękła się z hukiem, trafiona kulą. Rebus stracił z oczu Siobhan, nie widział Jacka Mortona. Leżał na brzuchu na brzegu trawnika, osłaniając rękami głowę w klasycznej pozycji ochronnej, bezużytecznej w walce. Dziedziniec zalany był światłem lamp, osadzonych na murach i jeden z bandytów – Declan ze sklepiku – celował do nich po kolei. Inni członkowie gangu biegli w stronę bramy i ulicy. Mieli karabinki i oskardy. Rebus rozpoznał więcej twarzy – Ally Cornwell. Deek McGrain. Uliczne latarnie nie świeciły, więc mogli łatwo zgubić się w mroku. Rebus mógł mieć tylko nadzieję, że posiłkowe samochody, stojące na placyku za rogiem, zjawią się w porę, aby udaremnić im ucieczkę.

Tak, właśnie wypadły zza rogu, oślepiając reflektorami, z wyciem syren. W oknach mieszkań uniosły się zasłony, twarze przylgnęły do szyb. Tuż przed twarzą Rebusa, dosłownie o cal od jego nosa, wyrastało grube źdźbło trawy. Szron, którym było pokryte, topniał od jego gorącego oddechu. Sam zaczął marznąć. Snajperzy wybiegali z budynku, ostrzeliwując się gęsto.

Siobhan Clarke była bezpieczna; właśnie dostrzegł ją, skrytą za samochodem. Dzielna dziewczyna.

Inna policjantka, ranna w kolana, również leżała na ziemi. Siobhan wyciągnęła rękę, aby zbadać jej stan, i cofnęła ją, oglądając krew na dłoni.

Nadal nie widział Jacka Mortona.

Uzbrojeni gangsterzy odpowiadali ogniem; pojedyncze strzały, strzaskane szyby w autach. Megafon kazał mundurowym wycofać się poza pierwszy wóz. Czterech gangsterów trafionych.

Drugi samochód: policjanci już w akcji, trzech gangsterów wyeliminowanych. Krzyki i jęki, wymachiwanie bronią. Pozostali dwaj ludzie Telforda, uzbrojeni w karabinki, rozglądali się uważnie, oceniając sytuację. Czy mieli ochotę zostać tu do chwili, kiedy zjawią się snajperzy? Możliwe, że tak. Możliwe, że wysoko ocenili swoje szanse, jak zwykle w akcjach, które przeprowadzali. Na razie trzeba przyznać, że mieli szczęście. Claverhouse: „im mniej będziemy polegać na szczęściu w tej akcji, tym lepiej".

Rebus zaczął się podnosić – najpierw przyklęknął, a potem powstał, przygięty. Czuł się średnio bezpieczny. Ale nie powinien narzekać, i tak dziś miał zdumiewające szczęście.

– W porządku, Siobhan? – głos ściszony, uwaga skupiona na uzbrojonych gangsterach. Siedmiu z głowy, ale co z tymi dwoma? I gdzie numer dziesięć?

– Tak. A ty?

– Też. – Rebus zostawił ją i przekradł się ku przodowi ciężarówki. Kierowca leżał z głową na kierownicy, nieprzytomny, z czoła kapała mu krew; widać zderzenie było zbyt gwałtowne. Na siedzeniu pasażera leżało coś w rodzaju granatnika. To ta broń wyrąbała wielką dziurę w ceglanej ścianie Maclean's. Rebus sprawdził, czy kierowca nie miał innej broni. Nic nie znalazł. Rozpoznał twarz: stały bywalec flipperów w salonie Telforda. Wyglądał na nie więcej niż dwadzieścia lat. Rebus sprawdził puls: bił słabo, lecz równomiernie. Wyjął kajdanki i przykuł mu ręce do kierownicy, a granatnik wyrzucił z kabiny.

Następnie podkradł się do wartowni. Jack Morton, w mundurze, lecz bez czapki, leżał na podłodze, osypany odłamkami szkła. Kula przeszyła mu prawą kieszeń na piersi. Puls był ledwo wyczuwalny.

– Chryste, Jack...

W środku był telefon. Rebus wystukał numer i wezwał karetki.

– Ranni funkcjonariusze policji w zakładach Maclean's przy Slateford Road! – krzyczał w słuchawkę, patrząc na swojego przyjaciela.

– Jaki numer? – dopytywał się dyspozytor.

– Od razu traficie, proszę mi wierzyć!

Pięciu snajperów w czarnych uniformach wycelowało ze swoich zewnętrznych stanowisk w Rebusa. Zobaczyli, że dzwoni, potem kręci głową i poszukali celów dalej, na ulicy. Znaleźli czterech gangsterów, atakujących wóz policyjny. Krzyknęli stop, krzyknęli, że będą strzelać.

Odpowiedź: ogłuszający huk i rozbłyski wystrzałów. Rebus znów rzucił się na asfalt.

Krzyki z ulicy:

– Mamy ich!

Jęk bólu: jeden z gangsterów ranny. Rebus wytężył wzrok. Drugi leżał nieruchomo na jezdni. Snajper, krzyczący do rannego:

– Rzuć broń i odwróć się, ręce na kark.

Odpowiedź:

– Jestem ranny!

Rebus, mściwie:

– Skurwiel, tylko ranny! Dobić go!

Jack Morton nieprzytomny. Rebus zrozumiał, że nie ma sensu go ruszać. Mógł zatamować krwotok, i tyle. Zdjął marynarkę, zwinął ją i przycisnął do piersi przyjaciela. Powinno boleć, ale Jack zapewne nic nie czuł. Rebus wyjął z kieszeni ogrzewacz, jeszcze ciepły pręcik, i wsunął go w prawą rękę rannego, zaciskając palce na tulejce.

– Trzymaj się, stary. Wszystko będzie dobrze.

Siobhan Clarke w drzwiach, oczy szklące się od łez. Rebus wyminął ją i wymknął się z dyżurki, na ulicę, gdzie funkcjonariusz z oddziałów prewencji zakuwał w kajdanki rannego bandytę. Nikt nie zwracał uwagi na jego, także rannego towarzysza. W odległości zebrała się grupka gapiów. Rebus podszedł do trupa, wyszarpnął pistolet ze sztywniejących palców i zawrócił do samochodu, przy którym leżał ranny. Usłyszał, jak ktoś krzyczy:

– On ma broń!

Schylił i przyłożył lufę do szyi gangstera. Declan ze sklepu. Spazmatyczny, płytki oddech, włosy sklejone potem, wykręcona głowa, policzek przy asfalcie.

– John...

Claverhouse, już bez megafonu. Stojący tuż za nim.

– John, naprawdę chcesz być taki jak oni?

Jak oni... Jak Mean Machine. Jak Telford i Cafferty, i Tarawicz. Już kiedyś zdarzyło mu się przekroczyć tę cienką linię, kilka razy odbywał podróż tam i z powrotem. Stopa na karku Declana i lufa tak gorąca, że skóra w tym miejscu zaczerwieniła się.

– Proszę, nie... o Chryste, błagam... nie... nie...

– Zamknij się – warknął Rebus. Poczuł palce Claverhouse'a na swoich palcach, zabezpieczające broń.

– To moja wina, John. Moja pieprzona wina, więc nie poczuwaj się.

– Jack...

– Wiem.

Rebus zamrugał oczami, jakby budził się ze snu.

– Oni uciekają.

Claverhouse pokręcił głową

– Blokady drogowe, wsparcie już ich namierzyło.

– A Telford?

Claverhouse zerknął na zegarek.

– Ormie właśnie go zdejmuje.

Rebus chwycił Claverhouse'a za klapy.

– Dzwoń!

Usłyszeli narastające wycie syren. Rebus wrzasnął na kierowców, aby odsunęli swoje wozy, robiąc miejsce dla ambulansów, a potem pobiegł do wartowni. Siobhan Clarke klęczała przy Jacku, gładząc jego czoło. Łzy płynęły jej po twarzy. Uniosła głowę ku Rebusowi i pokręciła nią powoli.

– Odszedł – powiedziała.

– Nie. – Ale wiedział, że taka jest prawda. Mimo wszystko powtórzył to słowo jeszcze wiele razy.

35

Rozdzielono aresztowanych gangsterów pomiędzy komisariaty w Torpichen i Fettes, zaś Telforda i kilku jego „poruczników" przekazano do St Leonard's. Rezultat: logistyczny koszmar. Claverhouse zapijał proszki od bólu głowy litrami kawy, a w jego duszy walczyła postawa służbisty, pragnącego, aby każde zadanie było wykonane jak najlepiej, z poczuciem, że jest odpowiedzialny za krwawą łaźnię w Maclean's. Jeden policjant zabity, sześciu rannych, w tym jeden ciężko. Jeden bandyta zabity, kilku rannych – zdaniem wielu, zbyt lekko.

Uciekające samochody zostały zatrzymane, dokonano aresztowań. Była wymiana strzałów, lecz nikt nie ucierpiał. Członkowie gangu solidarnie milczeli, nikt nie powiedział choć jednego cholernego słowa.

Rebus siedział w pustym pokoju przesłuchań w komisariacie przy St Leonard's, z głową na rękach opartych na blacie stołu. Trwał tak przez dłuższą chwilę, rozmyślając o niespodziewanych ciosach losu. Było życie, była przyjaźń, jedna chwila, i już po niej.

Już nie wróci.

Nie płakał; pewnie nawet by nie potrafił. Czuł się pusty i otępiały, jakby ktoś wstrzyknął mu do duszy znieczulającą nowokainę. Świat zwolnił obroty, jak mechanizm, który za chwilę stanie. Zastanawiał się, czy słońcu starczy energii, aby znów wzejść.

Ja go w to wciągnąłem.

Już wcześniej miał poczucie winy i błędu, lecz teraz stały się prawdziwą udręką. Jack Morton, glina siedzący sobie spokojnie w Falkirk, zamordowany w Edynburgu, gdyż przyjaciel poprosił go o przysługę. Jack Morton, który umknął grabarzowi spod łopaty, rzucając fajki i butelkę, który zaczął nabierać formy i żyć jak człowiek... Teraz leżał w kostnicy, sztywny i lodowaty.

Ja go tam położyłem.

Nagle wyprostował się gwałtownie, aż krzesło uderzyło o ścianę. Do pokoju weszła Gill Templer.

– Wszystko w porządku, John?

Przetarł oczy wierzchem dłoni.

– W porządku.

– Jeśli chcesz się chwilę zdrzemnąć, idź do mojego pokoju, tam jest pusto.

– Nie, dzięki... – Rozejrzał się już przytomniej. – Masz tu przesłuchanie?

Skinęła głową.

– Okay. – Wstał, przysuwając krzesło do stołu. – Kto?

– Brian Summers.

- Pretty-Boy. - Przeciągnął się, aż zatrzeszczały kości. - Wiem, co zrobić, żeby przemówił.

Popatrzyła na niego sceptycznie.

- Naprawdę, Gill. - Drżały mu dłonie. - On nie wie, co mam na niego.

- A co masz? - Skrzyżowała ramiona na piersi.

- Potrzebuję tylko... - zerknął na zegarek - godziny lub coś około tego, maksimum dwóch. Musi był także obecny Bobby Hogan. I trzeba sprowadzić Colquhouna, tylko ekspresem.

- Kto to jest?

Rebus wyjął z portfela wizytówkę i wręczył Templer.

- Ekspresem - powtórzył. Poprawił krawat, przygładził włosy. Obserwowała go bez słowa.

- John, nie jestem pewna, czy czujesz się na tyle dobrze, aby...

Wycelował w nią palec i jego ruchami punktował poszczególne słowa.

- Nie oceniaj za mnie, Gill. Jeśli mówię, że wiem, jak go złamać, zrobię to.

- Jeszcze żaden z nich nie powiedział słowa.

- Summers powie. Wierz mi.

Coś w jego tonie sprawiło, że tym razem uwierzyła.

- Przytrzymam go, zanim przyjedzie Hogan.

- Dzięki, Gill.

- John?

- Tak?

- Strasznie mi przykro z powodu Jacka Mortona. Nie znałam go, ale słyszałam, co ludzie o nim mówili.

Rebus kiwnął głową.

- Mówili, że byłby ostatnim, który obwiniałby ciebie.

Rebus uśmiechnął się.

- Ostatnim z całej kolejki.

- W tej kolejce stoi tylko jedna osoba. Ty, John - stwierdziła spokojnie.

Rebus zadzwonił do recepcjonisty w Caledonian Hotel i dowiedział się, że Sakiji Shoda wymeldował się niespodziewanie w niecałe dwie godziny po tym, jak Rebus odłożył zieloną teczkę. Nabył kilka takich za własne pieniądze, po pięćdziesiąt pięć centów sztuka.

Bobby Hogan był już w drodze. Mieszkał w Portobello i powiedział, że zjawi się za pół godziny. Bill Pryde podszedł do biurka Rebusa i złożył mu kondolencje z powodu Mortona, bo wiedział, że byli z Rebusem bliskimi przyjaciółmi.

– Dlatego nie zaprzyjaźniaj się ze mną zbytnio, Bill. Ludzie, którzy są mi bliscy, często tracą zdrowie, a nawet życie.

Portiernia zadzwoniła, że ktoś chce się z nim widzieć. Zszedł na dół i zobaczył Patience Aitken.

– Patience?

Była ubrana, lecz elementy stroju układały się w innym porządku niż zwykle, jakby nagle w jej garderobie zgasło światło i sięgała po nie na chybił trafił.

– Usłyszałam w radio – powiedziała. – Nie spałam, więc włączyłam je i w dzienniku powiedzieli o akcji policyjnej, i ofiarach... Nie było cię w domu, więc...

Przytulił ją mocno.

– Wszystko w porządku – powiedział. – Wiem, powinienem do ciebie zadzwonić.

– To moja wina. – Popatrzyła mu w oczy. – Byłeś tam, widzę to po twojej twarzy. – Przytaknął. – Co się stało?

– Straciłem przyjaciela.

– O Boże, John. – Przylgnęła do niego mocniej, jeszcze ciepła od snu. – Jej włosy pachniały szamponem, a zagłębienie szyi – perfumami. „Ludzie, którzy są mi bliscy..." Odsunął ją łagodnie i pocałował w policzek.

– Wracaj i pośpij jeszcze – poprosił.

– Przyjedź na śniadanie.

– Wiesz co, marzę tylko, żeby wrócić do domu i walnąć się do łóżka.

– Możesz przespać się u mnie. Jest niedziela, poleżymy sobie w łóżku.

– Nie wiem, kiedy tu skończę.

Poszukała wzrokiem jego oczu.

– John, tylko nie duś tego w sobie, proszę.

– Okay, doktorku. – Znów cmoknął ją w policzek. – A teraz śmigaj do domu.

Zmusił się do uśmiechu, a nawet puścił do niej oko; oboje czuli fałsz tej sytuacji. Stał w drzwiach i patrzył, jak odjeżdża. Wiele razy w trakcie małżeństwa miał ochotę po prostu wyjść. Zdarzały się chwile, w których rodzinne obowiązki, presja pracy i jego własne potrzeby kumulowały się tak, że marzył, śnił o ucieczce.

Teraz znów pojawiło się to pragnienie. Otwórz drzwi i idź przed siebie, aby znaleźć się wszędzie, byle nie tutaj, aby robić wszystko, byle nie to. Lecz i takie wyjście prowadziło donikąd. Miał rachunki do wyrównania i powody, aby je wyrównać. Wiedział, że Telford jest już w budynku i zapewne uzgadnia zeznania z Charlesem Groalem albo raczej ich brak, gdyż nikomu nie mówi słowa. Ciekaw był, jak rozegrają to przesłuchanie śledczy. W którym momencie pozwolą Telfordowi domyślić się, że mają taśmę? Kiedy powiedzą mu, że strażnik z Maclean's był kretem? I że ten człowiek już nie żyje?

Miał nadzieję, że staną na wysokości zadania. Miał nadzieję, że potrząsną Telfordem.

Lecz prześladowała go pewna myśl – nie po raz pierwszy – czy w ogóle było warto? Jedni policjanci traktowali takie akcje jako przygodę, inni – jako swoistą krucjatę, a jeszcze inni jako normalny sposób zarobkowania. Zadawał sobie pytanie, dlaczego wciągnął w to Jacka Mortona. Odpowiedź: ponieważ chciał mieć w tej grze zaufanego człowieka, na którym mógłby polegać; dlatego, że chciał wyrwać Jacka z nudnej, codziennej orki i wiedział, że Morton z zachwytem przyjmie propozycję; bo strategia wymagała, aby był to ktoś z zewnątrz. Mnóstwo różnych racji. Claverhouse zapytał, czy Morton ma rodzinę; kogokolwiek, kogo należało poinformować. Rebus powiedział mu: rozwiedziony, czwórka dzieci.

Czy winił Claverhouse'a? Cóż, łatwo być mądrym po szkodzie. Lecz reputacja tego człowieka została zbudowana na zasadzie, że trzeba być mądrym przed szkodą. I przegrał... w wielkim stylu.

Oblodzenie jezdni: trzeba było zamknąć bramę. Zbyt łatwo cofająca się ciężarówka przesunęła blokadę.

Snajperzy: skuteczni w zamkniętej przestrzeni dziedzińca, ale niezdolni do powstrzymania cofającej się na pełnym gazie ciężarówki.

Więcej uzbrojonych funkcjonariuszy za ciężarówką, zapewniających wsparcie ogniowe.

Claverhouse powinien zmusić kierowcę, aby wyłączył silnik – albo, bardziej taktycznie, poczekać aż ten sam przekręci stacyjkę i dopiero wtedy się ujawnić.

Jack Morton powinien się kryć, kiedy wybuchła strzelanina. A Rebus powinien go ostrzec.

Na przykład wystrzałem. Tylko że wystrzał ściągnąłby na niego uwagę snajperów. Tchórzostwo: czy taki był ostatni pokład jego odczuć? Zwykłe ludzkie tchórzostwo. Tak jak w tamtym barze w Belfaście, kiedy milczał, z obawy przed morderczą furią Mean Machine'a, bojąc się, że lufa jego broni trzaśnie go między oczy. Może dlatego – nie, oczywiście dlatego – Joseph Lintz tak zalazł mu za skórę. Bo gdyby Rebus znalazł się w Villefranche... pijany, marzący o odegraniu się... gdyby ktoś wydał rozkazy, jakiś pewny siebie służbista... gdyby na dodatek był infiltrowany przez rasizm i przejęty stratą towarzyszy walki... kto wie, jak by się zachował?

– O matko, John, ty zupełnie odleciałeś!

Bobby Hogan. Dotknął jego twarzy, wyjął papiery ze zdrętwiałych, lodowatych palców.

– Hej, człowieku z lodu, chodź do środka i ogrzej się!

– Nie zamarzłem – powiedział Rebus chrapliwym szeptem. I rzeczywiście – jak wytłumaczyć, że mimo mrozu pot perlił mu się na skroniach? I dostał dreszczy dopiero wtedy, kiedy Bobby wprowadził go do środka?

Hogan wlał w niego dwa kubki słodkiej, gorącej herbaty. W komisariacie wrzało jak w ulu: szok, plotki, teorie. Rebus w pośpiechu informował Hogana.

– Będą musieli wypuścić Telforda na zieloną trawkę, jeśli nikt nie zacznie gadać.

– A co z nagraniem?

– To amunicja na później... jeśli nie przestrzelą.

– Kto go prowadzi?

Rebus wzruszył ramionami.

– Farmer Watson we własnej osobie, o ile wiem. Na przesłuchaniu ma grać w duecie z Billem Pryde, ale ja też potrzebuję Billy'ego, więc będziemy musieli się jakoś zgrać.

Hogan skrzywił się i pokręcił głową.

– Ale pieprzona sprawa!

Rebus wpatrzył się w kubek z herbatą.

– Nie cierpię słodzonej.

– Wypiłeś pierwszy kubek bez gadania. Cukier to kalorie.

– Naprawdę? – Upił łyk i skrzywił się.

– Słuchaj, musieliśmy jakoś postawić cię na nogi!

– Bez przesady.

– Dobra, bez przesady. – Hogan przygładził nieistniejący, niesforny włosek w czuprynie.

– Wiesz, jest u mnie niejaki Harris.

– I co?

Hogan wzruszył ramionami.

– Cóż, pogadam z nim.

– Nie musisz.

36

Colquhoun nie wyglądał na szczęśliwego.

– Dzięki za przyjście – powitał go Rebus.

– Nie miałem wyboru. – Tym razem zjawił się w towarzystwie prawnika; dystyngowany mężczyzna w średnim wieku. Kolejny jurysta ze stajni Telforda? Rebus był niemal pewien.

– Powinien pan przywyknąć do sytuacji bez wyboru, panie Colquhoun. Wie pan, kto jeszcze się zjawi? Tommy Telford i Brian Summers.

– Kto?

Rebus pokręcił głową z jawną dezaprobatą.

– Gra pan według niewłaściwego scenariusza. W moim ma pan prawo wiedzieć, kim oni są. Przecież rozmawialiśmy o nich z Candice.

Nagły rumieniec zabarwił policzki Colquhouna.

– Chyba pamięta pan Candice? Naprawdę nazywa się Karina; nie pamiętam już, czy wspominałem panu o tym? Tam gdzieś ma małego synka, ale oni go zabrali. Może pewnego dnia go odnajdzie, a może nie.

– Nie rozumiem, co to wszystko ma wspólnego z...

– Telford i Summers spędzą pewien czas za kratkami – wyjaśnił Rebus, sadowiąc się w krześle. – Gdybym tylko chciał, bez problemu znalazłbym haka, który pozwoliłby mi posadzić pana razem z nimi w jednej celi. Ładna perspektywa, prawda, doktorze Colquhoun? Czy nie lepsza jest odwrócona współpraca, doktorze?

Dopiero teraz Rebus poczuł, że może się odprężyć. To, co teraz robił, robił dla Jacka.

Prawnik już otwierał usta, aby coś powiedzieć, lecz Colquhoun odezwał się pierwszy.

– To był błąd.

– Błąd? – podchwycił Rebus niewinnym tonem. – Delikatnie powiedziane. – Wychylił się ku swojemu rozmówcy, opierając łokcie na stole. – Czas porozmawiać, panie doktorze.

Brian Pretty-Boy Summers wyglądał jak uosobienie spokoju. Jak zwykle miał ze sobą prawnika, starszego partnera, który wyglądał jak właściciel zakładu pogrzebowego i najwyraźniej bardzo nie lubił, gdy kazano mu czekać. Kiedy zasiedli przy stole w pokoju przesłuchań i Hogan ustawiał sprzęt audio i wideo, sprawdzając jakość nagrań, prawnik jął protestować z powodu straty drogiego czasu, własnego oraz klienta.

Rebus zignorował go i podsunął Pretty-Boyowi zieloną teczkę.

– Przejrzyj to sobie.

Pretty-Boy wystąpił w szarostalowym garniturze i fioletowej koszuli, rozpiętej pod szyją. Tym razem bez kluczyka samochodowego i bez okularów przeciwsłonecznych. Został zabrany ze swojego mieszkania w New Town. Komentarz jednego z funkcjonariuszy, którzy brali udział w aresztowaniu: „największe hi-fi, jakie widziałem w życiu; gość nie spał, słuchał Patsy Cline".

Rebus zaczął gwizdać *Crazy*. To przyciągnęło uwagę Pretty-Boya, a nawet wywołało cyniczny uśmieszek. Nadal jednak siedział milcząc, ze skrzyżowanymi ramionami.

– Na twoim miejscu zrobiłbym to – powiedział Rebus.

- Gotowe - oznajmił Hogan, uporawszy się wreszcie ze sprzętem. Taśma ruszył. Na początek formalności: data, miejsce, uczestnicy przesłuchania. Rebus obrzucił spojrzeniem adwokata i uśmiechnął się. Prawnik wyglądał na drogiego. Jak zwykle, Telford dbał o dobry towar.

- Znasz Eltona Johna, Brian? - pytał Rebus. - On śpiewa *Someone Saved Me Tonight.* Zanucisz mi to, kiedy już przejrzysz, co jest w środku. - Postukał palcem w zieloną teczkę. - Weź, przecież wiesz, że nie proponowałbym ci czegoś, co nie ma sensu. W nic nie gram i nie musisz nic mówić. Tylko przejrzyj. Naprawdę warto...

- Nie mam nic do powiedzenia.

Rebus wzruszył ramionami.

- Otwórz teczkę, zajrzyj. To chyba niewiele kosztuje?

Pretty-Boy zerknął na swojego prawnika.

- Jeśli uważa pan, że powinien przeczytać dokument jako pierwszy, nie ma przeszkód - oświadczył Rebus. - Panu niewiele on powie, ale proszę.

Adwokat otworzył teczkę. Zawierała kilkanaście zadrukowanych kartek.

- Z góry przepraszam za literówki - zastrzegł Rebus. - Pisałem ten raport w pośpiechu.

Pretty-Boy zadowolił się krótkim zerknięciem na papiery. Poza tym nie spuszczał wzroku z Rebusa. Adwokat czytał, przekładając kolejne kartki.

- Chyba zdaje pan sobie sprawę - powiedział wreszcie prawnik - iż stwierdzenia i posądzenia tu zawarte, nie mają żadnej wartości dowodowej?

- Jeśli taka jest pańska opinia, w porządku. Nie proszę pana Summersa o potwierdzenie bądź zaprzeczenie. Wystarczy, aby przeczytał, nie musi się wypowiadać.

Uśmiech Pretty-Boya, znów zerknięcie na adwokata, który wzruszył ramionami, mówiąc, że nie ma się czego obawiać. Przeniesienie spojrzenia na Rebusa - i wreszcie Pretty-Boy rozplótł skrzyżowane ramiona, wziął pierwszą kartkę i zaczął czytać.

- Udokumentujmy tę fazę przesłuchania na taśmie - powiedział Rebus. - Pan Summers czyta w tej chwili streszczenie raportu, który przygotowałem wczoraj, w sobotę. Zawarta jest tam moja wersja wydarzeń, które miały ostatnio miejsce w Edynburgu i jego okolicach; spraw związanych z jego pracodawcą, Thomasem Telfordem, z japońskim konsorcjum biznesowym – które w mojej opinii jest ekspozyturą Yakuzy – oraz z dżentelmenem z Newcastle, który nazywa się Jake Tarawicz.

Urwał. Adwokat stwierdził, że na razie nie zgłasza zastrzeżeń. Rebus skinął głową i kontynuował.

– Moja wersja wydarzeń jest następująca: Jake Tarawicz sprzymierzył się z Thomasem Telfordem tylko dlatego, że pragnął czegoś, co posiadał Telford: sprawną siatkę przerzutową narkotyków do Wielkiej Brytanii, operującą bez wzbudzania podejrzeń. Kiedy stosunki zostały nawiązane, Tarawicz postanowił wkroczyć na terytorium Telforda. Aby sobie to ułatwić, sprowokował wojnę pomiędzy Telfordem a Morrisem Geraldem Caffertym. Zadanie było łatwe. Telford dokonał agresywnego najazdu na terytorium Cafferty'ego, być może za podpuszczeniem Tarawicza. Teraz Tarawiczowi pozostało tylko dbać o dalszą eskalację konfliktu. W apogeum kazał jednemu ze swoich ludzi zaatakować dilera narkotyków przed wejściem do jednego z nocnych klubów Telforda. Ten natychmiast obarczył winą Cafferty'ego. Ponadto grupa ludzi Tarawicza dokonała krwawej masakry w Paisley, rodzinnym gnieździe Telforda. Równoległe odbywały się ataki na terytorium Cafferty'ego – i tak nakręcała się spirala odwetu.

Rebus odchrząknął i upił łyk herbaty.

– Czy nie brzmi to znajomo, panie Summers? – Pretty-Boy milczał. Czytał pilnie dokument. – Wydaje mi się, że Japończycy nie mieli się w to angażować. Inaczej mówiąc, nawet nie wiedzieli, co się naprawdę dzieje. Telford pokazywał im swoje królestwo, ułatwił formalności, kiedy chcieli kupić klub. Jako miejsce spotkań i rekreacji dla swoich członków, a do tego pralnię brudnych pieniędzy – interes mniej podejrzany niż kasyno czy temu podobne operacje. Na dodatek w okolicy mają zostać otwarte zakłady elektroniczne i większa liczba japońskich dżentelmenów nie powinna nikogo dziwić.

– Myślę, że kiedy Tarawicz dowiedział się o tym, nie był zachwycony. Nie po to pozbywał się Tommy'ego Telforda, żeby zrobić miejsce dla jeszcze potężniejszej konkurencji. Dlatego postanowił włączyć Yakuzę do swojego planu. Kazał śledzić

Matsumoto. Kazał go zabić i zręcznym manewrem obciążył winą mnie. Czemu? Z dwóch powodów. Po pierwsze, Tommy Telford uważał mnie za człowieka Cafferty'ego, a zatem, uderzając we mnie, Tarawicz prowokował Grubego Gera. Po drugie, chciał wyeliminować mnie z gry, gdyż pojechałem do Newcastle i rozmawiałem z jednym z jego ludzi – Williamem Coltonem, Krabem. Kraba znałem od dawna, a przypadkiem zdarzyło się, że Tarawicz użył go w ataku na dilera narkotykowego. Wolał, żebym nie zdążył dodać dwa do dwóch.

Rebus znów przerwał opowieść.

– I co ty na to, Brian?

Pretty-Boy skończył czytać. Znów skrzyżował ramiona na piersi i wwiercił się spojrzeniem w Rebusa.

– Nie dostarczył pan nam jeszcze żadnego dowodu, inspektorze – powiedział adwokat.

Rebus wzruszył ramionami.

– Nie potrzebuję dowodów. Kopię tego raportu dostarczyłem panu Sakiji Shoda w hotelu Caledonian. – Kiedy to mówił, dostrzegł, że powieki Pretty-Boya zadrgały. – Wydaje mi się, że pan Shoda poczuł się, oględnie mówiąc, wkurzony. Musiał być wkurzony już wcześniej, skoro tu przyjechał. Widział, że Telford, mimo przechwałek, partoli sprawy, i zastanawiał się, czy wreszcie coś mu się uda. Nie sądzę jednak, aby zamach na Maclean's, nawet gdyby wypalił, podniósł wiarygodność Telforda w oczach Yakuzy. Lecz przyjechał tu także po to, by dowiedzieć się, dlaczego jeden z jego ludzi został zabity i kto jest odpowiedzialny za jego śmierć. Mój raport mówił mu, że za morderstwem stał Tarawicz, i jeżeli uwierzy mi, zacznie ścigać sprawcę. Faktycznie wymeldował się wcześniej z hotelu – wczoraj wieczorem, co by oznaczało, że zaczęło mu się spieszyć. Zastanawiam się, czy nie wraca teraz do ojczyzny via Newcastle. Zresztą to nie ma znaczenia. Ważne jest, że nadal będzie wściekły na Telforda, że dopuścił do tej śmierci. Zaś Jake Tarawicz zacznie się zastanawiać, kto nadał go Shodzie. Yakuza to nie są miłe misie, Brian. W porównaniu z nimi jesteście jeszcze w przedszkolu.

– I ostatni punkt – kontynuował Rebus, poprawiając się na krześle. – Baza Tarawicza jest w Newcastle, lecz założę się, że ma swoje oczy i uszy w Edynburgu. Zdążyłem już sobie pogadać z doktorem Colquhounem. Pamiętasz go, Brian? Lintz mówił ci o nim. Wtedy, kiedy Tarawicz zaoferował dziewczyny z Europy Wschodniej, a ty stwierdziłeś, że Tommy'emu przydałby się tłumacz i ktoś, kto nauczyłby je paru potrzebnych słów. Zajął się tym Colquhoun. Opowiadałeś mu o Tarawiczu, o Bośni. Rzecz w tym, że jest jedynym w okolicy specjalistą znającym ten język i region. Dlatego, kiedy przejęliśmy Candice, musieliśmy także skorzystać z jego usług. Colquhoun od razu wyczuł sprawę. Nie sądził jednak, żeby musiał się czegoś obawiać; nigdy wcześniej jej nie spotkał, a odpowiedzi, których udzielała, były wystarczająco niekonkretne - albo przynajmniej tak je tłumaczył. W każdym razie poszedł z tym do was. Wasz pomysł był następujący: wykraść nam Candice i przeszmuglować ją do Fife, a Colquhouna wyłączyć z gry, dopóki kurz nie opadnie.

Rebus uśmiechnął się.

- Więc szef powiedział ci o Fife, a tymczasem Candice przejął Tarawicz. Nie sądzisz, że Tommy uznał to za dziwne? No, i wracamy do punktu wyjścia. Siedzimy tutaj, ale powiadam ci, że kiedy stąd wyjdziesz, będziesz już naznaczony. Kto pierwszy zrobi z tobą porządek, nie wiadomo - Yakuza, Cafferty, twój własny boss czy sam Tarawicz? Nie masz już żadnych przyjaciół i żadne miejsce nie jest dla ciebie bezpieczne. - Rebus przerwał na moment. - Chyba że my ci pomożemy. Rozmawiałem z komisarzem Watsonem i zgadza się nadać ci status świadka koronnego; jeśli zechcesz, możemy ci dać nową tożsamość, nową twarz, wedle twojej woli. Odsiedzisz tylko krótki wyrok - w sam raz, żeby nie wzbudzać podejrzeń, w osobnej celi. A potem bezpiecznie wrócisz sobie do domu. Z naszej strony jest to naprawdę wielki gest i nawzajem, oczekujemy równie wielkiego poświęcenia od ciebie. Bo chcemy wiedzieć o wszystkim. - Rebus zaczął wyliczać na palcach: - O przerzucie narkotyków, o wojnie z Caffertym, o Newcastle, o Yakuzie, o prostytutkach. - Znów urwał, pociągnął łyk herbaty. - Wiem, dużo tego. Twój szef poszybował wysoko, Brian, i prawie mu się udało. Tym bardziej dramatyczny będzie jego upadek. Najlepsze, co możesz w tej sytuacji zrobić, to mówić. Albo tak, albo będziesz przez resztę swoich dni czekał, aż trafi cię kula czy cios maczety...

Adwokat zaczął protestować. Rebus przerwał mu gestem.

– Chcemy wiedzieć wszystko, Brian. O Lintzu też.

– Lintz – ton Pretty-Boya był lekceważący. – Lintz się nie liczył.

– Więc o co chodziło?

W spojrzeniu Summersa złość, lęk i niepewność zlały się w jedno. Rebus wstał.

– Muszę się jeszcze czegoś napić. Co przynieść panom?

– Kawę, jeśli można – poprosił prawnik. – Bez cukru.

– Dla mnie colę – oznajmił Pretty-Boy po chwili wahania. W tym momencie, po raz pierwszy od początku rozmowy, Rebus nabrał pewności, że układ zostanie zawarty.

Przerwano przesłuchanie. Hogan zatrzymał taśmy i razem z Rebusem wyszedł z sali. Za drzwiami poklepał go po plecach.

Farmer Watson nadchodził korytarzem. Rebus wyszedł mu naprzeciw, aby nie zbliżył się zanadto do drzwi pokoju.

– Niedługo kończymy – zameldował. – Gość próbuje nas wymiksować i zdradzić mniej, niż chcemy, ale cały czas jest szansa na korzystny układ.

Watson z zadowoleniem skinął głową i odszedł w stronę swojego gabinetu. Rebus, nagle opadły z sił, oparł się o ścianę.

– Uff – powiedział, przymykając oczy – czuję się, jakbym miał sto lat.

– To ciężar doświadczeń – zachichotał Hogan.

Rebus spiorunował go wzrokiem i ruszył do kuchenki.

– Pan Summers – powiedział prawnik, gdy Rebus wrócił z kubkami – chciałby opowiedzieć panu historię swoich kontaktów z panem Josephem Lintzem. Wymagamy jednak pewnych gwarancji.

– Czy nie wystarczą moje wcześniejsze propozycje?

– Możemy je przedyskutować.

Rebus skierował spojrzenie na Pretty-Boya.

– Nie ufasz mi?

Syknęła otwierana puszka coli.

– Nie.

– Dobrze. W takim razie uważam spotkanie za skończone. – Zerknął na zegarek. – Kiedy panowie skończą pić, proszę opuścić pokój przesłuchań. Detektywie Hogan, proszę zabezpieczyć nagrania.

Hogan wyjął obie kasety i opisał, po czym usiedli z Rebusem i wdali się służbową dyskusję, jakby obaj przesłuchiwani przestali dla nich istnieć. W końcu wyjęli grafik i zaczęli sprawdzać, kto jest wyznaczony do następnego przesłuchania.

Kątem oka Rebus dostrzegł, jak Pretty-Boy pochyla się ku adwokatowi i szepce mu coś do ucha. Odwrócił się ku nim.

– Przepraszam, czy mogą panowie opuścić pomieszczenie? Za chwilę odbędzie się kolejne przesłuchanie.

Summers wiedział, że Rebus blefuje... wiedział, że policji zależy na nim. Musiał jednak zrozumieć, że Rebus nie blefował i naprawdę wysłał raport do Shody – a był zbyt bystry, by go to nie przeraziło. Nie ruszył się z krzesła i przytrzymał prawnika za ramię, gdy ten chciał wstać. W końcu adwokat odchrząknął znacząco.

– Inspektorze, pan Summers chciałby odpowiedzieć na pańskie pytania.

– Na wszystkie?

Adwokat skinął głową.

– Najpierw muszę jednak poznać szczegóły „układu", jaki pan proponuje.

Rebus popatrzył na Hogana.

– Idź po szefa.

Sam również wyszedł z pokoju i stanął na korytarzu. Już miał zapalić papierosa, kiedy zobaczył Watsona, nadciągającego korytarzem, i Hogana, sunącego za nim jak na niewidzialnej smyczy.

– John, przecież wiesz, że tu nie wolno palić.

– Tak jest – powiedział z rezygnacją Rebus. – Trzymałem go dla inspektora Hogana.

Farmer zerknął na drzwi.

– Czego chcą?

– Gwarancji, że uniknie oskarżenia. W ostateczności łagodny wyrok i bezpieczna odsiadka oraz nowa tożsamość po wyjściu z więzienia.

Watson zmarszczył brwi.

– Nie bardzo mam ochotę im popuszczać. Gang przyłapany na gorącym uczynku i nagrany Telford...

Summers stał wysoko w hierarchii, zna całą strukturę organizacji Telforda.

– Dlaczego więc chce sypać?

– Ponieważ się boi i strach jest w tym wypadku silniejszy od lojalności. Nie twierdzę, że wyjawi nam wszystko, do najmniejszych szczegółów, ale pewnie na tyle dużo, aby przycisnąć pozostałych. Kiedy zorientują się, że ktoś zaczął nadawać, pójdą z nami na układy.

– Co to za prawnik?

– Drogi.

– Czyli będzie twardy.

– Dokładnie, sir.

Komendant wyprostował się niedostrzegalnie.

– W takim razie jedźmy z tą sprawą.

– Kiedy poznałeś Josepha Lintza?

Pretty-Boy nie siedział już ze skrzyżowanymi na piersi ramionami. Teraz oparł na nich głowę, podpierając się łokciami o blat biurka. Włosy opadły mu na twarz i wyglądał jeszcze młodziej niż zwykle.

– Mniej więcej pół roku temu. Przedtem rozmawialiśmy przez telefon.

– Poszukiwał amatorskiego towaru?

– Tak.

– Czyli?

Pretty-Boy zerknął na obracające się szpule.

– Chce pan, żebym przetłumaczył?

– Tak.

– Joseph Lintz był klientem agencji towarzyskiej, dla której pracowałem, i miał specjalne wymagania.

– Ależ Brian, nie bądź taki skromny. Prowadziłeś tę agencję, prawda?

– Skoro pan tak mówi...

– Brian, jeśli chcesz wyjść, nie mam...

– Okay, prowadziłem ją w imieniu mojego szefa.

– I pan Lintz dzwonił, aby zamówić sobie wizytę w domu?

– Chciał jednej z naszych dziewczyn. Tak, do domu.

– I co dalej?

– Właśnie nic. Siedział i gapił się na nią przez bite pół godziny.

– Oboje byli całkowicie ubrani?

- Tak.
- Nic więcej nie było?
- Pierwszy raz – nie.
- Rozumiem. Musiałeś się zdziwić.

Pretty-Boy wzruszył ramionami.

- Różne bywają upodobania.
- Racja. Jak rozwijały się dalej wasze kontakty?
- W takich razach zawsze jest nadzór.
- Ty sam?
- Tak.
- Nie miałeś nic lepszego do roboty, tylko udawać przyzwoitkę?

Kolejny raz wzruszenie ramion.

- Dziwiło mnie.
- Co?
- Adres: Herriot Row.
- Dobry adres. Doktor Lintz... miał klasę?
- Niemalże wychodziła mu uszami. Znaczy się, znam wiele grubych portfeli i różnych tuzów z korporacji, którzy zamawiali panienki do swoich hotelowych pokoi, ale Lintz odsadzał ich o dobrych parę długości.
- Chciał tylko patrzeć na dziewczyny?
- Właśnie. I ten wielki dom...
- Byłeś w środku, czy tylko czekałeś w samochodzie?
- Powiedziałem mu, że firma ma takie zasady. – Uśmiech. – Tak naprawdę, to chciałem zobaczyć.
- Rozmawiałeś z nim?
- Później, tak.
- Zaprzyjaźniliście się?
- Nie do końca... trochę. Wiele wiedział, miał niesamowitą głowę.
- Zaimponował ci.

Pretty-Boy przytaknął. Tak, Rebus mógł sobie to dokładnie wyobrazić. Początkowo idolem Pretty-Boya był Telford, ale chłopak miał ambicje. Potrzebę klasy. Chciał, żeby mądrzy ludzie docenili jego bystrość. Rebus sam miał okazję przekonać się, jak fascynująco mogły brzmieć opowieści Lintza, zwłaszcza dla kogoś, komu brakowało wykształcenia. Na ile Pretty-Boy dał się im uwieść?

- Co było potem?

Summers skrzywił się.

- Gusty mu się zmieniły.

- Albo raczej ujawniły się prawdziwe?

- Tak właśnie pomyślałem.

- Czego zatem pożądał?

- Dziewczyn... miał naszykowany sznur... wiązał na nim pętlę. - Pretty-Boy na moment stracił swadę. Adwokat przerwał notowanie i wsłuchał się w jego słowa. - Chciał, żeby nakładały sobie pętlę na szyje, a potem kładły się, jak trupy.

- Ubrane czy rozebrane?

- Rozebrane.

- Co potem?

- Potem... ee... siadał na krześle i spuszczał się. Większość z nich nie wytrzymywała, bo chciał, żeby było tak, jak naprawdę - wybałuszone oczy, język na wierzchu, wygięta szyja... - Pretty-Boy nerwowo przeciągnął palcem po włosach.

- Rozmawiałeś z nim o tym?

- Nie, nigdy.

- O czym więc rozmawialiście?

- O wszystkim. - Summers skierował wzrok na sufit i zaśmiał się. - Raz powiedział mi, że wierzy w Boga. Problem w tym, twierdził, że nie jest pewien, czy Bóg wierzy w niego. Nieźle powiedziane... zawsze w ten sposób dawał mi do myślenia. Z drugiej strony, to był ten sam perwers, który spuszczał się na kobiety z pętlami na szyjach.

- Fascynacja, jaką w tobie budził, musiała sprawiać mu przyjemność?

Pretty-Boy opuścił wzrok na biurko i skinął głową.

- Głośno, do mikrofonu.

- Tommy chciał wiedzieć, czy takiego zboczka nie dałoby się przycisnąć.

- Aha...

- Więc dokopaliśmy się do tego hitlerowskiego gówna i wyszło, że i tak nie dokopiemy mu więcej, niż dotąd mu dokopano. Żałosna sprawa. Owszem, przez chwilę myśleliśmy, aby zaszantażować go, że ogłosimy go perwersem-sadystą i nazistowskim zbrodniarzem, ale szybko nam przeszło - prychnął z niesmakiem.

- Odstąpiliście od tej koncepcji?
- Tak.
- Mimo to zapłacił wam pięć tysięcy? - nie rezygnował Rebus.

Pretty-Boy ukradkiem oblizał wargi.

- Próbował się powiesić. Powiedział mi o tym. Przywiązał koniec liny do balustrady w swoim domu i skoczył. Ale nie udało mu się. Balustrada pękła i wylądował na półpiętrze.

Rebus przypomniał sobie - połamana balustrada.

Rebus przypomniał sobie - Lintz, szyja owiązaną szalikiem, chrapliwy głos, narzekanie na infekcję gardła.

- Jak powiedział ci o tym?
- Zadzwonił z domu do biura i poprosił o spotkanie. Tego wcześniej nie robił. Normalnie telefonował do mnie z budek, na komórkę. Myślałem, że to z obawy przed podsłuchami. A tu nagle złamał zasady.

- Gdzie się spotkaliście?
- W restauracji. Zafundował mi obiad. - Słuszny domysł, Pretty-Boy był tą młodą „kobietą". - Powiedział mi, że usiłował popełnić samobójstwo i nie wyszło mu. W kółko powtarzał, że okazał się „moralnym tchórzem", cokolwiek miałoby to znaczyć.

- Czego więc chciał?

Pretty-Boy po raz pierwszy popatrzył Rebusowi w oczy.

- Chciał, żeby ktoś mu pomógł.
- Ty?

Wzruszenie ramion.

- Za odpowiednią cenę?
- Obeszło się bez targów. Chciał, aby stało się to na cmentarzu Warriston.

- Nie spytałeś, dlaczego?
- Wiedziałem, że lubi to miejsce. Umówiliśmy się u niego w domu, bardzo wcześnie rano i zawiozłem go na cmentarz. Był taki jak zawsze, tylko co chwila dziękował mi za „rozwiązanie problemu". Nie bardzo rozumiałem jeszcze wtedy, o co tak naprawdę mu chodzi. Myślałem, że przemyślał sobie wszystko jeszcze raz dogłębnie i chce mi to jakoś pokazać.

Rebus uśmiechnął się domyślnie, tak jak tego od niego oczekiwano.

– Mów dalej – zachęcił.

– Co tu dalej mówić? Włożył sobie pętlę na szyję i poprosił, żebym pociągnął. Próbowałem jeszcze przemówić mu do rozumu, ale stary naziol się uparł. Przecież to nie było morderstwo, nie? Raczej asystowanie przy odejściu. Legalna rzecz.

– Jak przebiegło zdarzenie?

– Szło gorzej, niż myślałem. Niby skóra i kości, ale był ciężki. Z początku udało mi się go podciągnąć, ale lina się zsunęła i grzmotnął o ziemię.

Bobby Hogan głośno odchrząknął.

– Brian, czy Lintz coś powiedział... na koniec?

– Chodzi wam o wiekopomne ostatnie słowa? No to się rozczarujecie. Było tylko „dziękuję". Biedny, stary pierdziel. Ale zrobił dla mnie jedno – wszystko zapisał.

– Co zapisał?

– O tym, jak mu pomogłem. Rodzaj zabezpieczenia na wypadek, gdyby ktoś nas na tym zdybał. Napisał tam, że mi zapłacił i że wcześniej błagał mnie o pomoc i wreszcie się zgodziłem.

– Gdzie to jest?

– W sejfie. Mogę okazać.

Rebus wyprostował obolałe plecy.

– Czy rozmawiałeś z nim kiedykolwiek o Villefranche?

– Trochę, głównie o sposobie, w jaki przedstawiały tę historię media, usiłujące go zaszczuć... i jak mu to szkodziło, kiedy... szukał sobie towarzystwa.

– Ale nie o samej masakrze?

Pretty-Boy popatrzył mu w oczy i pokręcił głową.

– Nawet jeśli rozmawialiśmy, nie powiem wam o tym.

Rebus postukał długopisem w blat biurka. Zdawał sobie sprawę, że historia Lintza została tym sposobem zamknięta na zawsze. Bobby Hogan pojął to również. Na pociechę zyskali wiedzę o tym, jak skończył podejrzany Joseph Lintz. Mogli jeszcze liczyć na izraelskie śledztwo w sprawie Rat Line, ale na zawsze stracili możliwość rozstrzygnięcia, czy Joseph Lintz był Josefem Linzstekiem. Teoretycznie dowody przemawiały za tą koncepcją, ale równie dobrze można było stwierdzić, że zwykły żołnierz Joseph Lintz został zaszczuty na śmierć posądzeniami o nazistowskie zbrodnie. W końcu zaczął zakładać pętle na kark prostytutkom po tym, jak ruszyła lawina oskarżeń.

Hogan wychwycił spojrzenie Rebusa i niedostrzegalnie machnął ręką, jakby chciał powiedzieć: a co to ma za znaczenie? Rebus potwierdził równie niedostrzegalnym ruchem głowy. Część jego śledczej osobowości pragnęła nadal drążyć temat, a jednocześnie wiedział, że skoro Pretty-Boy zdecydował się mówić, należało trzymać go pod parą.

– Na razie dziękuję panu, panie Summers – oznajmił urzędowym tonem. – Jeśli będzie trzeba, wrócimy do sprawy pana Lintza. A na razie proponuję, abyśmy przeszli do stosunków, łączących Thomasa Telforda i Jake'a Tarawicza.

Pretty-Boy wyprostował się w krześle, jakby rozbolały go mięśnie.

– Proszę o czas na przygotowanie się do zeznań – oznajmił.

– Oczywiście, poczekamy – zapewnił Rebus.

37

Otrzymali zeznania w stosownym czasie.

Pretty-Boy potrzebował odpoczynku; oni również. Pokój przesłuchań przyjmował teraz inne sprawy i inne ekipy śledcze. Kręciły się szpule, pęczniały teczki i kartoteki. Nasilał się krzyżowy ogień pytań.

Tommy Telford milczał zajadle. Rebus pojawiał się na przesłuchaniach, siadał naprzeciwko niego, patrzył mu w oczy. Telford nawet nie mrugnął. Siedział nieruchomo jak posąg egipskiego władcy, z dłońmi spoczywającymi nieruchomo na kolanach. Kluczowe zeznania Pretty-Boya wypłaszały z ukrycia pozostałych członków chóru, nie tykając głównego tenora. Zwarte szeregi łamały się, zrazu powoli i niechętnie, a potem w tempie narastającej lawiny posądzeń, wzajemnych oskarżeń oraz zaprzeczeń. Policja miała, co chciała.

Telford i Tarawicz: prostytutki z Europy Środkowej przerzucane na północ; narkotyki i mafijni spece od brudnej roboty – na południe.

Pan Taystee: mający większe profity niż można by się było spodziewać; spolegliwy współpracownik.

Japończycy: posługujący się Telfordem jako rekomendacją na terenie Szkocji; rozpoznanie kraju w kontekście korzystnej bazy operacyjnej.

Plus na konto Rebusa: przewidział tę sytuację. W raporcie wysłanym do Shody sugerował japońskiemu gangsterowi, aby wyjechał z Poyntinghame, jeśli nie chce spowodować wszczęcia międzynarodowego śledztwa. Yakuza nie była głupia i na to liczył. Wątpił, aby po podobnie niekorzystnych doświadczeniach wrócili na ten teren... przynajmniej na razie.

Jeszcze jedno zadanie Rebusa tego wieczoru: jazda do aresztu, spowodowanie otwarcia celi i wypuszczenie na wolność Neda Farlowe'a. Zapewnienie go, że nie ma się czego bać.

W przeciwieństwie do Różowookiego, z którym Yakuza miała porachunki. Nie minęło wiele czasu, a został znaleziony w swoim range roverze, zapięty w pasach, jak należy. Jego ludzie zaczęli wiać jak zające. Niektórzy uciekają nadal.

Rebus siedział w swoim salonie, wpatrując się w drzwi, które niegdyś oskrobał i pomalował Jack Morton. Myślał o pogrzebie i o przyjaźni dwóch nowo nawróconych abstynentów, wyznawców Kościoła Napojów Bezalkoholowych. Zastanawiał się, czy wina spadnie na niego i czy przy trumnie będą dzieci Jacka. Nie miał okazji ich poznać i nie był pewien, czy chce je widzieć.

Środa rano. Zdążył wrócić z Inverness, porozmawiać z panią Hetherington, która właśnie weszła do domu po podróży. Przetrzymano ją na lotnisku w Amsterdamie; celnicy mieli dziwnie wiele pytań. Chodziło im o Van der Bossa, znanego handlarza narkotyków, który jakoby umieścił kilogramową paczkę heroiny w bagażu Bogu ducha winnej emerytki. Okazało się, że ma w walizce tajną skrytkę, o której nie miała pojęcia. Walizkę dostała w prezencie od właściciela domu. Podobnie jak ona, szereg emerytowanych podnajemców Telforda miało przestoje w Belgii. Na szczęście krótkie, bo skończyło się na przepytaniu przez miejscową policję.

Rebus, napompowany nowymi faktami, zadzwonił w końcu do Davida Levy'ego.

– Lintz popełnił samobójstwo – oznajmił historykowi.

– Do takich wniosków doszedł pan w śledztwie?

– Taka jest prawda. Naga, bez prowokacji, bez podchodów,
Słyszalne westchnienie po drugiej stronie.

– Rozwiązanie nie po naszej linii, inspektorze. Straciliśmy jeszcze jednego.

– Villefranche nic dla was nie znaczy, tak? Wam chodzi wyłącznie o Rat Line!

– Jeśli chodzi o Villefranche, nic już nie możemy zrobić.
Rebus wziął głęboki oddech.

– Zgłosił się do mnie niejaki Harris. Pracownik brytyjskiego wywiadu. Oni chronią znane nazwiska, wysokie szarże. Ocalonych przez Rat Line, ich dzieci, jeśli zrobiły karierę. Proszę przekazać Mayerlinkowi, żeby drążył dalej.

Przedłużająca się chwila ciszy. A potem:

– Dziękuję, inspektorze.

Rebus siedział w aucie, W jaguarze Łasicy. Sam Łasica tkwił na tylnym siedzeniu. Kierowcy brakowało sporego kawałka płatu lewego ucha. Wyglądał jak elf, ale tylko z jednego półprofilu.

– Dobrze pan się sprawuje, inspektorze – powiedział Łasica. – Pan Cafferty jest z pana zadowolony.

– Od kiedy go macie?

Łasica uśmiechnął się z uznaniem.

– Nic panu nie ujdzie, inspektorze Rebus.

– Ponawiam pytanie.

– Od kilku dni. Musieliśmy się upewnić, czy to naprawdę on.

– I upewniliście się?

– Absolutnie tak.

Rebus patrzył przez okno na nieustającą paradę witryn, przechodniów i samochodów. Wóz skręcił w stronę Newhaven i Granton.

– Nie korciło was, żeby postawić kogoś jako kozła ofiarnego?

- Po co? To naprawdę on.

- Nie wierzę, że zmitrężyliście tyle czasu, tylko po to, by pouczyć go, co ma mówić...

Łasica popatrzył na niego z rozbawieniem.

- Na przykład co?

- Na przykład to, że jest na żołdzie Telforda.

- A nie Cafferty'ego, tak? - Łasica zupełnie nie przejął się gromowładnym spojrzeniem Rebusa. - Proszę mi wierzyć, inspektorze, lepszego kandydata nie mógłby pan sobie wyobrazić.

Rebus wzdrygnął się mimo woli, słysząc ton jego głosu.

- Mam nadzieję, że on jeszcze żyje?

- Ależ naturalnie. To, jak długo pożyje, całkowicie zależy od pana.

- Uważacie, że pragnąłbym jego śmierci?

- Wiemy, że tak jest. Nie poszedł pan do Cafferty'ego, żeby rozmawiać o sprawiedliwości. Pan pożądał zemsty.

Rebus wpatrzył się przenikliwie w Łasicę.

- Nie posądzałem cię o tak dogłębną znajomość moich motywacji.

Łasica znów się uśmiechnął.

- Myślę, że zasłużył sobie pan na to, inspektorze, po tych wszystkich perypetiach.

- Nie przyhaczyłem Telforda, żeby zrobić przyjemność twojemu bossowi.

- Niemniej jednak zrobił ją pan... - Łasica wychylił się ze swojego fotela w stronę Rebusa. - À propos, jak się czuje Sammy?

- Lepiej.

- Budzi się?

- Tak.

- Bardzo dobre wiadomości. Pan Cafferty będzie zadowolony. Ma żal, że nie odwiedzał go pan ostatnio.

Rebus wyjął z kieszeni gazetę. FATALNY CIOS NOŻEM W WIĘZIENIU - głosił tytuł na pierwszej stronie.

- Twój szef? - zagadnął, podsuwając ją gangsterowi.

Łasica udał, że pilnie czyta: „Wiek dwadzieścia sześć lat, z Govan... cios w samo serce, zadany w jego własnej celi... bez świadków... nie znaleziono broni pomimo szczegółowej rewizji". – Nie uważał chłopak. Z nożem trzeba ostrożnie – skomentował, oddając gazetę Rebusowi.

– Miał zlecenie na Cafferty'ego?

– Kto, ten? – Łasica zrobił wielkie oczy.

– Pieprz się – burknął Rebus i odwrócił się do okna.

– À propos, inspektorze, jeśli postanowi pan nie wnosić oskarżenia przeciwko temu kierowcy... – Łasica pokazał mu jakiś przedmiot – prymitywnie obrobiony śrubokręt ze spiłowanym w szpic ostrzem i rączce oklejoną taśmą izolacyjną.

– Starłem krew – zaznaczył Łasica, widząc zdegustowaną minę inspektora, po czym znów się zaśmiał.

Rebus czuł się, jakby w przyspieszonym tempie wabiono go do piekieł. Przed sobą widział szarą przestrzeń wód zatoki Firth of Forth, a za nimi Fife. Wjeżdżali w krajobraz doków, magazynów i pól gazowych – znak rozpoznawczy rozwoju gospodarczego, promieniującego z Leith. Całe miasto podlegało przemianom. W ekspresowym tempie budowano nowe nitki dróg, zewsząd wyrastały pracowite dźwigi, zaś rada miejska, która dotąd skarżyła się, że jest bez grosza, zmieniła kurs i z zapałem zajęła się zmianą oblicza jego rodzinnego miasta.

– Już prawie jesteśmy – oznajmił Łasica.

Zatrzymali się u bramy prowadzącej do całego kompleksu magazynów. Kierowca otworzył kłódkę i zdjął łańcuch. Łasica dał mu znak, aby zaparkował z boku budynku. Dalej poszli piechotą. Stała już tam biała, przerdzewiała furgonetka o zamalowanej tylnej szybie.

Owiał ich wiatr o posmaku morskiej soli. Łasica podszedł do drzwi magazynu i zapukał raz. Natychmiast je otworzono. Weszli do środka.

Duże, pustawe wnętrze, tylko parę skrzyń i w kącie jakieś maszyny, nakryte brezentem. I dwóch mężczyzn – ten, który ich wprowadził, i ten, który czekał na nich w głębi hali, częściowo zasłaniając sobą ustawione w kącie drewniane krzesło, do którego przywiązano kogoś. Rebus usiłował wyrównać oddech, który stał się nerwowy i płytki. Serce łomotało mu w piersi. Z wysiłkiem odsunął od siebie gniew, lecz nie był pewien, czy zdoła go utrzymać na wodzy.

Kiedy zbliżyli się na kilka metrów od krzesła, Łasica dał

znak i stojący mężczyzna odsunął się, odsłaniając więźnia. Był to ciężko przerażony dzieciak.

Chłopak, najwyżej dziesięcioletni.

Jedno oko podbite i sine, pod nosem zaschnięta krew, krwawa szrama na brodzie. Spuchnięta warga, spodnie rozdarte na kolanie, brak jednego buta.

I smród, jakby zlał się w spodnie, albo nawet gorzej.

– Chryste, co to ma być? – zapytał Rebus.

– To – wyjaśnił Łasica – jest pieprzony gnojek, który ukradł wóz. Śmierdzący, mały skunks, który się nie wyrobił, przeleciał skrzyżowanie na czerwonych światłach i stracił panowanie nad wozem, bo ledwie sięgał do pedałów. Oto jest ... – Łasica postąpił krok w przód i położył dłoń na ramieniu chłopaka – ...winowajca.

Rebus popatrzył po kolei na twarze mężczyzn.

– Jeśli takie jest wasze poczucie humoru...

– Rebus, to nie żart!

Znów spojrzał na chłopca. Zaschnięte ślady łez na policzkach. Oczy czerwone i zapuchnięte od płaczu. Chude ramiona, boleśnie wykręcone do tyłu, drżały. Nogi przywiązano za kostki do nóg krzesła.

– P-proszę p-pana – urywany, cienki głos. – Ja... p-pan mi pomoże...

– Ukradł samochód – ciągnął bezlitośnie Łasica – dał gaz, potrącił ją i wtedy dostał pietra i porzucił go koło miejsca, gdzie mieszka. Zabrał radio i kasety. Potrzebował bryki do wyścigów. To u nich teraz modne, ściganki na wyznaczonych trasach. Ten szprync potrafi uruchomić silnik w dziesięć sekund. – Potarł dłonie. – No i taki mamy pasztet.

– Pan pomoże...

Rebus przypomniał sobie graffiti, które pojawiło się na mieście: „Czy nikt nie pomoże?". Łasica dał znak jednemu ze swoich ludzi. Mężczyzna podał mu kilof.

– A może woli pan śrubokręt, inspektorze? – upewnił się Łasica. – Albo coś jeszcze innego? Jesteśmy na każde skinienie. – Skłonił się ironiczne.

Rebus z trudnością wydobył głos z krtani.

– Rozetnijcie więzy.

W hali zapadła cisza.

– Rozetnijcie więzy, kurwa! – wydarł się Rebus.

– Rób, Tony, jak ci każą – burknął Łasica.

Szczęk otwieranego sprężynowego noża. Liny opadły, gładko odcięte. Rebus podszedł do chłopca.

– Jak się nazywasz?

– J-Jordan.

– To imię czy nazwisko?

Chłopak łypnął spode łba.

– Imię.

– Okay, Jordan. – Rebus pochylił się ku niemu. Dzieciak wzdrygnął się, ale nie protestował, kiedy inspektor chwycił go i podniósł z krzesła. Chude ciało było lekkie. Rebus kroczył do wyjścia.

– I co teraz? – zapytał Łasica.

Nie odpowiedział. Kopniakiem otworzył i wyniósł swoje brzemię w jasny blask słońca.

– Ja... ja b-bardzo przepraszam – bąknął chłopak, zasłaniając oślepione oczy dłonią. I zaczął płakać.

– Czy wiesz, co zrobiłeś?

– Wiem... już wtedy wiedziałem... to okropne. – Nowa fala łez.

– Czy mówili ci, kim jestem?

– Proszę, niech pan mnie nie zabija!

– Nie mam zamiaru cię zabić, Jordan.

Chłopak zamrugał, usiłując pozbyć się łez i zobaczyć, czy inspektor nie kłamie.

– Myślę, mały, że już wystarczająco cię pokarało – stwierdził Rebus. – I mnie też – dodał.

Tak więc się to skończyło. Bob Dylan *Simple Twist of Fate*, Leonard Cohen *Is This What You Wanted?*

Nie znał odpowiedzi na to pytanie.

Trzeźwy i odświeżony, wkroczył do szpitala. Tym razem oddział otwarty, normalne wizyty, żadnych nocnych czuwań. Candice już się więcej nie pojawiła, choć pielęgniarki mówiły, że regularnie dzwoni kobieta o obcym akcencie. Nie ma możliwości dowiedzenia się, gdzie teraz jest. Może tam, u siebie, poszukuje syna. Nieważne, dopóki jest bezpieczna. Dopóki ma kontrolę nad swoim życiem.

W sali na samym końcu korytarza dwie kobiety podniosły się z krzeseł na jego widok, aby go ucałować: Rhona i Patience. Niósł ze sobą w torbie prasę i winogrona. Sammy siedziała na łóżku, oparta plecami o spiętrzone poduszki, z misiem u boku. Włosy miała świeżo umyte i uczesane, i uśmiechała się promiennie do ojca.

– Kobiece magazyny – powiedział nieśmiało. – Nie wiem, czy dobrze wybrałem.

– Potrzebuję takich słodkich bzdurek, żeby tu przetrwać – powiedziała Sammy.

Rebus rozpromienił się. Schylił się nad córką i pocałował ją z miłością.

Słońce świeciło jasno, kiedy szli przez zielone murawy The Meadows, ciesząc się jedną z rzadkich chwil wspólnego relaksu. Trzymali się za ręce, a ludzie wokół opalali się i grali w piłkę. Czuł, że Rhona jest podekscytowana, i domyślał się, dlaczego. Ale nie chciał psuć sobie przyjemności domysłami.

– Gdybyś miał córkę, jakie wybrałbyś dla niej imię? – zapytała.

Wzruszył ramionami.

– Prawdę mówiąc, nie zastanawiałem się nad tym.

– A syna?

– Podoba mi się Sam.

– Sam?

– Kiedy byłem mały, miałem misia Sama. Mama zrobiła mi go na drutach.

– Sam... – wymówiła to imię na próbę. – Pasuje zarówno dziewczynce, jak i chłopcu, nie uważasz?

Przystanął i objął ją w pasie.

– A ty jakie wolisz?

– Może być Samuel albo Samantha. Nie ma zbyt wielu uniwersalnych imion do wyboru.

– Zdaje się, że tak. Rhona, czy...?

Położyła mu palec na wargach, a potem pocałowała. Ruszyli dalej. Na całym, cholernym niebie nie znalazła się ani jedna chmurka, która zasłoniłaby słońce.

Posłowie

Fikcyjna francuska miejscowość Villefranche d'Albarede zawdzięcza swój książkowy byt prawdziwej wiosce Oradour-sur-Glâne, gdzie okrutnej pacyfikacji dokonała 3. Dywizja pancerna SS.

10 czerwca 1944 roku, w sobotę po południu, dywizja „Das Reich" wkroczyła do wsi. Zgromadzono całą ludność w jednym miejscu. Kobiety i dzieci wpędzono do kościoła, zaś mężczyzn podzielono na grupy, które pozamykano w stodołach i w innych budynkach. A potem zaczęła się rzeź.

Doliczono się 642 ofiar, lecz prawdopodobnie tego dnia zginęło tysiąc mieszkańców. Zidentyfikowano tylko pięćdziesiąt trzy ciała. Pewien chłopiec z Lorraine, który był wcześniej świadkiem okrucieństw SS, zdołał uciec, zanim jeszcze oddziały wkroczyły do wioski. Pięciu mężczyzn przeżyło w jednej ze stodół. Pomimo ran i oparzeń udało im się wyczołgać z płonącego budynku i ukryć się do rana. Jedna kobieta uciekła z kościoła. Udawała martwą, leżąc przy zabitym dziecku, a potem wspięła się do okna i wyskoczyła na zewnątrz.

Żołnierze chodzili od domu do domu, strzelając do ciężko chorych i starych, którzy nie mieli siły ruszyć się z łóżek. Ich domostwa podpalano. Większość ciał zakopano w masowych grobach; resztę wrzucano do studni i wpychano do pieców chlebowych.

Akcją dowodził generał Lammerding. 9 czerwca wydał rozkaz zabicia dziewięćdziesięciu dziewięciu zakładników w Tulle. On też odpowiadał bezpośrednio za masakrę w Oradour. Przed samym końcem wojny Lammerdinga schwytali Brytyjczycy, którzy odmówili jego ekstradycji do Francji. Wrócił do

Życiorys autora

Ian Rankin, urodzony w roku 1960 w Królestwie Fife ukończył Uniwersytet Edynburski. Po studiach imał się wielu zajęć – był zbieraczem winogron, pracownikiem świńskiej fermy, taksówkarzem, ankieterem w branży alkoholowej, dziennikarzem rubryki hi-fi i muzykiem punkowym. Jego pierwsza powieść z inspektorem Rebusem, *Knits and Crosses**, została wydana w 1987 roku. Od tego czasu książki o Rebusie przetłumaczono na dwanaście języków; szczególną popularnością cieszą się w USA. Ian Rankin jest laureatem wielu prestiżowych nagród literackich w dziedzinie powieści kryminalnej, jak Chandler-Fulbright Award czy Gold Dagger. Wiele z jego powieści (w tym *Wiszący ogród*) doczekało się ekranizacji telewizyjnych w Szkocji.

Ian Rankin mieszka w Edynburgu z żoną i dwoma synami.

---

*Polski tytuł: *Węzełki i krzyżyki* (przyp. tłum.).

Düsseldorfu i tam z powodzeniem, aż do śmierci w 1971 roku, prowadził własną firmę.

W atmosferze euforii po lądowaniu w Normandii tragedia w Oradour pozostała niemal niezauważona. Dopiero w 1953 roku w Bordeaux rozpoczął się proces. Akt oskarżenia objął sześćdziesięciu pięciu mężczyzn, którzy brali udział w pacyfikacji. Spośrod nich przed sądem stanęło tylko dwudziestu jeden – siedmiu Niemców i czternastu francuskich Alzatczyków. Żaden z nich nie miał stopnia oficerskiego.

Wszyscy sądzeni w Bordeaux zostali uwolnieni po procesie. Ogłoszono specjalną amnestię dla zbrodniarzy wojennych, działającą w interesie międzynarodowej społeczności. (Alzatczycy zżymali się, że ich zbrodniczy rodacy uniknęli kary). Oficjalnie uznano, że Niemcy odcierpieli już swoje winy.

W rezultacie sprawa Oradour zaciążyła na stosunkach angielsko-francuskich.

W maju 1983 roku przed sądem w Berlinie Wschodnim stanął człowiek, który w czasie masakry w Oradour służył w dywizji „Das Reich" w stopniu porucznika. Przyznał się do wszystkiego i został skazany na dożywocie.

W czerwcu 1996 ujawniono, że prawie 12 tysięcy zagranicznych ochotników, służących w Waffen SS, nadal otrzymuje emerytury od federalnego rządu niemieckiego. Jeden z takich emerytów, wówczas obersturmbannführer, był jednym z pacyfikatorów Oradour.

Oradour-sur-Glâne pozostało symbolem zbrodni i męczeństwa. Wioski nie odbudowano. Pozostawiono ją w takim stanie, w jaki zostawili ją zbrodniarze w czerwcu 1944 roku.